KB195789

코스모스
인포그래픽스

우 주 에 대 해 알 아 야 할 모 든 지 식

코스모스
인포그래픽스

스튜어트 로 · 크리스 노스 지음 | 김부민 옮김

푸른
지식

이 책을 추천하며

우주를 읽는 가장 완벽한 방법

이강환(서대문자연사박물관 관장)

과학은 어렵다. 세상에 어렵지 않은 것이 어디 있겠냐마는 과학은 특히 많은 사람들이 어려워하는 학문이다. 어려운 이유가 있다. 일단 용어가 어렵고, 수식이 등장하고, 뭔가 관계가 아주 복잡하다. 이렇게 어렵고 복잡한 것을 공부하는 가장 좋은 방법은 정리를 잘하는 것이다. 그림을 활용하는 방법이 제일 좋다. 과학 공부를 잘하는 사람들의 특징은 복잡한 내용을 간단하게 잘 정리한다는 것이다. 잘 정리된 그림은 백 마디 설명보다 훨씬 더 효과가 크다.

『코스모스 인포그래픽스』는 잘 정리된 그림들이 모여 있는 책이다. 과학자들이 주로 하는 일은 자료를 수집하고, 수집한 자료를 과학적으로 분석하여 그 결과를 해석하는 것이다. 이렇게 정리된 결과를 논문으로 발표한다. 논문을 쓸 때 가장 많은 노력을 들이는 것 중 하나가 결과를 가장 잘 보여줄 수 있는 그림을 그리는 것이다.

천문학에서 사용하는 그림 중에는 그 자체로 너무나 많은 과학적인 내용을 담고 있어서 아예 표준이 되어 사용되는 그림도 있다. 이런 그림에는 그 그림을 처음으로 개발한 사람의 이름을 붙이기도 한다. 그중에서 대표적인 것이 이 책에도 소개되어 있는 '헤르츠스프룽·러셀 도표'(138~139쪽)다. 20세기 초, 에나르 헤르츠스프룽과 헨리 러셀은 '별의 밝기'를 세로축, '별의 색'을 가로축으로 하는 그림을 그렸다. 별의 색은 별의 표면 온도에 따라 결정되기 때문에 결과적으로 가로축은 별의 온도를 표현하는 것이 되었는데, 왼쪽에 있을수록 온도가 높음을 나타낸다.

별들의 밝기와 온도를 측정해 이 도표에 그리면 별 하나가 점 하나로 표시된다. 대다수의 별이 왼쪽 위에서 오른쪽 아래로 내려가는 대각선 위에 분포하는데, 이러한 항성의 계열을 '주계열'이라고 한다. 별은 대부분의 시간을 이곳에서 보내므로 하늘에서 보이는 거의 모든 별을 주계열이라고 봐도 무방하다. 그림의 오른쪽 위에 있는 밝고 온도가 낮은 별들은 '적색거성'이다. 이 별들은 수명을 다한 주계열의 별이 팽창한 별이다. 팽창하여 크기가 커졌기 때문에 밝기는 밝아지고 온도는 낮아진 것이다. 이 단계를 지나면 왼쪽 아래 '백색왜성'으로 이동한다.

헤르츠스프룽-러셀 도표는 별이 도표의 어디에 위치하는지만 알면 별이 어떤 진화 단계를 지나고 있는지 알게 해주는 마법의 지도다. 관측 천문학자들이 별을 관측한 후 가장 먼저 하는 일이 바로 관측한 별들을 이용해 헤르츠스프룽-러셀 도표를 그리는 것이다. 이 그림 하나로 천문학자들은 별에 대해서 많은 사실을 알아낼 수 있다.

초신성을 분류하는 방법(142~143쪽)은 천문학자들이 별을 분류할 때 무엇에 관심을 두는지 잘 보여준다. 천문학자들은 먼저 스펙트럼에서 수소가 나타나지 않는 초신성을 'I 유형', 수소가 나타나는 초신성을 'II 유형'으로 분류했다. 수소가 나타나지 않는 I 유형 초신성을 백색왜성이 이웃 별에서 물질을 공급받아 질량이 커져서 폭발하는 초신성이라고 분류했고, 수소가 나타나는 II 유형 초신성을 원래 질량이 큰 별이 폭발하는 초신성일 것이라고 생각했다. 그런데 I 유형 초신성들은 수소가 나타나지 않는 것은 같았지만, 규소가 있느냐 없느냐에 따라 밝기 차이가 아주 컸다. 알고 보니 규소가 나타나는 I 유형 초신성은 II 유형 초신성과 마찬가지로 원래 질량이 큰 별이 폭발하는 초신성이었다. 이 초신성은 진화 과정에서 항성풍에 의해 바깥층의 수소를 완전히 잃어버린 후에 폭발하기 때문에 수소가 나타나지 않았던 것이다. 그래서 I 유형 초신성 중에서 규소가 나타나는 초신성은 Ia 유형, 규소가 나타나지 않는 초신성은 Ib 유형으로 다시 분류했다.

여기에서 문제가 있다. 질량이 큰 별이 폭발하는 Ib 유형 초신성은 백색왜성이 물질을 공급받아 폭발하는 Ia 유형보다는 II 유형에 더 가까워 보인다. Ib 유형과 II 유형의 차이는 수소의 유무일 뿐이고, Ia와 Ib 유형은 폭발하는 방식이 다르다. 그렇다면 Ib 유형을 IIb 유형으로 분류하는 것이 더 적절하지 않을까? 그런데 천문학자들은 원래 그렇게 이름을 붙인다. 애초에 I 유형과 II 유형은 수소가 있느냐 없느냐로 분류한 것이지, 폭발하는 방식의 차이로 분류한 것이 아니기 때문이다. 천문학자들은 어떤 사건을 일으키는 원리를 완전히 이해하지 못했더라도 관측되는 현상을 보이는 그대로 받아들이는 데에 익숙하다. I 유형과 II 유형 초신성을 분류할 때만 해도 폭발하는 방식의 차이를 이해하기 전이었다. 지금은 초신성이 폭발하는 방식을 잘 이해하고 있지만 그 이해는 완벽한 것이 아니므로 미래에는 어떤 오류가 드러날지도 모른다. 폭발하는 방식의 차이로 이름을 붙였다면 이런 경우에 큰 혼란이 생긴다. 하지만 폭발하는 방식이 어떠하든, I 유형 초신성에는 수소가 없고 II 유형 초신성에는 수소가 있다는 사실은 영원히 변하지 않는다. 그 뒤 과학자들은 규소선이 없는 Ib 유형 초신성 중에서 헬륨도 없는 초신성을 Ic 유형으로 분류했다. Ic 역시 II 유형처럼 질량이 큰 별이 폭발하는 별이지만 수소가 없기 때문에 IIc 유형이 아니라 Ic 유형으로 분류되었다. 단순해 보이는 분류 하나에도 과학적인 관점과 철학이 녹아 있다.

2006년, 국제천문연맹International Astronomical Union, IAU은 행성을 다시 정의하면서 명왕성을 행성에서 제외해 왜행성으로 분류했다. 태양계 행성의 수는 아홉 개에서 여덟 개로 바뀌었다. 그런데 행성의 수가 바뀐 것은 그것이 처음이 아니었다. 고대에는 하늘에서 움직이는 것은 모두 행성이라고 불렀기 때문에 행성은 수성·금성·화성·목성·토성·태양·달 이렇게 일곱 개였다. 일주일이 7

일이 된 것은 행성이 일곱 개였기 때문이다.

이후 태양이 태양계의 중심이라는 것을 알게 되면서 행성은 수성·금성·지구·화성·목성·토성이 되었다. 그리고 천왕성과 해왕성이 발견되고 소행성들이 발견되고 명왕성이 발견되면서 행성의 수는 계속 변해갔다. 급기야 명왕성 근처에서 다른 많은 천체들이 발견되면서 행성을 분명하게 정의해야 할 수밖에 없는 상황이 되었다. 이제 적어도 당분간은 태양계 행성의 수가 변하는 일은 없을 것이다.

이렇게 오락가락 변하는 행성의 수를 한눈에 볼 수 있도록 정리한 인포그래픽(44~45쪽)은 정말 훌륭하다. 그림 하나에 행성 발견과 분류의 역사가 모두 들어가 있다. 이 그림만 있으면 더 이상의 설명이 필요 없을 정도다. 이런 인포그래픽을 설계하고 구현한 아이디어에 찬사를 보낸다. 태양계 천체들을 탐사한 탐사선들을 정리한 인포그래픽(36~37쪽) 역시 활용도가 높다. 어떤 탐사선이 어떤 천체를 탐사했는지 한눈에 파악할 수 있다. 탐사선을 보낸 횟수까지 쉽게 알 수 있도록 그려져 있어서 그동안 인류가 화성에 얼마나 많은 탐사선을 보냈는지 실감할 수 있다.

『코스모스 인포그래픽스』의 저자들은 천문학자이면서 팟캐스트·웹사이트·라디오·텔레비전 프로그램 등을 통해 일반 대중과 소통하고 있는 사람들이다. 그래서인지 사람들에게 지식을 전달하는 방법을 잘 이해하고 있다. 그리고 사람들이 궁금해 하는 것이 어떤 것인지도 잘 안다. 책 한 권이 담을 수 있는 지식의 양에는 당연히 한계가 있겠지만, 이 책은 그림을 이용해 그 한계를 크게 뛰어넘었다. 많은 내용을 담고 있으면서도 잘 정리되어 있는 훌륭한 인포그래픽이다.

차례

들어가며

우주와 천문학은 실로 상상력을 자극하는 주제다. 어린 시절 밤하늘을 보면서 상상의 나래를 펼치지 않았던 사람은 없을 것이다. 우주에 관한 설명은 대개 복잡하고 때로는 미묘해서 이해하기 어렵게 느껴지지만, 밑바탕에 깔린 기본적인 발상은 어떤 면에서 보면 매우 친숙한 개념이다. 광대한 우주를 설명할 때 쓰이는 거리와 단위는 너무나 커서 상상하기조차 어렵다. 그래서 단순히 그 엄청 큰 숫자를 적는 것만으로는 우주를 이해하기가 어렵다.

이 책에서는 우주를 이해하는 과정과 우주에 관한 개념을 시각적으로 표현했다. 세부 사항에 얽매이지 않고, 근본적인 생각을 쉽게 살펴보려는 것이다. 자료는 될 수 있으면 축척에 맞게 표현했다. 예를 들어, '달나라 여행' 절에서는 지구와 달, 달의 궤적을 모두 상대적인 크기를 고려하여 정확히 표현했다. 그렇지만 천문학에서 다루는 사물은 크기가 정말 엄청나게 다양하고, 개념 역시 천차만별이므로 주어진 지면 안에서 모든 자료를 척도에 맞춰 표현하기란 불가능하다. 그래서 어떨 때는 로그를 이용해 크기와 거리를 조절하여 나타내고•, 극단적일 때는 단위를 아예 추상화하여 표현했다.

우리가 다룬 주제는 지구에서 달까지 가는 인류의 달 탐사에서 수십억 광년 거리에 걸쳐 전 우주에 흩뿌려진 수많은 은하계까지, 천국을 찾고자 망원경을 만들려던 시도에서 외계 문명에 접촉하려는 시도까지 실로 다양하다. 여러분이 우주와 천문학을 얼마나 많이 알든지 간에, 이 책에는 그리고 우주에는 분명 여러분의 흥미를 끌 만한 무언가가 남아 있을 것이다.

책에서 쓴 그림과 도표는 될 수 있으면 최신 정보와 연구에 기반을 두고 만들었다. 사용한 자료 대부분은 2014년 말을 기준으로 유효하다. 연구가 활발하게 이루어지는 분야가 모두 그러하듯이, 새로운 발견은 언제라도 이루어지며 지식의 지평은 계속해서 넓어진다. 그러므로 어떤 자료는 이 책이 발행될 무렵에는 구식이 될 수도 있다. 따라서 코스모스북 사이트 cosmos-book.github.io에 관련 사항을 계속해서 업데이트하고 이 책과 호환되는 새로운 인포그래픽••도 제공할 예정이다.

우리 두 저자는 분명 모두 천문학자이지만, 전문 연구 분야는 특정 주제에 국한되어 있다. 그렇기에 어떤 주제는 책을 쓰기 시작할 무렵에는 상대적으로 생소한 영역에 속해 있었다. 그렇지만 우리는 천문학에 관한 팟캐스트, 웹사이트, 라디오와 텔레비전 프로그램을 통해 일반 대중과 아주 즐겁게 소통하면서 사실상 모든 천문학 분야로 발을 넓힐 수 있었다. 우리 두 사람은 사람들에게 지식을 전하는 과정에서 많은 것을 배웠으며, 그 내용은 책의 뼈와 살이 되었다. 우리가 책을 쓰면서 즐거웠던 만큼, 독자 여러분도 즐겁게 감상하기를 바란다!

스튜어트 로 Stuart Lowe · 크리스 노스 Chris North

• 아주 큰 숫자와 작은 숫자에 로그를 씌우면 큰 숫자는 상대적으로 아주 작게 표시된다. 그렇지만 숫자 사이의 서열이 변하지는 않으므로, 크기 차이가 큰 사물을 비교하기에 매우 적합한 방식이다. '로그의 발명은 천문학자의 수명을 두 배로 늘렸다.'라는 유명한 말도 있다. - 옮긴이
•• infographics, 정보 · 자료 · 지식을 시각적으로 표현한 것 - 옮긴이

1장 / 우주 탐험

우주선 발사

만약 여러분이 뭔가를 우주로 쏘아 올리고 싶다면, 정부 우주 기관으로부터 민간 기업에
이르기까지 다양한 단체를 이용할 수 있다. 그리고 발사 비용은 얼마나 많은 물건을 보낼
지, 얼마나 멀리 보낼지, 얼마나 많은 위험을 감수할지에 달렸다.

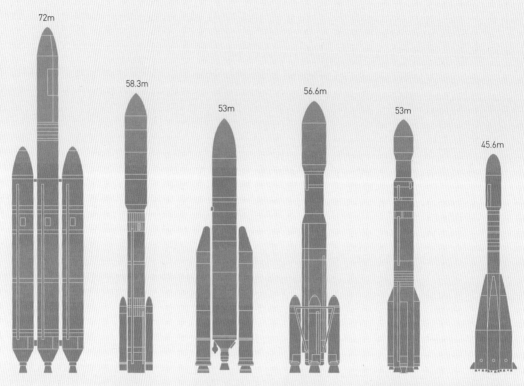

이름 발사 지점	델타4·헤비 (Delta IV Heavy)호 ••• 미국 캘리포니아주, 나사 케네디우주센터 (Kennedy Space Center)	아틀라스5(Atlas V)호 미국 캘리포니아주, 나사 케네디우주센터	아리안5(Ariane 5)호 프랑스령 기아나, ESA •••• 기아나우주센터 (Guiana Space Centre)	H2B(H-IIB)호 ••••• 일본, JAXA 다네가 시마우주센터 (種子島宇宙センター)	프로톤·M(Proton-M)호 •••••• 러시아, 로스코스모스 플레세츠크우주기지 (Plesetsk Cosmodrome)	소유스·U(Soyuz-U)호 러시아, 로스코스모스 플레세츠크우주기지 및 프랑스령 기아나, ESA 기아나우주센터
최초 발사 연도	2004년	2002년	1996년	2009년	1999년	1973년
발사 비용(단위: 유로)	2억	1억 5,000만	1억	8,000만	6,000만	6,000만
성공률	95%	98%	96%	95%	88%	98%
지구 저궤도•에서의 질량(단위: 톤)	28.8	18.5	21	16.5	21.6	6.9
지구 저궤도를 벗어났을 때의 질량 (단위: 톤)	14	8.7	10	8	6.2	2.9
페이로드 지름•• (단위: 미터)	5	3.5	5.5	5	4	3

•

• Low-Earth Orbit, 지구의 지상에서부터 고도 2,000킬로미터까지의 인공위성 궤도 – 옮긴이
•• Payload diameter, 인공위성이나 탐지기, 생명체를 태운 우주왕복선 등 로켓의 실제 발사 목적에 따라
  적화물을 실은 부분의 지름 – 옮긴이
••• 미국항공우주국, National Aeronautics and Space Administration, NASA

•••• 유럽우주기구, European Space Agency
••••• 일본우주항공연구개발기구, Japan Aerospace eXploration Agency
•••••• 러시아연방우주청, Roscosmos

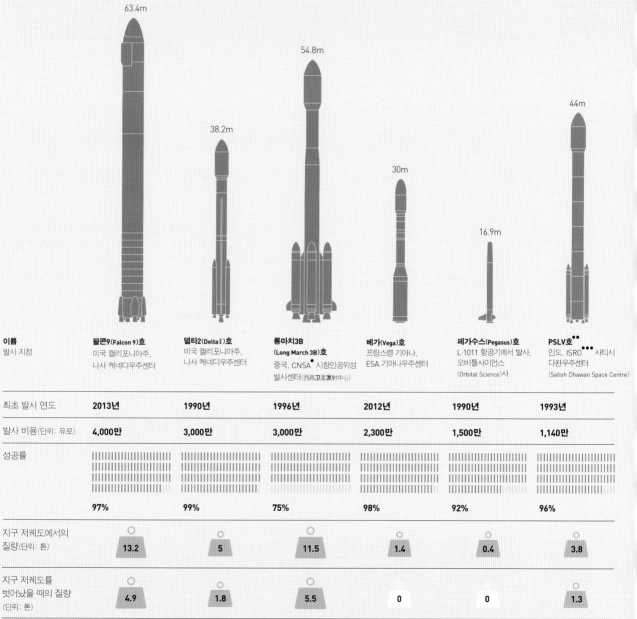

이름 발사 지점	팔콘9(Falcon 9)호 미국 캘리포니아주, 나사 케네디우주센터	델타2(Delta II)호 미국 캘리포니아주, 나사 케네디우주센터	롱마치3B (Long March 3B)호 중국, CNSA* 시창인공위성 발사센터(西昌卫星发射中心)	베가(Vega)호 프랑스령 기아나, ESA 기아나우주센터	페가수스(Pegasus)호 L·1011 항공기에서 발사, 오비틀사이언스 (Orbital Science)사	PSLV호** 인도, ISRO*** 사티시 다완우주센터 (Satish Dhawan Space Centre)
최초 발사 연도	2013년	1990년	1996년	2012년	1990년	1993년
발사 비용(단위: 유로)	4,000만	3,000만	3,000만	2,300만	1,500만	1,140만
성공률	97%	99%	75%	98%	92%	96%
지구 저궤도에서의 질량(단위: 톤)	13.2	5	11.5	1.4	0.4	3.8
지구 저궤도를 벗어났을 때의 질량 (단위: 톤)	4.9	1.8	5.5	0	0	1.3
페이로드 지름 (단위: 미터)	3.5	3	3.5	3	1.2	3.2

- • 중국국가항천국, China National Space Administration
- •• 극위성발사체, Polar Satellite Launch Vehicle
- ••• 인도우주연구기구, Indian Space Research Organisation

목적지를 향한 작은 한 걸음

인간은 우주를 여행한 유일한 종족이 아니며, 우주를 여행한 첫 번째 종족은 더더욱 아니다. 우주비행이 최초로 기록된 해는 1947년이었다. 그리고 최초의 우주비행사는 바로 초파리였다. 이 선구자들은 무사히 비행을 마치고 지구로 귀환했다. 1949년에는 최초의 원숭이 우주비행사들이 그 뒤를 따랐다. 비록 1959년에 '에이블Able'과 '베이커Baker'가 생환하기 전까지 지구로 살아 돌아온 원숭이는 없었지만 말이다. 1951년에는 생쥐가 실제 우주비행에서 생환한 최초의 포유류 자리에 올랐다. 개 역시 1951년 사상 최초로 우주비행에 성공했는데,

쥐와는 딱 한 곳 차이였다. 그리고 1957년에는 역사상 최초로 궤도 비행에 도전했다. 1961년 3월, 생쥐들은 (개구리와 기니피그, 곤충 들과 함께) 지구궤도를 성공적으로 비행한 최초의 동물이 되었다. 인간 우주비행사들은 그로부터 몇 주 후에야 궤도 비행을 마쳤다.
1968년 9월, 아폴로8Apollo 8호가 발사되기 석 달 전, 존드5Zond 5호는 최초의 지구인 승객을 태운 채 지구와 달 사이를 무사히 왕복했다. 승객은 거북이 한 마리와 포도주파리wine fly, 밀웜meal worm (갈색거저리 유충 – 옮긴이) 들이었다.

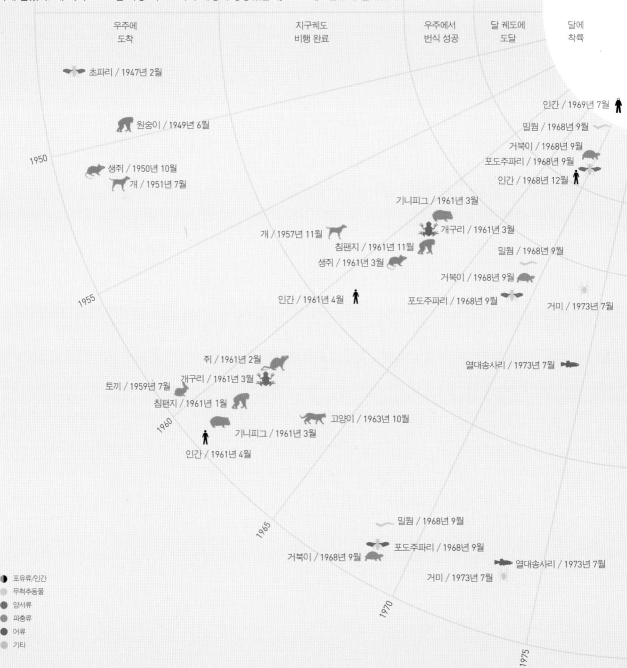

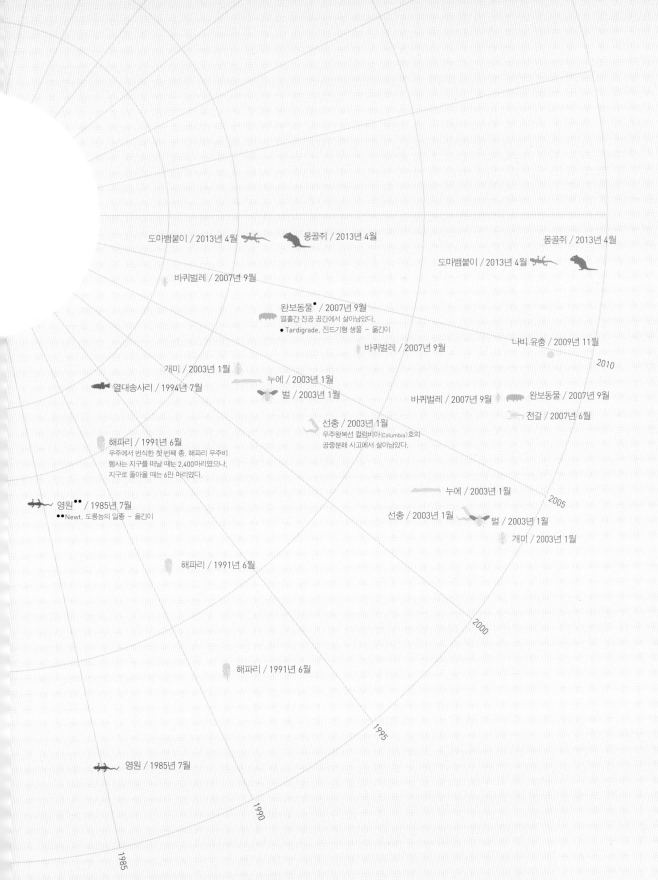

도마뱀붙이 / 2013년 4월   몽골쥐 / 2013년 4월

몽골쥐 / 2013년 4월

도마뱀붙이 / 2013년 4월

바퀴벌레 / 2007년 9월

완보동물● / 2007년 9월
열흘간 진공 공간에서 살아남았다.
● Tardigrade, 진드기형 생물 – 옮긴이

나비 유충 / 2009년 11월

2010

바퀴벌레 / 2007년 9월

개미 / 2003년 1월   누에 / 2003년 1월

열대송사리 / 1994년 7월

벌 / 2003년 1월

바퀴벌레 / 2007년 9월   완보동물 / 2007년 9월

전갈 / 2007년 6월

선충 / 2003년 1월
우주왕복선 컬럼비아(Columbia)호의
공중분해 사고에서 살아남았다.

해파리 / 1991년 6월
우주에서 번식한 첫 번째 종. 해파리 우주비
행사는 지구를 떠날 때는 2,400마리였으나,
지구로 돌아올 때는 6만 마리였다.

누에 / 2003년 1월

2005

선충 / 2003년 1월   벌 / 2003년 1월

영원●● / 1985년 7월
●●Newt, 도롱뇽의 일종 – 옮긴이

개미 / 2003년 1월

해파리 / 1991년 6월

2000

해파리 / 1991년 6월

1995

영원 / 1985년 7월

1990

1985

인류의 우주비행

1961년, 소련의 우주비행사 유리 가가린 Yuri Alekseyevich Gagarin이 하늘 위로 날아오르면서 인류는 처음으로 우주(지표면에서 100km 위로 정의한다)에 도달했다. 그 뒤를 이어 1963년에는 소련의 우주비행사 발렌티나 테레시코바 Valentina Tereshkova가 여성 최초로 우주로 나갔다. 아폴로11 Apollo 11호 발사 당시에 정점을 찍은 이래로 정체되었던 우주비행사의 수는 1980년대와 1990년대에 소련의 미르 우주정거장 계획 Mir Space Station program과 미국의 우주왕복선 계획 Space Shuttle program 덕분에 서서히 늘어났다. 그리고 2000년 10월 31일부터 국제우주정거장 International Space Station에 상시 직원을 두기로 하면서, 인류는 항구적으로 우주 공간에 존재하게 되었다.

우주 공간이 수반하는 위험의 중대성을 고려한다면, 다행스럽게도 우주에서 생긴 사상자는 그리 많지 않았다. 1967년, 소련의 우주비행사 블라디미르 코마로프 Vladimir Komarov는 지구에 재진입하는 과정에서 낙하산이 고장 나면서 큰 충격을 입고 사망했다. 1971년에는 소련의 세 우주비행사 게오르기 도브로볼스키 Georgi Dobrovolski, 블라디슬라프 볼코프 Vladislav Volkov, 빅토르 파차예프 Viktor Patsayev가 지구로 귀환하려고 우주선을 우주정거장 살류트1 Salyut 1호에서 분리하는 과정에서 사망했다. 1986년, 우주왕복선 챌린저 Challenger호의 폭발 사고가 터지면서 그레그 자르비스 Greg Jarvis, 크리스타 매콜리프 Christa McAuliffe, 로널드 맥네어 Ronald McNair, 엘리슨 오니즈카 Ellison Onizuka, 주디스 레스닉 Judith Resnik, 마이클 스미스 Michael Smith, 딕 스코비 Dick Scobee 등 미국인 일곱 명이 사망했다. 2003년에는 우주왕복선 컬럼비아호의 공중분해 사고가 터져서 미국인 우주비행사 마이클 앤더슨 Michael Anderson, 데이비드 브라운 David Brown, 칼파나 차울라 Kalpana Chawla, 로럴 클라크 Laurel Clark, 릭 허즈번드 Rick Husband, 윌리엄 매쿨 William McCool과 이스라엘인 우주비행사 일란 라몬 Ilan Ramon이 사망했다. 미국은 두 차례의 우주왕복선 사고를 조사하면서 유인 우주비행을 일시적으로 중단했다.

👩 여성　👨 남성　👤 사망자
성명(국적) | 국가별 유명인 위주로 표시

	1961
	1962
발렌티나 테레시코바(소련) 1 👩	1963
	1964
	1965
	1966
	1967
	1968
아폴로11호(미국)	1969
	1970
	1971
	1972
스카이랩(Skylab)* 계획 / 개시 (* 아폴로 계획의 일환으로 만들어진 미국 최초의 우주정거장 – 옮긴이)	1973
	1974
	1975
	1976
	1977
	1978
	1979
스카이랩 계획 / 종료	1980
	1981
1 👨	1982
	1983
주디스 레스닉(미국) 4 👨 👩 👨 👨	1984
3 👨 👨 👨	1985
미르 우주정거장 계획 / 개시　우주왕복선 챌린저호 폭발 사고	1986
	1987
	1988
4 👤 👤 👤 👤	1989
3 👤 👤 👤	1990
헬렌 샤먼(Helen Sharman, 영국) 6 👩 👨 👨 👨 👨 👨	1991
8 👨 👨 👨 👨 👨 👨 👨 👨	1992
7 👨 👨 👨 👨 👨 👨 👨	1993
무카이 치아키(向井千秋, 일본) 8 👩 👨 👨 👨 👨 👨 👨 👨	1994
10 👨 👨 👨 👨 👨 👨 👨 👨 👨 👨	1995
클로디 에뉴레(Claudie Haigneré, 프랑스) 5 👩 👨 👨 👨 👨	1996
10 👨 👨 👨 👨 👨 👨 👨 👨 👨 👨	1997
국제우주정거장 계획 / 개시　6 👨 👨 👨 👨 👨 👨	1998
5 👨 👨 👨 👨 👨	1999
4 👨 👨 👨 👨	2000
5 👨 👨 👨 👨 👨	2001
미르 우주정거장 계획 / 종료　4 👨 👨 👨 👨	2002
우주왕복선 컬럼비아호의 공중분해 사고 3 👤 👩 👤	2003
	2004
2 👨 👩	2005
7 👨 👨 👨 👨 👨 👨 👨	2006
5 👨 👨 👩 👨 👨	2007
5 👨 👨 👨 👨 👩	2008
3 👨 👨 👨	2009
4 👨 👨 👨 👨	2010
2 👨 👨	2011
양리우(劉洋, 중국) 1 👩	2012
1 👨	2013
2 👨 👨	2014

- 4 유리 가가린(소련), 앨런 셰퍼드(Alan Shepard, 미국)
- 5
- 2
- 3
- 11
- 9
- 1
- 7
- 23 닐 암스트롱(Neil Alden Armstrong, 미국)
- 5
- 12
- 6
- 16
- 6
- 8
- 6
- 8
- 10 지크문트 옌(Sigmund Jähn, 독일)
- 4
- 13
- 10
- 15 장루 크레티앵(Jean-Loup Chrétien, 프랑스)
- 24
- 31
- 53
- 9
- 10
- 22
- 25
- 35 아키야마 도요히로(秋山豊, 일본)
- 34
- 51 프란코 말레르바(Franco Malerba, 이탈리아)
- 40
- 43
- 40
- 43
- 51
- 33
- 15
- 33
- 41
- 35
- 11 양리웨이(楊利偉, 중국)
- 6
- 14
- 22
- 21
- 36
- 42
- 26
- 27
- 15
- 16
- 9

시공간 여행

20세기, 우주여행은 드디어 공상과학소설의 영역을 떠났다. 오늘날 우주여행은 비록 지구 저궤도에 국한되긴 하지만, 거의 일상화되었다. 우주비행사는 한 번에 몇 달씩 정기적으로 지구 저궤도를 돈다. 그리고 우리 지구를 하루에만 열여섯 번이나 도는 궤도속도^{orbital veloc-ity}로 엄청난 거리를 여행한다.

궤도속도에는 한 가지 재미난 점이 있는데, 바로 궤도속도로 움직이는 사람에게는 지상에 있는 사람보다 시간이 약간 느리게 흘러간다는 사실이다. 그 결과 우주비행사는 집에 있을 때보다 아주 약간 젊어지게 된다. 이 효과는 아주아주 작은데(최대 25밀리초•), 세계에서 가장 빠른 100미터 달리기 선수와 여섯 번째로 빠른 선수를 가르는 차이 정도다.

A **닐 올던 암스트롱**(미국) / 1966년 최초 비행 /
우주에서 지낸 날: 8.58일 / 달 위를 걸은 최초의 사람

B **에드워드 마이클 핀크**(Edward Michael Fincke, 미국) / 2004년 최초 비행 /
우주에서 지낸 날: 381.63일 / 우주에서 가장 오랜 시간을 보낸 미국인(381.63일)

C **유리 알렉세예비치 가가린**(소련) / 1961년 최초 비행 /
우주에서 지낸 날: 0.08일 / 우주에 간 최초의 사람(1961년)

D **세르게이 콘스탄티노비치 크리칼료프**(Sergei Konstantinovich Krikalyov, 소련) /
1988년 최초 비행 / 우주에서 지낸 날: 803.4일 /
우주에서 가장 오랜 시간을 보낸 사람(803.4일)

E **발레리 블라디미로비치 폴랴코프**(Valeri Vladimirovich Polyakov, 소련) /
1988년 최초 비행 / 우주에서 지낸 날: 678.69일 /
단일 비행으로 우주에서 가장 오래 머문 사람(437.75일)

F **찰스 시모니**(Charles Simonyi, Simonyi Károly, 헝가리) / 2007년 최초 비행 /
우주에서 지낸 날: 26.6일 / 우주에서 가장 오랜 시간을 보낸 관광객

G **아나톨리 야코블레비치 솔로비요프**(Anatoli Yakovlevich Soloviyov, 소련) /
1988년 최초 비행 / 우주에서 지낸 날: 651일 /
우주에서 가장 오랫동안 걸은 사람(68시간 44분)

H **데니스 티토**(Dennis Tito, 미국) / 2001년 최초 비행 /
우주에서 지낸 날: 7.92일 / 우주에 간 최초의 관광객

I **와카타 고이치**(若田光一, 일본) / 1996년 최초 비행 / 우주에서 지낸 날: 238.24일 /
우주에서 가장 오랜 시간을 보낸 국제 우주비행사(238.24일)

J **페기 애넷 횟슨**(Peggy Annette Whitson, 미국) / 2002년 최초 비행 /
우주에서 지낸 날: 376.72일 / 우주에서 가장 오랜 시간을 보낸 여성(376.72일)

K **양리웨이**(중국) / 2003년 최초 비행 / 우주에서 지낸 날: 0.89일 /
최초의 중국 우주비행사(taikonaut, 太空人)

● 미국인 우주비행사
● 러시아인 우주비행사(소련 포함)
● 중국인 우주비행사
● 국제 우주비행사
● 우주 관광객

_____
• 밀리초는 0.001초에 해당한다. - 옮긴이

우주에서 지낸 날 0.1일   1일

10일   100일   1000일

019

우주에서 살아남기

텔레비전과 영화에서는 사람이 갑작스럽게 우주의 진공에 노출되면, 펑! 하고 터지거나 순식간에 얼어 죽곤 한다. 실제로는 두 시나리오 모두 일어나지 않으며, 죽음이 순식간에 찾아오지도 않을 것이다. 우리는 (인간을 포함한) 동물 실험과 지구나 우주의 여압실 pressure chamber에서 발생한 사고에 근거하여 무슨 일이 벌어질지 대략 짐작할 수 있다.

얼어 죽지 않으십니다 / 여러분이 순식간에 얼어붙지는 않는다. 우주 공간은 상당히 훌륭한 절연 장치이므로 열전도 conduction도 대류 convection 현상도 일어나지 않는다. 지구의 궤도를 돌면서 햇볕을 쬘 때, 우리 몸은 실내에 있을 때보다 약간 더 빠른 속도로 에너지를 방출하게 된다. 따라서 여러분은 천천히 식어갈 것이다.

피가 끓지 않으십니다 / 여러분이 심각한 쇼크 상태에 빠지지 않는 이상, 체내 압력이 충분히 유지되므로 피가 끓지는 않는다.

빛이 당신을 태울 것입니다 / 보호 장치가 없다면, 태양이 방사한 자외선은 여러분에게 심각한 화상을 입힐 것이다.

전신 노출은 위험합니다 / 몸이 덜 노출될수록 여러분이 살아남을 가능성이 더 크다. 1960년, 조 키팅어 주니어 Joe Kittinger Jr.는 헬륨 풍선을 타고 성층권을 비행하다가 사고로 오른손이 저기압 상태에 노출되었는데, 손이 무려 두 배 크기로 부풀어 오르긴 했지만 몇 시간이 지나자 정상으로 되돌아왔다.

안 들려요, 안 들려요 / 공기가 없어진 순간부터 여러분은 어떤 소리도 듣지 못한다.

뱃속이 꾸르륵꾸르륵 / 뱃속에서 가스가 팽창하면서 고통스러울 수 있다. 우리의 조언은 어떤 가스든 최대한 방출하라는 것이다.

우주선에 구멍이 나셨다고요? / 만약 우주선의 부피가 10세제곱미터이고 구멍의 크기가 1제곱센티미터라면, 선내 기압이 절반으로 떨어지면서 여러분이 심각한 저산소증에 빠지기까지 6분이 걸린다. 여러분이 살아남으려면, 폭발적인 감압이 시작된 순간으로부터 60~90초 안에 우주선을 정상 기압 상태로 되돌려야만 한다. 똑딱똑딱 시간은 흘러만 간다.

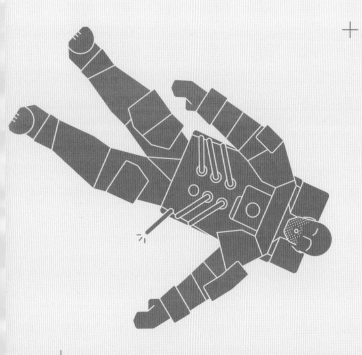

B 충격을 받았으므로 먼저 심장박동 수가 높아진다. 흥분 상태에서는 아드레날린이 솟구치며 산소를 더 빨리 소모한다. 그러니 침착하라. 뭐, 언제나 말보다 실천이 어려운 법이긴 하지만 말이다.

A 곧바로 해야 할 일은 숨을 내뱉는 것이다. 만약 숨을 내뱉지 않으면, 폐 속의 기체와 소화관이 팽창하면서 폐 파열로 죽는다.

90초가 넘어간다면 폐가 심각하게
상하면서 엄청난 출혈과 심각한 뇌
손상이 일어날 것이다.

만약 60초에서 90초 안에 기압이
회복된다면, 아직은 살아남을 수 있다.
그렇지만 심장이 멎으면 절대 죽음을
피할 수 없다. 만약 90초 안에 기압이
회복된다면 폐 손상은 심하지 않거나
보통 정도일 것이다.

14초가 되어 갈 때쯤이면, 압력이 내려가면서
수분의 끓는점이 내려가 입안이 바싹 마른다.
아직도 의식을 잃지 않았다면, 입안이
따끔거리며 얼얼한 기분을 느낄 것이다. 입과
코에서 수분과 기체가 계속해서 증발하면서, 체
온이 내려가 어는점에 가까워질 것이다.

1분이 지나면 정맥의 혈압이 동맥의
혈압보다 높아지면서 혈액순환이
실질적으로 멈출 것이다.

15초가 되면 산소를 잃은 피가 결국 뇌에
도달한다. 이제는 의식을 잃은 채로 다른
사람이 살려주길 바랄 수밖에 없다.

체내의 압력이 내려가면서 혈액 속의
질소가 뭉쳐 거품이 된다.

10초 즈음에는 '접힘 현상(the bending)'을
경험할 것이다.

몸의 연한 조직에서 수분이 증발하면서
여러분은 두 배 크기로 부풀 것이다.
걱정하지 말라. 만약 살아남는다면 본래
크기로 돌아올 테니까. 몸에 잘 맞는
탄력적인 의상을 입는다면 이런 상황에
대처하는 데 다소나마 도움이 될
것이다. 아마도 온몸에 멍이 들긴
하겠지만 말이다.
피부는 아주 튼튼하므로 여러분이
터지지는 않는다.

5초에서 11초부터 의식을 잃기 시작할
테니 부디 숫자를 잘 세길 바란다.
어쨌거나, 더 많이 활동할수록 더 빨리
산소를 쓰게 되니 부디 긍정적으로
생각하길!

로켓 발사장

로켓은 아주 빠르게 움직이지만, 항상 위를 향해 날아가거나 언제나 엄청 멀리 날아가는 것은 아니다. 생각해보라. 인공위성은 대부분 지표에서 고작 몇백 킬로미터 상공에 떠 있지만, 시간당 2만 킬로미터가 넘는 속도로 지구 주위를 돌지 않는가? 또한 인공위성은 쉽게 방향을 전환할 수 없으므로, 정확한 방향으로 발사하는 것이 굉장히 중요하다.

지구의 적도는 동쪽 방향으로 시간당 1,600킬로미터 이상의 속도로 회전한다. 많은 발사 지점이 적도 부근에 있으며, 이 '공짜' 속도를 이용하여 로켓이 적도 궤도에 도착하기까지 필요한 연료의 양을 줄인다. 인명이나 재산 피해를 줄이고자 발사는 대부분 바다 위에서 진행한다.

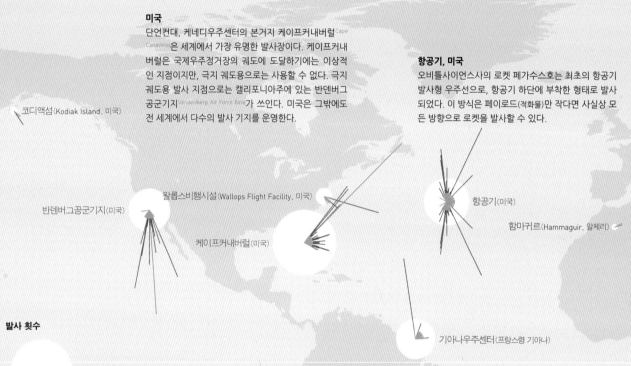

미국

단언컨대, 케네디우주센터의 본거지 케이프커내버럴Cape Canaveral은 세계에서 가장 유명한 발사장이다. 케이프커내버럴은 국제우주정거장의 궤도에 도달하기에는 이상적인 지점이지만, 극지 궤도용으로는 사용할 수 없다. 극지 궤도용 발사 지점으로는 캘리포니아주에 있는 반덴버그 공군기지Vandenberg Air Force Base가 쓰인다. 미국은 그밖에도 전 세계에서 다수의 발사 기지를 운영한다.

항공기, 미국

오비틀사이언스사의 로켓 페가수스호는 최초의 항공기 발사형 우주선으로, 항공기 하단에 부착한 형태로 발사되었다. 이 방식은 페이로드(적화물)만 작다면 사실상 모든 방향으로 로켓을 발사할 수 있다.

코디액섬(Kodiak Island, 미국)

왈롭스비행시설(Wallops Flight Facility, 미국)

반덴버그공군기지(미국)

케이프커내버럴(미국)

항공기(미국)

함마귀르(Hammaguir, 알제리)

기아나우주센터(프랑스령 기아나)

기아나우주센터 Centre Spatial Guyanais

기아나우주센터는 1970년대부터 유럽 국가들의 발사장으로 쓰였다. 적도 궤도와 극지 궤도에 모두 발사할 수 있으며, 여러 유럽 국가가 자국 내 발사장 대신 기아나우주센터를 이용했다.

발사 횟수

1000회 이상

500회

100회

20회

10회 이하

궤적별 발사 횟수

100회

50회

20회

5회 이하

100회 이상

러시아

러시아에는 연안 발사 기지는 없지만, 북쪽의 무인 지대에서 로켓을 발사한다. 최초의 우주비행사 유리 가가린을 실은 로켓은 카자흐스탄에 있는 바이코누르우주기지(Baikonur Cosmodrome)에서 발사되었다. 오늘날 바이코누르우주기지는 임무 수행을 위해 국제우주정거장으로 향하는 우주비행사들을 보내는 데 쓰인다.

플레세츠크우주기지
(러시아)

돔바롭스키공군기지
(Dombarovsky Air Base, 러시아)

바이코누르우주기지
(카자흐스탄)

카푸친야르우주기지
(Kapustin Yar Cosmodrome, 러시아)

보스토치니우주기지 (Vostochny Cosmodrome, 러시아)

타이위안위성발사센터 (太原卫星发射中心, 중국)

서해위성발사장 (西海衛星發射場, 북한)

나로우주센터 (Naro Space Center, 남한)

우치노우라우주공간관측소 (内之浦宇宙空間觀測所, 일본)

다네가시마우주센터 (일본)

셈난우주센터
(Semnan Space Center, 이란)

팔마힘공군기지
(Palmachim Airbase, 이스라엘)

주취안위성발사센터
(酒泉卫星发射中心, 중국)

시창위성발사센터 (중국)

스리하리코타발사장
(Sriharikota Range, 인도)

레이건시험장
(Reagan Test Site, 마셜제도)

적 도

브로글리오우주센터
(Broglio Space Centre, 케냐)

중국, 일본, 인도

일본은 1960년대부터 우주 계획을 추진하기 시작했으며, 중국과 인도는 1970년대에 시작했다. 연안 발사장이 없는 중국은 (스스로 무인 지대라 주장하는) 상대적으로 사람이 많이 거주하지 않는 지역에서 로켓을 발사한다.

우메라발사장(호주)

우메라Woomera

1969년부터 1971년까지, 영국은 블랙애로(Black Arrow) 로켓을 발사하고자 호주에 있는 우메라발사장(Woomera Range)을 이용했다. 프로젝트가 취소되기 전까지 성공적으로 발사한 것은 단 두 차례에 불과하고, 영국은 우주비행 프로그램을 시작한 다음 취소한 유일한 국가가 되었다.

공전궤도

인공위성은 지구와 다양한 거리를 둔 채 공전한다. 짧게는 지표면에서 고작 몇백 킬로미터 떨어진 궤도를, 멀게는 무려 수만 킬로미터 떨어진 궤도를 돈다.

고타원 궤도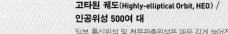

**고타원 궤도(Highly-elliptical Orbit, HEO) /
인공위성 500여 대**
일부 통신위성 및 천문관측위성은 매우 길게 늘어진
궤도로 공전하며, 지구로부터 엄청 멀리 떨어진 곳까지
도달할 수 있다.
고도 / 최대 100,000km
공전주기 / 2~20시간

〈 태양 / 149,600,000km 바깥에 위치

━▪▪━ 정지궤도

**정지궤도(Geostationary Orbit, GEO) /
인공위성 1,000여 대**
적도 위에서 적당한 고도에 있을 때 인공위성은
지구의 자전 속도와 같은 속도로 지구궤도를
공전하며, 지표면에서 봤을 때 항상
같은 위치에 머무른다.
고도 / 36,000km
공전주기 / 23시간 56분

일부 천문관측위성은 지구에서 훨씬 먼 곳까지 움직인다. 태양을 관측하는 인공위성들은 라그랑주 제1점(Lagrangian point one, L1)까지 이동하는데, 태양 쪽으로 150만 킬로미터 떨어진 곳에 있는 지점이다. 먼 우주를 관측하는 인공위성이나 우주선은 종종 라그랑주 제2점(L2)으로 이동하는데, 이동 거리는 L1과 비슷하지만 방향은 정반대다. 극소수의 우주선은 지구의 공전궤도를 떠나 지구를 앞지르거나(라그랑주 제4점, L4) 뒤따르면서(라그랑주 제5점, L5) 태양 주변을 공전한다.[••] 이들은 시간이 지남에 따라 최초 발사지인 지구에서 서서히 멀어지며 제 위치를 찾아간다.

〈 태양 / 149,600,000km 바깥에 위치

**태양 · 지구 라그랑주 제1점
(Sun-Earth L1) / 인공위성 3대**
고도 / 1,500,000 km
공전주기 / 365.25일

[•] 라그랑주 점(Lagrangian point)은 우주 공간에서 작은 천체가 두 커다란 천체의 중력에 의지하여 같은 곳에 머무를 수 있는
위치다. (지구와 태양 같은) 두 커다란 천체 사이에는 L1부터 L5까지 총 다섯 개의 라그랑주 점이 있다. - 옮긴이

[••] L4나 L5에 자리 잡은 소행성이나 인공위성은 트로이군(Trojan)이라고도 부른다. 라그랑주 제3점은 지구를 기준으로
태양 너머에 있다. - 옮긴이

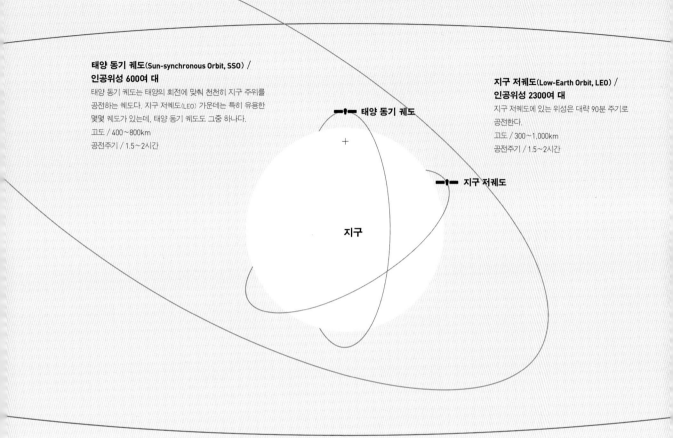

**태양 동기 궤도(Sun-synchronous Orbit, SSO) /
인공위성 600여 대**
태양 동기 궤도는 태양의 회전에 맞춰 천천히 지구 주위를
공전하는 궤도다. 지구 저궤도(LEO) 가운데는 특히 유용한
몇몇 궤도가 있는데, 태양 동기 궤도도 그중 하나다.
고도 / 400~800km
공전주기 / 1.5~2시간

-■- 태양 동기 궤도

**지구 저궤도(Low-Earth Orbit, LEO) /
인공위성 2300여 대**
지구 저궤도에 있는 위성은 대략 90분 주기로
공전한다.
고도 / 300~1,000km
공전주기 / 1.5~2시간

-■- 지구 저궤도

지구

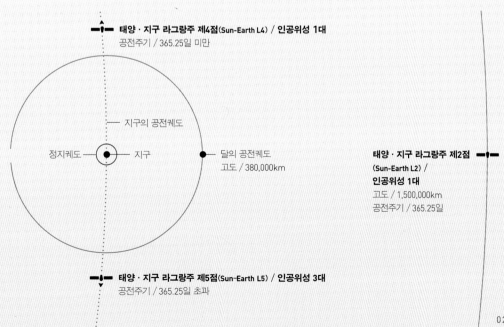

-■- 태양 · 지구 라그랑주 제4점(Sun-Earth L4) / 인공위성 1대
공전주기 / 365.25일 미만

지구의 공전궤도

정지궤도 ─◉─ 지구 ● 달의 공전궤도
고도 / 380,000km

**태양 · 지구 라그랑주 제2점 -■-
(Sun-Earth L2) /
인공위성 1대**
고도 / 1,500,000km
공전주기 / 365.25일

-■- 태양 · 지구 라그랑주 제5점(Sun-Earth L5) / 인공위성 3대
공전주기 / 365.25일 초과

우주 폐기물

매일매일 우주에서 온 수십 톤의 돌덩어리가 지구로 떨어진다. 유성우는 본래 완전히 자연적인 현상이었으나, 1957년 이래로 하늘에서는 로켓 파편과 고장 난 인공위성, 심지어 우주정거장이 운석과 함께 비가 되어 내렸다. 그렇지만 모든 로켓과 인공위성, 우주정거장이 지구로 떨어지는 것은 아니며 일부는 궤도에 남겨진다. 우주 시대는 우리에게 지구 주위를 시속 2만 8,000킬로미터로 떠도는 위험한 유산을 남겼다.

러시아연방
1,450 / 4,935 / **6,385**

미국 / 1,248 / 3,780 / **5,028**

중국 / 166 / 3,619 / **3,785**

기타 / 698 / 121 / **819**

프랑스 / 60 / 445 / **505**

일본 / 130 / 72 / **202**

인도 / 55 / 119 / **174**

유럽우주기구 / 50 / 46 / **96**

원산지 / ● 페이로드×10 /
● 로켓 몸체·잔해×10 / **합계**

우주 쓰레기는 국제우주정거장과 중국 톈궁天宮 우주정거장에 머무르는 우주비행사들에게 가장 직접적인 영향을 미친다.
이러한 '초고속 충돌'은 매우 현실적인 문제다. 2014년 6월, 국제우주정거장에서 10센티미터짜리 구멍이 발견되었는데,
그 구멍은 태양전지 방열기의 냉각수 튜브와 소름 끼치도록 가까운 곳에 뚫려 있었다. 문제를 해결하고자 세계의 주요 우주국들은 1993년에
'국제우주파편조정위원회' Inter-Agency Space Debris Coordination, IADC를 설립했다. 그 일환으로 나사와 미국국방부US Department of Defense는
지구 저궤도에서는 10센티미터가 넘는 물체를, 지구 동기 궤도Geosynchronous Orbit, GSO에서는 1미터가 넘는 물체를 추적 관찰한다.

•   hypervelocity, 초속 1만 피트(3,048cm) 이상의 속도 – 옮긴이

우주정거장

우주에 나가는 것은 일차적 문제다. 우주에 머무르기는 그보다 훨씬 어렵다. 숨 쉬는 데 필요한 산소를 공급해야 하고, 먹을 식량을 확보해야 하며, 폐기물을 처리할 수단도 있어야 한다.

세계 최초의 우주정거장은 1971년에 발사된 러시아의 살류트1호였는데, 세 구획으로 나뉜 형태로 제작되었다. 미국은 1973년에 미국 최초의 우주정거장 스카이랩호를 궤도에 올렸다. 총 세 명의 우주비행사가 스카이랩호에 방문했다. 스카이랩호는 1979년 지구에 재진입했으며, 추락 지점은 호주였다.

러시아는 1970년대에 여러 차례에 걸쳐 살류트3$^{Salyuts\,3}$호부터 살류트7$^{Salyuts\,7}$호까지 살류트 우주정거장을 교체하며 쏘아 올렸다. 이는 1986년에 미르 우주정거장을 발사하는 더 야심 찬 계획을 실행하려

는 사전 준비 단계였다. 미르 우주정거장에는 10년 동안 우주비행사들이 쭉 거주했는데, 장기간의 우주여행이 인체에 어떤 영향을 미치는지 이해하게 해주었다.

1998년, 세계 16개국은 사상 최대의 우주정거장을 공동으로 건설하기 시작했다. 이른바 국제우주정거장이다. 국제우주정거장은 각국이 서로 다른 부품을 생산한 다음에 나중에 조립하는 모듈식 공정을 써서 제작했고, 현재는 용도가 다양한 열네 개의 가압 모듈로 구성되어 있다. 국제우주정거장에는 2000년부터 쭉 승무원이 탑승해 왔다. 중국은 2011년에 우주정거장 텐궁1(天宮一)호를 발사했고, 2020년대에 더 큰 정거장을 발사할 계획이다.

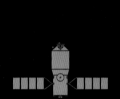

👤👤👤
텐궁1호$^{•}$**, 중국**
수명 / 2011 ~ 2018년
길이 / 10.4m

👤👤👤
살류트1호 · 3~7호,
소유스캡슐(Soyuz capsule), 러시아
수명 / 1971 ~ 1991년
길이 / 15.8m

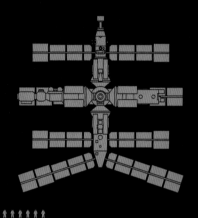

👤👤👤👤👤👤
우주정거장 미르호, 러시아
수명 / 1986 ~ 2001년
길이 / 31m

●　텐궁1호는 한국표준시 2018년 4월 2일 오전 9시 16분에 남태평양에 추락했다. - 옮긴이

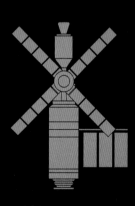

👤👤👤
스카이랩호, 나사
수명 / 1973 ~ 1979년
길이 / 26.3m

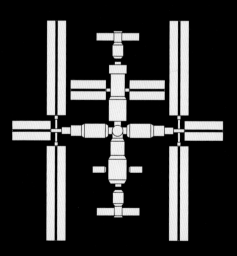

👤👤👤
중국 우주정거장(계획)
수명 / 2023년부터
길이 / 20m

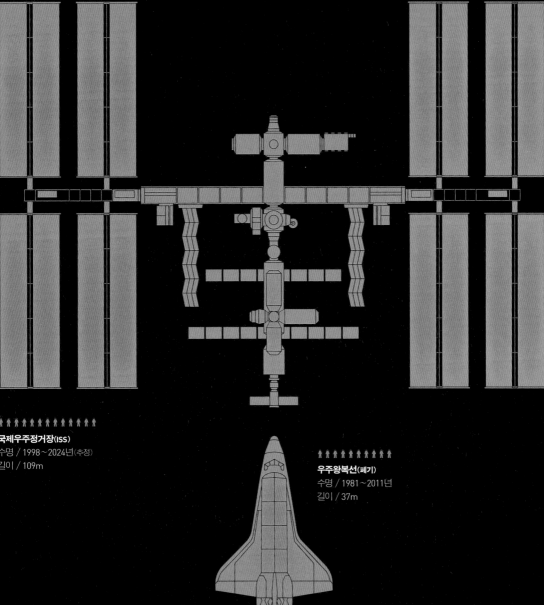

국제우주정거장(ISS)
수명 / 1998~2024년(추정)
길이 / 109m

우주왕복선(폐기)
수명 / 1981~2011년
길이 / 37m

달나라 여행

1969년 7월 16일, 케네디우주센터에서 로켓 새턴5^{Satum V}호를 달로 발사했다. 세 명의 승무원은 다음 사흘 동안 지구에서 달까지 38만 킬로미터를 횡단할 예정이었다.

달 궤도에 도착한 후, 닐 암스트롱과 에드윈 '버즈' 올드린^{Edwin 'Buzz' Aldrin}은 사령선 조종사 마이클 콜린스^{Michael Collins}를 우주선에 남긴 채, 이글달착륙선^{Eagle Lunar Module}을 타고 달 표면으로 강하했다. 달에 착륙하는 최종 단계에서 암석 지대를 피하려면 두 사람에게 전문적인 조종 실력이 있어야 했다. 두 사람은 겨우 45초 치의 연료만을 남긴

채 달에 착륙했다.

7월 21일 협정세계시^{Universal Time Coordinated, UTC} 2시 56분, 올드린과 암스트롱은 달에 첫발을 내디딘 후 다양한 실험을 수행하고, 토양 표본을 수집하며, 수많은 사진을 찍고, 닉슨 대통령과 통화했다. 두 사람은 약 두 시간 반 뒤에 달착륙선으로 귀환했다. 몇 시간 동안 휴식을 취한 다음, 두 사람은 협정세계시 17시 54분에 이륙을 준비했다. 그리고 달 궤도에서 마이클 콜린스와 합류한 뒤 지구로 귀환했다.

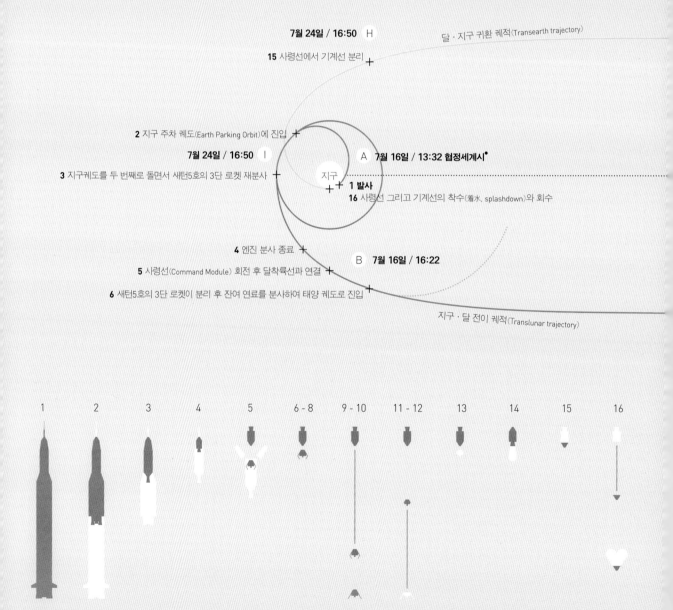

7월 24일 / 16:50 H · 달 · 지구 귀환 궤적(Transearth trajectory)

15 사령선에서 기계선 분리

2 지구 주차 궤도(Earth Parking Orbit)에 진입

7월 24일 / 16:50 I

A **7월 16일 / 13:32 협정세계시**

3 지구궤도를 두 번째로 돌면서 새턴5호의 3단 로켓 재분사

지구

1 발사

16 사령선 그리고 기계선의 착수(着水, splashdown)와 회수

4 엔진 분사 종료

5 사령선(Command Module) 회전 후 달착륙선과 연결

B **7월 16일 / 16:22**

6 새턴5호의 3단 로켓이 분리 후 잔여 연료를 분사하여 태양 궤도로 진입

지구 · 달 전이 궤적(Translunar trajectory)

1   2   3   4   5   6 - 8   9 - 10   11 - 12   13   14   15   16

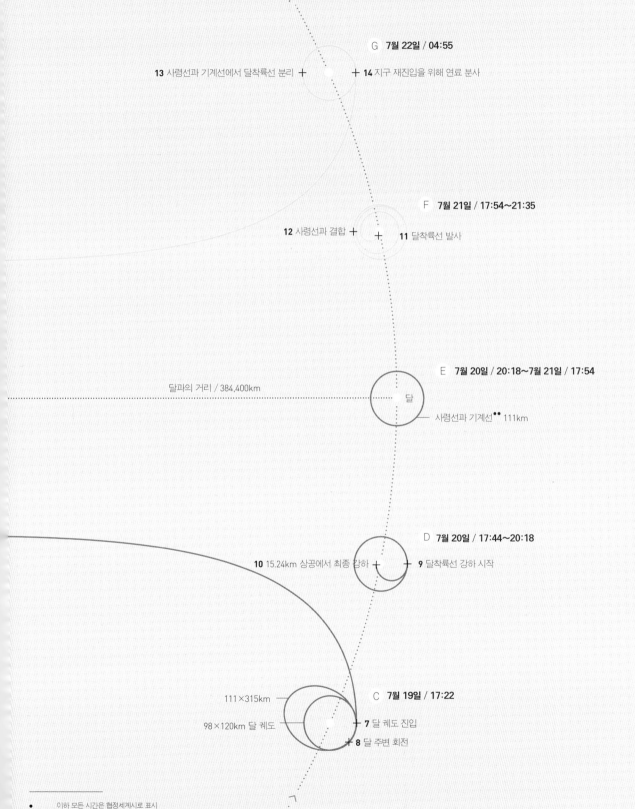

G **7월 22일** / 04:55

13 사령선과 기계선에서 달착륙선 분리 ✛   ✛ **14** 지구 재진입을 위해 연료 분사

F **7월 21일** / 17:54~21:35

12 사령선과 결합 ✛   ✛ **11** 달착륙선 발사

달과의 거리 / 384,400km

E **7월 20일** / 20:18~7월 21일 / 17:54

달

사령선과 기계선•• 111km

D **7월 20일** / 17:44~20:18

10 15.24km 상공에서 최종 강하 ✛   ✛ **9** 달착륙선 강하 시작

111×315km

C **7월 19일** / 17:22

98×120km 달 궤도

✛ **7** 달 궤도 진입

✛ **8** 달 주변 회전

• 이하 모든 시간은 협정세계시로 표시
•• Service Module, 지구에 재진입할 때 필요한 로켓엔진, 레이더, 연료 등이 실린 부분 – 옮긴이

달나라에서

1969년 7월 20일 협정세계시 20시 18분, 아폴로11호의 이글달착륙선은 달 표면에 착륙했다. 연료 탱크에는 딱 45초 치 연료가 남아 있었다.

우주비행사 닐 암스트롱과 버즈 올드린은 두 시간 동안 달착륙선이 다시 이륙할 준비를 마쳤다. 그러고 나서 식사한 다음에 달 표면에서 산책하려고 준비했다. 착륙한 지 약 여섯 시간 반 뒤에 닐 암스트롱은 출입구 문을 열고 사다리에 첫발을 내디뎠다. 닐 암스트롱은 흑백텔레비전 카메라의 흔들거리는 화면에 자신이 사다리를 내려오는 과정과 인류가 달에 첫발을 내딛는 사건을 담았다. 닐 암스트롱은 달에 첫발을 내디디면서 훗날 유명해진 명언●을 남긴 후 버즈 올드린

과 합류했다.

두 사람은 달착륙선에서 제법 멀리 떨어진 곳에 텔레비전 카메라를 설치한 다음에 땅에 미국 국기를 꽂고 대통령과 이야기를 나누었다. 몇몇 실험을 마친 뒤 두 사람은 각 지역을 이동하는 최고의 수단을 써서 주변 지역을 탐험하고, 사진을 찍고, 추가 실험을 진행하며, 암석 표본을 수집해 돌아왔다. 두 사람은 달 표면으로부터 총합 20킬로그램 정도의 물질을 가지고 돌아왔다.

최초의 지구인 방문자들은 달 표면에서 비교적 짧은 시간인 21.6시간을 체류한 후 떠났다. 아폴로 임무는 이 이후로도 총 다섯 번 더 이어졌다.

● "한 사람에게는 작은 한 걸음이지만, 인류에게는 위대한 도약이다." –옮긴이

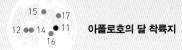

아폴로호의 달 착륙지

아폴로11호의 달 착륙지
북위 0.67409도 / 동경 23.47298도

미식축구 경기장과 크기 비교 / 웸블리구장(Wembley Stadium)

● Laser Ranging Experiment, 레이저를 이용해 지구와 달 사이의 거리를 측정하는 실험 –옮긴이
●● Passive Seismic Experiment, 달의 지진을 계측하는 장치 –옮긴이

아폴로11호가 달에 남겨두고 온 것들

달착륙선의 하단부(LM descent stage)
황금 올리브 가지
아폴로1(Apollo 1)호의 기장(patch)
우주비행사 메달
달 기념 디스크
텔레비전 카메라
텔레비전 서브시스템
텔레비전 광각렌즈(wide-angle lens)
텔레비전 태음일• 렌즈
텔레비전 케이블 어셈블리(30.5m)

편광필터(Polarizing filter)
S·대역(S-band) 안테나
S·대역 안테나 케이블
깃발 조립 용품 세트
실험용 중앙 관제소
수동식 월진계
레이저 거리 측정 장치
휴대용 생명 유지 장치
산소 필터
원격 제어 장치

소변 수거 기구
배설물 수집 장치
오버슈즈(overshoes)
자루
가스 연결 장치 덮개
허리 연결용 끈
구명 밧줄
컨베이어 부품
식량(4일 치)
SRC/OPS 보조 기구

캐니스터, ECS LIOR
컨테이너
화물 운반대 부품×2
1차 구조•• 부품
망치
표본 채취용 대형 숟가락
확장 손잡이
집게
그노몬•••(삼각 받침대는 제외)
달착륙선의 상단부(Ascent Stage)

• Lunar day, 약 24시간 50분 – 옮긴이
•• primary structure, 파손된다면 우주선이 비행 불능 상태에 빠질 수 있는 주요 구조물 – 옮긴이
••• Gnomon, 아폴로11호가 과학 실험과 사진 촬영에 사용한 장치. 기다란 장대와 받침대로 구성되며, 장대에 생긴 그림자를 이용해 방향을 측정한다. 본래는 고대에 사용했던 해시계를 뜻한다. – 옮긴이

아폴로11호 달착륙선

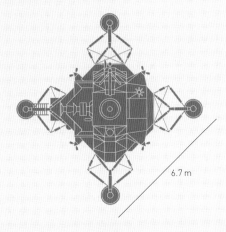

6.7 m

2.8 m

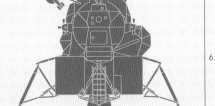

6 m

9.4 m

3.2 m

달 착륙 임무

수천 년 동안, 인류는 계속해서 달을 봐왔다. 그리고 어떤 사람들은 하늘 위의 이웃을 찾아가는 꿈을 꿔왔다. 이 꿈은 20세기에 소련과 미국이 우주 속 심연을 가로질러 달에 갈 수 있는 로켓을 만들면서 마침내 현실이 되었다.

초창기 시도들은 수많은 어려움과 발사 직후에 폭발한 다수의 로켓으로 점철되었다. 가까스로 폭발하지 않은 로켓들도 정확한 궤도로 이동하지는 못했다. 처음으로 달에 성공적으로 도착한 로켓은 1959년에 발사한 소련의 루나2호였으며, 몇 주가 지나고 루나3호가 그 뒤를 이었다. 그 후로는 계속해서 실패가 이어지다가 1964년 레인저7호가 미국 최초로 달에 도달했다. 향후 5년간 로켓의 안정성은 향상되었으며, 1968년 크리스마스 기간에는 인간이 최초로 달 궤도에 진입했다(존드5호가 달 궤도에 거북이를 데리고 간 지 겨우 석 달 뒤에 일어난 사건이었다). 미국은 모든 시도를 통들어 총 열두 사람을 달나라에 다녀오게 했다.

일련의 아폴로계획이 끝나자 한동안 달에 관심을 두지 않았다. 그렇지만 새 천 년이 시작되면서 우주 경쟁은 다시금 불이 붙었고, 유럽과 인도, 중국은 모두 달 착륙 계획을 세워 달을 탐사했다.

— 성공한 시도
— 실패한 시도

A / **에이블1**(Able 1)호 1958
B / **루나2호** 1959
C / **레인저7호** 1964
D / **루나9**(Luna 9)호 1966
E / **아폴로8호** 1968
F / **아폴로11호** 1969
G / **아폴로13**(Apollo 13)호 1970 (부분적 실패)
H / **루나17**(Luna 17)호 1970
I / **아폴로17**(Apollo 17)호 1972
J / **루나21**(Luna 21)호 1973
K / **루나24**(Luna 24)호 1976
L / **히텐**(ひてん)호 1990
M / **스마트1**(SMART-1)호 2003
N / **찬드라얀1**(Chandrayaan-1)호 2008
O / **창어3**(嫦娥三)호 2013

지구

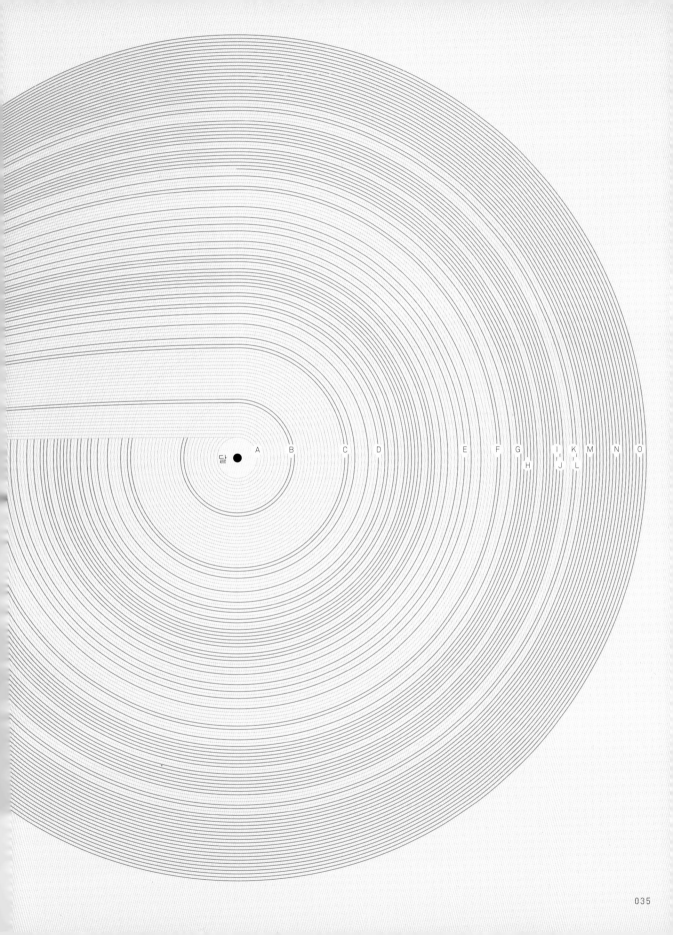

달 A B C D E F G H I J K L M N O

행성 간 탐사 임무

우주 탐험은 어렵다. 1960년대 이래로 (달을 제외한) 태양계의 천체 30여 개를 탐사하는, 100여 번의 시도가 있었다.

모든 시도가 성공하지는 못했다. 화성과 금성을 탐사하려는 초창기 계획들은 목적지에 도착하지 못해 실패했다. 일부 우주선은 목적지로 가는 동안에 하나 이상의 천체에 들렀다. 파이어니어10·11 Pioneer 10 & 11호, 보이저1·2 Voyager 1&2호 같은 다른 우주선들은 태양계 밖을 향해 계속해서 여행한다.

여러분이 이 글을 읽을 무렵에는, 탐사 임무를 진행하던 우주선 다수가 목적지에 도착했을 것이다. 가령 주노 Juno호는 목성에, 아카츠키 あかつき호는 금성에, 하야부사2 はやぶさ2호는 소행성 류구 リュウグウ(1999 JU3)에 도착했을 것이다.

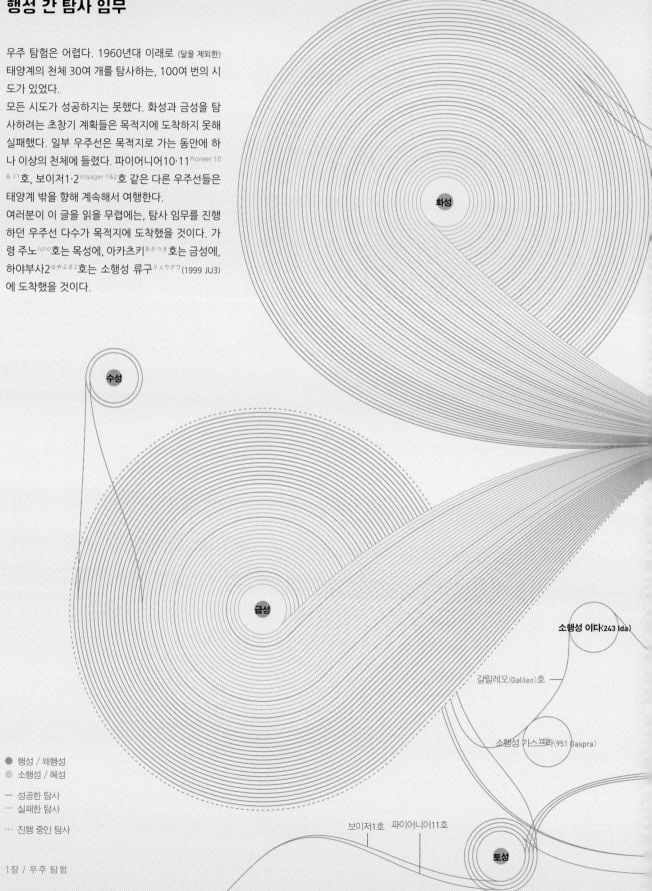

화성

수성

금성

소행성 이다(243 Ida)

갈릴레오(Galileo)호

소행성 가스프라(951 Gaspra)

● 행성 / 왜행성
● 소행성 / 혜성

— 성공한 탐사
— 실패한 탐사
⋯ 진행 중인 탐사

보이저1호   파이어니어11호

토성

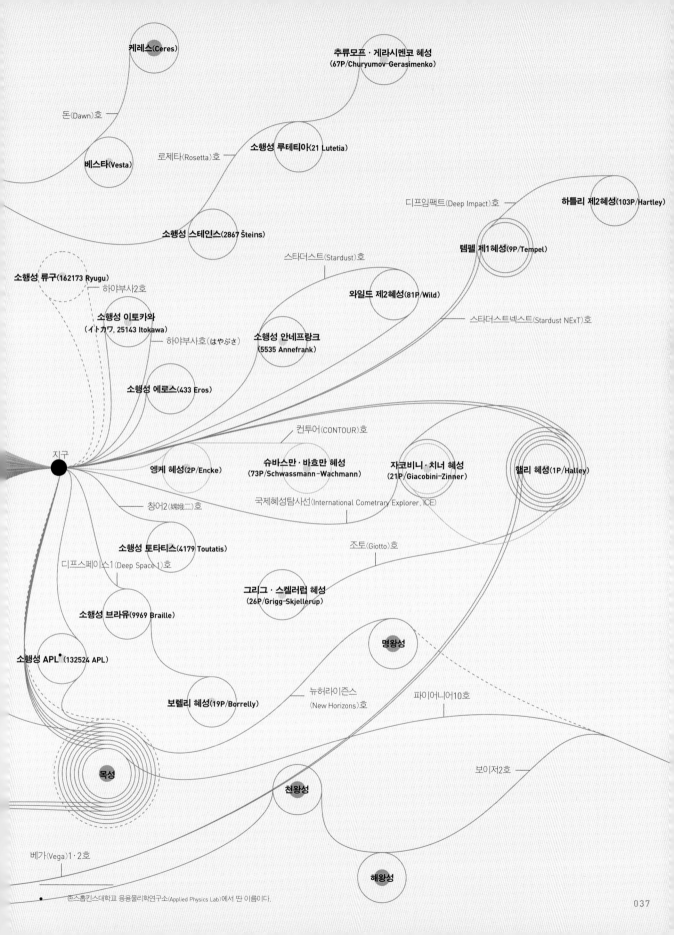

장거리 우주탐사선

메신저 MESSENGER호 / 90.4천문단위 AU•

미국항공우주국의 메신저 계획은 2004년에 시작되었다. 목표는 태양계 최심부에 자리 잡은 행성인 수성이었다. 수성은 태양과 너무 가까이에 있어서 수성 궤도에 진입하려면 속도를 상당히 감속해야만 한다. 탐사선의 속도를 늦추려면 지구와 금성을 거쳐 수성에 방문하는 긴 여행을 해야 하며, 각 행성의 중력을 이용해야만 한다.

보이저호, 파이어니어호, 뉴허라이즌스호

나사의 파이어니어10·11호는 각각 1972년과 1973년에 발사되었다. 최초로 목성을 향해 떠나는 탐사 임무를 맡았다. 1977년, 나사는 보이저1·2호를 발사했다. 목적지는 목성과 토성이었는데, 당시 두 행성이 탐사에 적합하게끔 나란히 배치되었기 때문이다. 보이저2호는 현재까지도 천왕성과 해왕성을 방문한 유일한 탐사선이다. 뉴허라이즌스호는 2006년 최초로 명왕성을 방문하도록 설계한 탐사선이었는데, 2015년 7월 명왕성에 도착했다.

메신저호 / 평면도

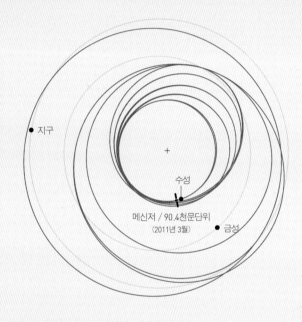

보이저호, 파이어니어호, 뉴허라이즌스호 / 평면도

● 뉴허라이즌스호 / 35천문단위(2015년 7월 기준)   ● 파이어니어10호 / 122.6천문단위
● 보이저1호 / 142.3천문단위   ● 파이어니어11호 / 118.6천문단위
● 보이저2호 / 131.6천문단위

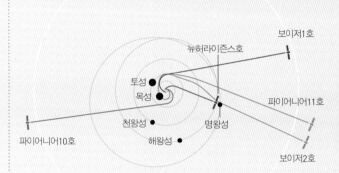

메신저호 / 입면도

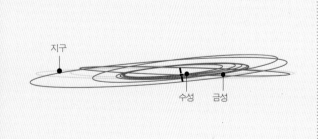

보이저호, 파이어니어호, 뉴허라이즌스호 / 입면도

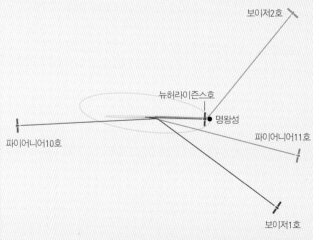

●   Astronomical Unit, 지구와 태양 사이의 평균 거리, 1AU=149,600,000km

로제타호 / 42.8천문단위

유럽우주기구의 로제타 계획은 2004년에 시작된 이래로 10년 동안 추류모프·게라시멘코 혜성을 뒤쫓고 있다. 그 과정에서 화성과 지구 그리고 두 소행성을 방문했다. 2014년 연말, 로제타호는 우주선 중에 처음으로 혜성 핵comet nucleus의 궤도에 진입했으며, 또한 혜성 표면에 탐사선을 성공적으로 착륙하게 했다.

율리시스Ulysses호 / 79.2천문단위

미국항공우주국과 유럽우주기구가 합작한 율리시스호는 1990년에 다양한 각도에서 태양을 관찰하는 탐사를 개시했다. 율리시스호가 태양의 고위도 위를 비행하는 궤도에 들어서려면, 목성의 중력을 이용한 중력 선회Swingby를 해서 태양계의 궤도 평면plane of the Solar System을 벗어나야 했다.•

─────────────

• 　더 정확하게는 태양계의 황도면에 대한 궤도 경사각을 80.2도까지 늘려야 했다. – 옮긴이

로제타호 / 평면도

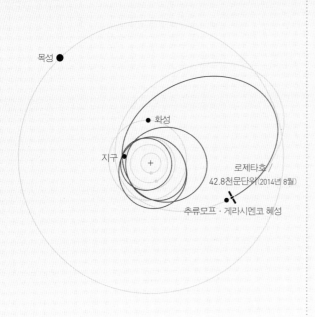

율리시스호 / 평면도

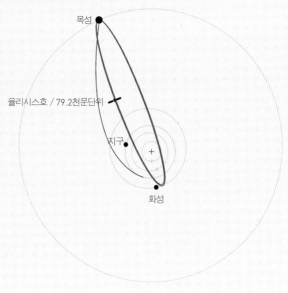

로제타호 / 입면도

율리시스호 / 입면도

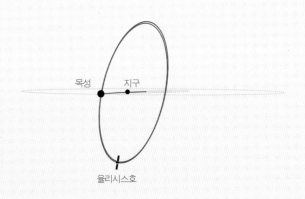

행성 탐사용 로버

1970년, 드디어 달로 가는 경주가 끝났다. 그리고 달 표면을 탐사하는 새로운 경쟁이 시작되었다. 소련은 누구보다 빨리 행성 탐사용 로봇 로버rover(탐사차) 분야에 뛰어들었으며, 무인 월면차 루노호트Lunokhod 두 대를 달에 파견했다. 루노호트2Lunokhod 2호는 수십 년 동안 가장 긴 거리를 움직인 탐사차였다.

미국항공우주국은 후기 아폴로 우주선들에 달 탐사차를 실었다. 이 경량 사륜 탐사차는 초기형 탐사차보다 훨씬 먼 거리를 훨씬 빨리 이동할 수 있었다.

나사가 처음으로 개발한 찻쟁반만 한 크기의 로버 소저너Sojourner는 붉은 행성으로 떠났다. 소저너는 화성에서 고작 100미터 남짓 움직였으며, 주 착륙지에서 12미터 이상 벗어나지도 않았지만, 차세대 로버 개발을 위한 교두보가 되었다.

스피릿Spirit과 오퍼튜니티Opportunity는 2004년에 화성에 착륙했다. 임무 기간은 기존보다 훨씬 긴 90일이었지만, 두 탐사차는 인간 주인님들의 기대치를 뛰어넘으며 훨씬 오랫동안 활동했다. 스피릿은 2009년에 부드러운 모래에 빠졌으며, 2010년에 춥디추운 화성의 겨울 앞에

〜〜 달   〜〜 화성

루노호트1(Lunokhod 1)호 CCCP• / 달 1970~1971년   10.54km

아폴로15(Apollo 15)호 나사 / 달 1971년

아폴로16(Apollo 16)호 나사 / 달 1972년

아폴로17(Apollo 17)호 나사 / 달 1972년

루크호트2호 CCCP / 달 1973년

소저너 나사 / 화성 1997년 100m

스피릿 나사 / 화성 2004~2010년   7.73km

오퍼튜니티 나사 / 화성 2004년부터

큐리오시티 나사 / 화성 2012년부터   10.30km••

위투 CNSA / 달 2012년 40m

무릎을 꿇었다.

오퍼튜니티는 착륙한 지 10년이 지난 지금도 여전히 활동하며, 2014년에 가장 긴 거리를 이동한 외계 탐사차가 되었다. 두 로버는 수십억 년 전에는 화성이 지금보다 훨씬 더 따뜻하고, 습한 세계였음을 확인했다.

현재까지 가장 진보한 로버는 큐리오시티Curiosity다. 자동차만 한 크기의 탐사차인 큐리오시티는 2014년에 화성에 착륙했다. 레이저를 비롯한 열 가지 종류의 과학 실험 장비를 탑재한 큐리오시티는 화성이

한때 생명이 살 수 있는 행성이었음을 확인했다. 그렇지만 화성에 실제로 생명이 존재했는지를 밝혀내는 것은 (인간이든 로봇이든 간에) 미래 탐험가의 몫으로 남았다.

2013년, 중국은 달에 창어3호가 착륙하는 데 성공했다. 창어3호에는 달 탐사차 위투•가 실려 있었다. 로버 위투는 고장이 나기 전까지 직경 40미터가 넘는 거리를, 착륙선 주변을 빙글빙글 도는 형태로 횡단했다. 로버 위투는 고장으로 말미암아 더는 움직이지 못하면서도 몇 달 동안 계속해서 파노라마 사진을 보내왔다.

• 玉兔. 옥토끼라는 뜻이다. - 옮긴이

27.90km

26.70km

35.74km

39.00km

마라톤 42.20km

42.20km••

2장 / 태양계

행성은 대체 몇 개일까

행성planet이란 단어는 '방랑자planomai'를 뜻하는 고대 그리스어에서 유래했으며, 본래는 '붙박이별'이라고 불리는 항성star과 비교했을 때 위치가 변하는 모든 천체celestial object를 뜻했다. 지난 수천 년 동안, 우리가 아는 행성은 오직 수성Mercury·금성Venus·화성Mars·목성Jupiter·토성Saturn·태양Sun·달Moon 등에 불과했다. 그렇지만 17세기에 목성과 토성 근처에 있는 새로운 천체들을 발견하면서, 행성의 숫자는 순식간에 열여섯 개로 불어났다.

태양계를 더 많이 알게 되면서 그리고 관측을 통해 혜성comet 또한 천체라는 것이 밝혀지면서, 사상 처음으로 행성의 정의가 변하기 시작했다. 행성은 이제 원형에 가까운 궤도로 태양 주위를 공전하는 천체를 뜻하게 되었다. 태양은 더는 행성이 아니었다. 지구가 바로 행성이

었다. 지구의 달the Moon은 목성이나 토성의 자연 위성natural satellite과 함께 새로이 달Moon이라는 종류의 천체로 분류되었다.

행성의 정의가 변하면서, 천왕성Uranus은 고대 이후로 새로이 발견한 최초의 행성이 되었다. 19세기 초반에는 해왕성Neptune을 케레스, 팔라스Pallas, 주노Juno, 베스타, 헨케Hencke 등과 함께 발견하면서 행성의 숫자는 다시금 열세 개로 늘어났다. 1847년, 화성과 목성 사이를 도는 작은 행성들은 새로이 소행성asteroid으로 분류되었다. 덕분에 주요 행성의 숫자는 (역사상 세 번째로) 다시금 여덟 개로 줄어들었다.

1930년, 명왕성Pluto을 발견하면서 행성은 다시 아홉 개로 늘어났다. 21세기에는 하우메아Haumea, 에리스Eris, 마케마케Makemake를 발견하면서 또다시 행성을 재정의했다. 그렇게 천체를 분류하는 새로운 기준인 왜행성dwarf planet이 탄생했다. 오늘날 우리 태양계는 여덟 개의 행성과 다섯 개의 왜행성, 182개의 달, 65만 개가 넘는 소행성으로 구성된다. 지금 당장은 말이다.

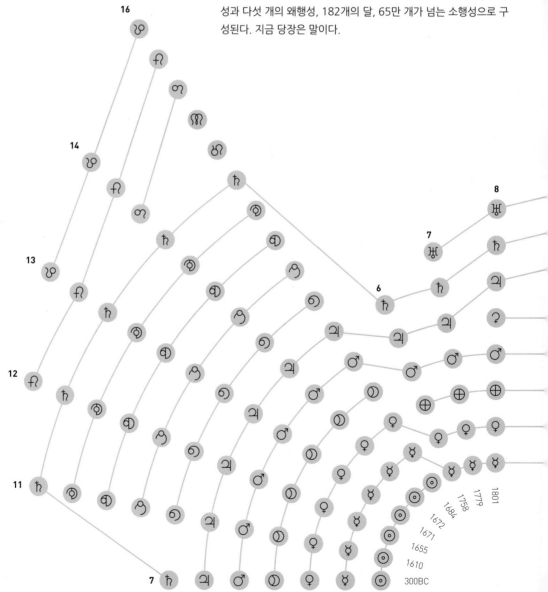

**시간의 흐름에 따른
행성 분류의 변화**

⬤ 행성
⬤ 왜행성

♃ 가니메데(Ganymede)	♅ 베스타	⊕ 지구	⚴ 팔라스
♀ 금성	☿ 수성	♅ 천왕성	⚶ 하우메아
☽ 달	♃ 아스트라이아 (Astraea)	♆ 칼리스토(Callisto)	♆ 해왕성
♏ 디오네(Dione)	♃ 야페토스(Japetos)	♀ 케레스	♂ 화성
♍ 레아(Rhea)	⚷ 에리스	♀ 타이탄(Titan)	
♏ 마케마케	♁ 유로파(Europa)	☉ 태양	
♇ 명왕성	♋ 이오(Io)	♏ 테티스(Tethys)	
♃ 목성	✳ 주노	♄ 토성	

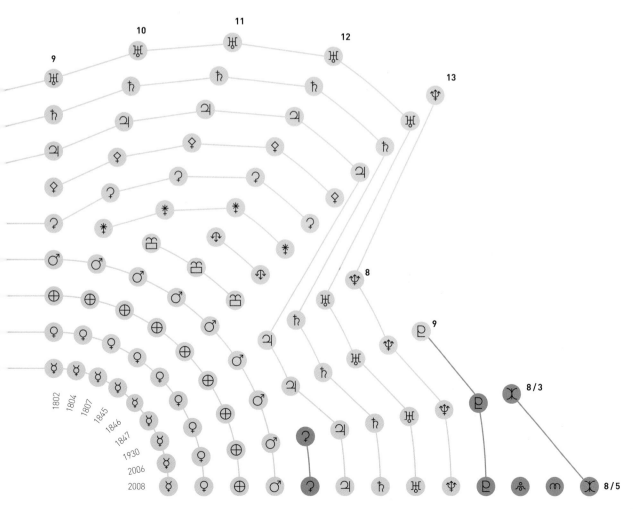

045

행성은 서로 얼마나 멀리 떨어져 있을까

: 태양계 축적 모형 Solar System scale model

행성 사이의 거리를 상상하기는 쉽지 않다. 행성들은 서로 크기가 엄청나게 다르니까. 만약 태양을 프랑스 파리 Paris의 위치에 놓고 에펠탑만 한 크기로 만든다면, 수성은 파리 교외의 끝자락에 있을 것이다. 한편 지구는 태양으로부터 대략 40킬로미터 떨어진 곳에서, 아프리카 코끼리만 한 크기로 표현될 것이다. 목성은 대부분 프랑스 안에서 움직이겠지만, 토성은 벨기에 브뤼셀 Brussel과 영국 런던 London을 관통하는 궤도를 따라 이동할 것이다. 그리고 천왕성은 독일 뮌헨 München과 영국 리버풀 Liverpool을 통과할 것이다. 가장 바깥쪽에 자리 잡은 행성인 해왕성은 덴마크 코펜하겐 Copenhagen 주변에서 찾아볼 수 있으며, 카이퍼대 천체 Kuiper Belt objects, KBO는 남쪽에 있는 모로코 라바트 Rabat나 아조레스 Azores 제도 근처에서 유유자적 휴가를 보낼 것이다.

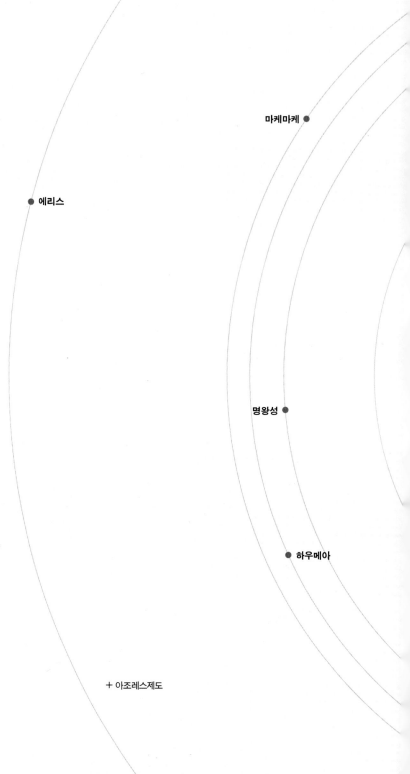

● 마케마케

● 에리스

● 명왕성

● 하우메아

✛ 아조레스제도

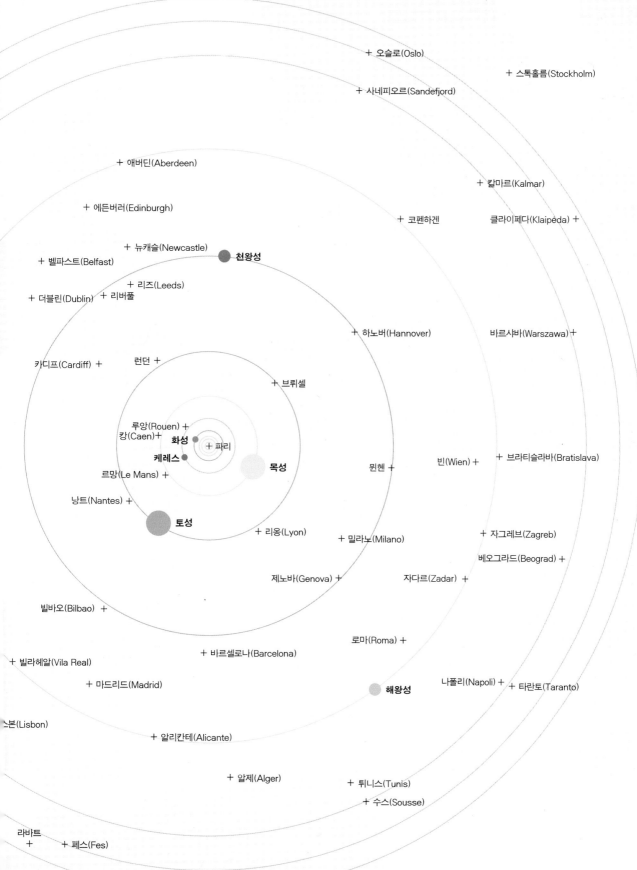

+ 오슬로(Oslo)

+ 스톡홀름(Stockholm)

+ 사네피오르(Sandefjord)

+ 애버딘(Aberdeen)

+ 칼마르(Kalmar)

+ 에든버러(Edinburgh)

+ 코펜하겐   클라이페다(Klaipėda) +

+ 뉴캐슬(Newcastle)   ● **천왕성**

+ 벨파스트(Belfast)

+ 리즈(Leeds)

+ 더블린(Dublin)   + 리버풀

+ 하노버(Hannover)   바르샤바(Warszawa) +

카디프(Cardiff) +   런던 +

+ 브뤼셀

루앙(Rouen) +
캉(Caen) ●   **화성**
       케레스 ●   + 파리   뮌헨 +   빈(Wien) +   + 브라티슬라바(Bratislava)

목성

르망(Le Mans) +

낭트(Nantes) +

● **토성**

+ 리옹(Lyon)   + 밀라노(Milano)   + 자그레브(Zagreb)

베오그라드(Beograd) +

제노바(Genova) +   자다르(Zadar) +

빌바오(Bilbao) +

로마(Roma) +

+ 빌라헤알(Vila Real)

+ 마드리드(Madrid)   **해왕성**   나폴리(Napoli) +   + 타란토(Taranto)

노본(Lisbon)

+ 알리칸테(Alicante)

+ 알제(Alger)   + 튀니스(Tunis)

+ 수스(Sousse)

라바트
+   + 페스(Fes)

태양계 가족사진

우리 태양계는 고작 몇 킬로미터짜리 자그마한 소행성에서 지름이 14만 킬로미터에 이르는 거대한 목성까지 엄청나게 다양한 크기의 천체로 구성된다.

여덟 행성은 세 가지 주요 기준으로 분류한다. 태양에 가까운 네 행성은 주로 암석으로 이루어져 있다. 가장 큰 두 행성인 목성과 토성은 거대 기체 행성으로, 대부분이 수소와 헬륨으로 만들어졌다. 가장 멀리 떨어진 두 행성인 천왕성과 해왕성은 거대 얼음 행성인데, 상대적으로 더 큰 고체 핵이 있으며 대기는 메탄 구름으로 뒤덮여 있다. 왜행성은 대부분 카이퍼대(Kuiper Belt)에 있다. 이들은 해왕성 너머에서 궤도를 도는 얼어붙은 천체로 이루어진 가장 커다란 규모의 집합체다. 카이퍼대는 너무나 멀리 떨어져 있어 관측이 어려운데, 그 안에는 아직 발견되지 않은 천체가 다수 남아 있을 가능성이 대단히 크다. 태양계에 있는 수많은 작은 물체는 화성과 목성 사이의 소행성대(asteroid belt)에서 공전한다. 이 가운데는 지름이 수백 킬로미터가 넘는 물체도 수십여 개가 있는데, 현재까지 가장 큰 물체는 케레스다. 소행성대에 있는 가장 큰 물체 네 개의 질량을 합치면 소행성대에 있는 물체 전체 질량의 절반이 넘는다.

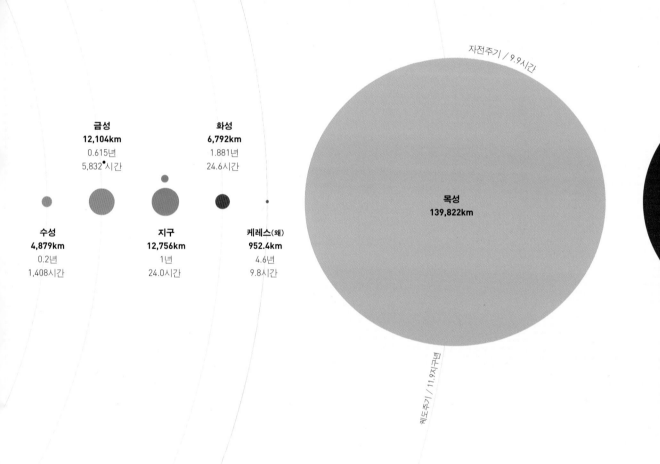

자전주기 / 9.9시간

금성
12,104km
0.615년
5,832시간

화성
6,792km
1.881년
24.6시간

목성
139,822km

수성
4,879km
0.2년
1,408시간

지구
12,756km
1년
24.0시간

케레스(왜)
952.4km
4.6년
9.8시간

궤도주기 / 11.9지구년

행성 이름(왜=왜행성)
지름
궤도주기, 지구년(Earth year)
자전주기

자전주기 / 10.7시간

토성
116,464km

궤도주기 / 29.4년

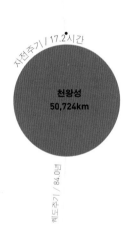

자전주기 / 17.2시간

천왕성
50,724km

궤도주기 / 84.0년

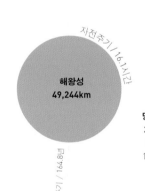

자전주기 / 16.1시간

해왕성
49,244km

궤도주기 / 164.8년

하우메아(왜)
1,300km
281.9년
3.9시간

에리스(왜)
2,326km
561.4년
25.9시간

명왕성(왜)
2,302km
247.7년
153.3시간

마케마케(왜)
1,430km
305.3년
22.5시간

● 금성은 다른 행성과는 반대 방향, 즉 북반구에서 보았을 때 시계 방향으로 자전한다.
천왕성과 명왕성은 다른 행성과 달리 옆으로 누워서 자전한다.

위성

오늘날 우리는 달moon 혹은 위성을 행성 주위를 도는 천체라고 생각한다. 대표적인 예시로 지구 주위를 도는 우리의 이웃, 달the Moon을 들수 있다. 1610년 1월에 갈릴레오Galileo가 자신의 망원경을 목성을 향해 돌리기 전까지, 우리는 다른 행성 주위를 도는 위성의 존재를 알지 못했다. 토성의 첫 번째 위성은 1655년에 발견했다. 천왕성을 발견한 지 70년이 지났을 무렵인 1851년에는 천왕성의 첫 번째 위성을 관측했다. 그리고 1877년 연말에는 마침내 화성 주위를 도는 두 개의 작은 위성을 식별하는 데 성공했다.

20세기와 21세기에 발견한 위성의 숫자는 엄청나게 늘어났다. 위성의 일부는 망원경의 해상도가 올라갔기에 찾아냈지만, 대부분은 다른 행성으로 쏘아 올린 우주선 덕분에 발견했다.

우리는 이제 지구와 화성, 목성, 토성, 천왕성, 해왕성, 명왕성, 에리스, 하우메아의 주위를 도는 위성을 알게 되었다.

위성의 이름

역사적으로 볼 때 위성의 이름은 흔히 발견자의 이름을 따서 지었지만, 1975년부터는 국제천문연맹International Astronomical Union, IAU이 위성에 이름을 붙이는 과정을 감독했다. 어떤 행성의 위성인지에 따라 이름을 붙이는 데 몇 가지 관례가 있다. 화성의 두 위성에는 마르스(혹은 아레스)의 두 아들 이름이 붙었다. 목성의 수많은 위성에는 주피터(혹은 제우스)의 연인이나 자손 이름이 붙었다. 토성의 수많은 위성에는 (현재까지는 그리스, 북구, 갈리아 그리고 이누이트 신화에 등장하는) 거인과 거인의 후손 이름이 붙었다. 천왕성의 여러 위성에는 셰익스피어의 작품에 등장하는 인물의 이름을 따서 붙였다. 해왕성의 여러 위성에는 그리스신화에서 바다를 관장하는 여러 신의 이름을 따서 붙였으며, 명왕성의 여러 위성은 전부 하데스와 관련한 이름으로 불린다.

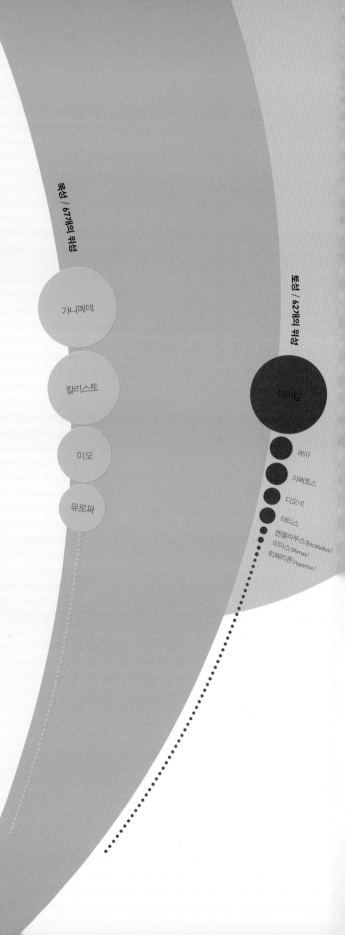

목성 / 67개의 위성

가니메데

칼리스토

이오

유로파

토성 / 62개의 위성

타이탄

레아

이아페토스

디오네

테티스

엔켈라두스(Enceladus)

미마스(Mimas)

히페리온(Hyperion)

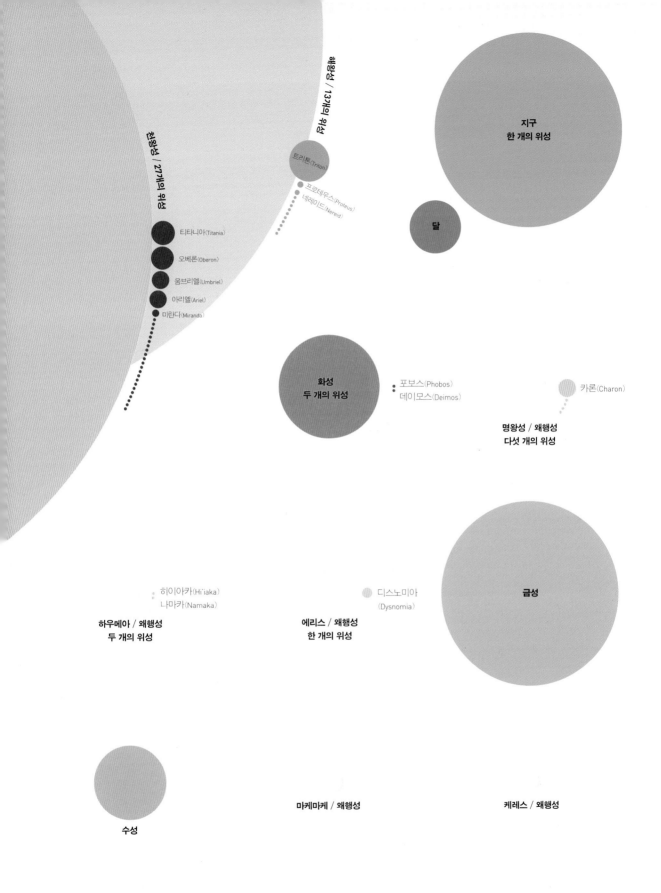

천왕성 / 27개의 위성

티타니아(Titania)
오베론(Oberon)
움브리엘(Umbriel)
아리엘(Ariel)
미란다(Miranda)

해왕성 / 13개의 위성

트리톤(Triton)
프로테우스(Proteus)
네레이드(Nereid)

지구
한 개의 위성

달

화성
두 개의 위성

포보스(Phobos)
데이모스(Deimos)

카론(Charon)

명왕성 / 왜행성
다섯 개의 위성

히이아카(Hi'iaka)
나마카(Namaka)

하우메아 / 왜행성
두 개의 위성

디스노미아
(Dysnomia)

에리스 / 왜행성
한 개의 위성

금성

수성

마케마케 / 왜행성

케레스 / 왜행성

일식과 월식

살면서 한 번이라도 개기일식을 본 적이 있다면, 일식이 얼마나 특별한지 알 것이다. 일식solar eclipse은 달이 지구와 태양 사이를 지나면서 태양의 표면을 가릴 때 일어난다. 월식lunar eclipse은 지구가 달과 태양 사이를 지날 때 발생한다. 그런데 달은 4주마다 지구를 한 바퀴 도는데, 어째서 2주에 한 번꼴로 일식이나 월식이 일어나지 않는 것일까? 그것은 바로 달의 궤도가 지구의 궤도보다 상대적으로 약간 기울어져 있기 때문이다. 그렇기에 달은 대부분 태양의 위나 아래를 통과하며, 지구 그림자의 위나 아래를 지나간다. 달의 궤도는 완전한 원형이 아니어서 달은 때때로 평소보다 더 작게 보인다. 이럴 때 일식이 일어나면 달은 태양을 완전히 가리지 못하는데, 이런 현상을 금환일식annular eclipse이라고 부른다. 햇빛이 달이 가리지 않은 가장자리 부분으로 비치면서 태양이 마치 반지나 고리처럼 보이기 때문이다.

달은 매우 복잡하게 움직이므로 일식과 월식의 주기는 여러 가지 형태로 나타난다. 일식과 월식의 주기 가운데는 177.2일마다 일어나는 '학기semester' 주기와 354.4일마다 일어나는 '태음력lunar year' 주기, 6,585.32일(18년이 조금 넘는 기간)마다 일어나는 '사로스Saros' 주기 등이 있다.

- ● 개기일식(Total solar eclipse)
- ● 개기월식(Total lunar eclipse)
- ◐ 부분일식(Partial solar eclipse)
- ◐ 부분월식(Partial lunar eclipse)
- ○ 금환일식(Annular solar eclipse)
- ○ 반영월식(Penumbral lunar eclipse)
- ◑ 혼성일식(Hybrid solar eclipse)

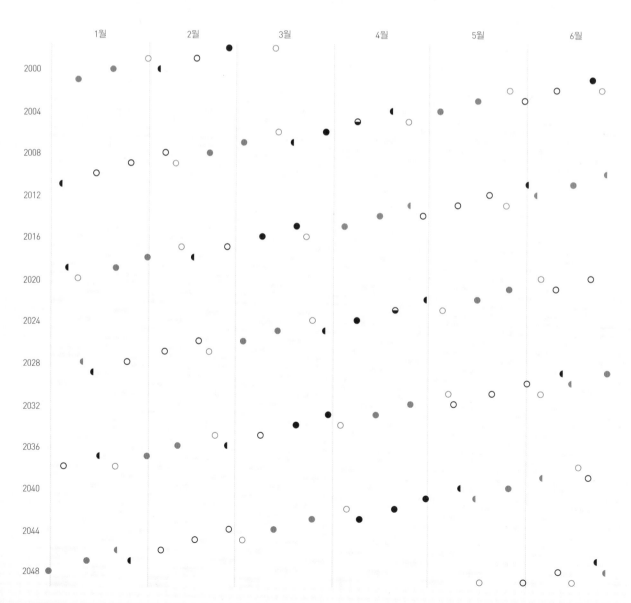

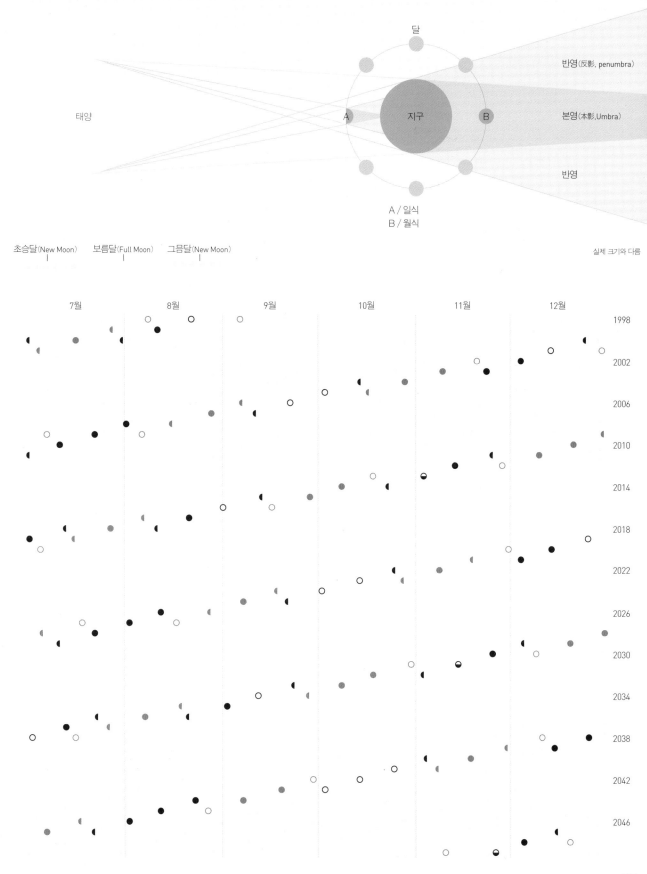

달

반영(反影, penumbra)

태양

지구

A　　　　　B

본영(本影, Umbra)

반영

A / 일식
B / 월식

초승달(New Moon)　　보름달(Full Moon)　　그믐달(New Moon)

실제 크기와 다름

7월　　　　8월　　　　9월　　　　10월　　　　11월　　　　12월

1998
2002
2006
2010
2014
2018
2022
2026
2030
2034
2038
2042
2046

태양계 톱 10

산

태양계에서 가장 높은 상위 열 개의 산.
태양계에서 가장 높은 산은 베스타남극산맥 Vesta's South Pole Mountain 으로 2011년에 탐사선 돈호가 발견했다.

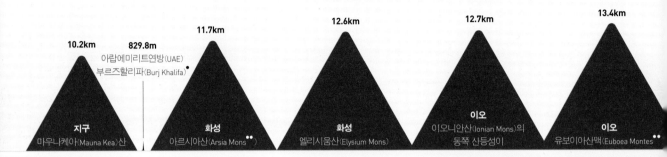

10.2km
지구
마우나케아(Mauna Kea)산

829.8m
아랍에미리트연방(UAE)
부르즈할리파(Burj Khalifa)•

11.7km
화성
아르시아산(Arsia Mons)••

12.6km
화성
엘리시움산(Elysium Mons)

12.7km
이오
이오니안산(Ionian Mons)의
동쪽 산등성이

13.4km
이오
유보이아산맥(Euboea Montes)••

호수

가장 큰 호수로 알려진 크라켄 바다 Kraken Mare 는 2007년 탐사선 카시니 Cassini 호가 발견했으며,
주성분은 액체 탄화수소다.

31,500㎢
지구
바이칼호(Lake Baikal)

32,000㎢
이오
로키파테라(Loki Patera, 용암)

32,893㎢
지구
탕가니카호(Lake Tanganyika)

58,000㎢
지구
미시간호(Lake Michigan)

59,600㎢
지구
휴런호(Lake Huron)

협곡, 범람 수로•••, 카스마••••

태양계에서 가장 큰 수로는 베네라15·16 Venera15&16 호가 발견한 발티스 계곡 Baltis Vallis 이다.
발티스 계곡에서는 한때 용암 강이 흘렀을 것이다.

• 지구에서 가장 높은 건축물 – 옮긴이
•• 'Mons'와 'Monters'는 산과 산맥을 뜻하는 라틴어다. – 옮긴이
••• outflow channel, 화성에서 대홍수의 결과로 만들어진 수로 – 옮긴이
•••• chasma, 땅속 깊숙이 난 커다란 균열 – 옮긴이

740km 레아
가룬라티카스마타(Galunlati Chasmata)

1,219km 테티스
이타카카스마(Ithaca Chasma)

1,758km 화성
아레스 협곡(Ares Valles)

3,160km 금성
시트랄풀 계곡(Citlalpul Vallis)

700km 금성
아사브카브 계곡(Ahsabkab Vallis)

750km 지구
그린란드의 그랜드캐니언
(Grand Canyon of Greenland)

1,580km 화성
카세이 협곡(Kasei Valles)

1,720km 화성
티우 협곡(Tiu Valles)

분화구

보레알리스 분지 Borealis Basin 는 화성의 북반구 거의 전체를 뒤덮고 있다. 보레알리스 분지가 어떻게
생성되었는지는 불분명한데, 과거 어느 시점에선가 운석이 충돌한 결과 만들어졌다고 추정한다.

505km
베스타
레아실비아(Rheasilvia)

580km
야페토스
터르기스(Turgis)

715km
수성
렘브란트(Rembrandt)

1,145km
달
비의 바다(Mare Imbrium)

1,550km
수성
칼로리스 분지(Caloris Basin)

2,300km
화성
헬라스 평원(Hellas Planitia)

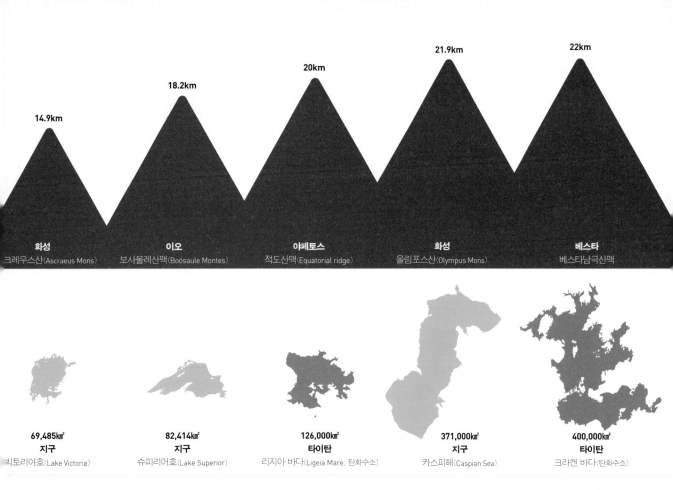

14.9km

화성
크레우스산(Ascraeus Mons)

18.2km

이오
보사울레산맥(Boösaule Montes)

20km

야페토스
적도산맥(Equatorial ridge)

21.9km

화성
올림포스산(Olympus Mons)

22km

베스타
베스타남극산맥

69,485㎢
지구
빅토리아호(Lake Victoria)

82,414㎢
지구
슈피리어호(Lake Superior)

126,000㎢
타이탄
리지아 바다(Ligeia Mare, 탄화수소)

371,000㎢
지구
카스피해(Caspian Sea)

400,000㎢
타이탄
크라켄 바다(탄화수소)

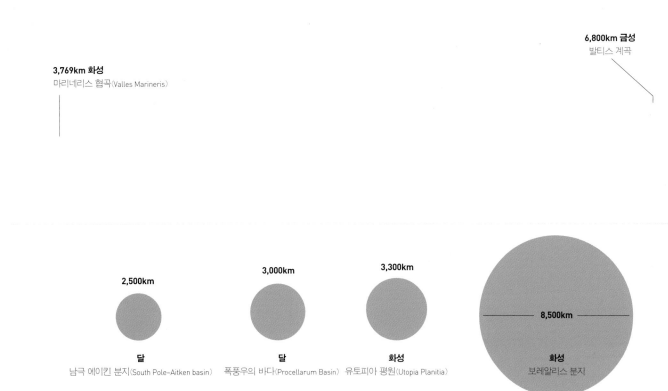

3,769km 화성
마리네리스 협곡(Valles Marineris)

6,800km 금성
발티스 계곡

2,500km
달
남극 에이킨 분지(South Pole–Aitken basin)

3,000km
달
폭풍우의 바다(Procellarum Basin)

3,300km
화성
유토피아 평원(Utopia Planitia)

8,500km
화성
보레알리스 분지

행성과 달의 구조

우리는 지진학 덕분에 지구의 내부 구조를 알게 되었다. 달 착륙 임무를 수행하면서 당시 달 표면에 남기고 온 실험 장비들은 지진을 측정하여 달의 내부 구조를 이해하는 데 쓰였다. 하지만 태양계에 있는 다른 천체의 내부 구조를 말하기는 이보다 훨씬 더 어렵다. 우주선의 접근 비행은 물리적 모형과 함께 천체의 내부 구조를 측정하는 용도로 쓰일 수 있다. 목성과 토성은 자기장이 강력한 것을 보면 틀림없이 내부에 전도성이 강한 물질이 있을 것이다. 두 행성의 내부는 아마도 '금속성 수소metallic hydrogen'로 구성되어 있을 것이다. 그렇지만 두 행성에 과연 단단한 핵이 있을지는 훨씬 불명확하다. 천왕성과 해왕성에는 주로 물과 메탄으로 이루어진 두꺼운 얼음층으로 뒤덮인 암석질 핵이 있다고 추정한다.

현재 외태양계에 있는 많은 위성은 지표 밑에 액체 상태의 물로 이루어진 지하 바다(혹은 표면하 대양sub-surface ocean)를 품고 있다고 예상한다. 덕분에 이 작은 세상들은 그들이 공전하는 행성들만큼이나 흥미롭고 신비로운 존재가 되었다.

- 🔵 물
- 🔵 얼음
- 🔵 암석 / 얼음
- ⚪ 메탄
- 🟢 금속성 수소
- 🔵 대기

- 🔴 용해된 암석
- ⚫ 암석
- 🟡 용해된 철
- 🔵 고형 철
- 🔵 고형 철
  (황화철(FeS) 다량 포함)

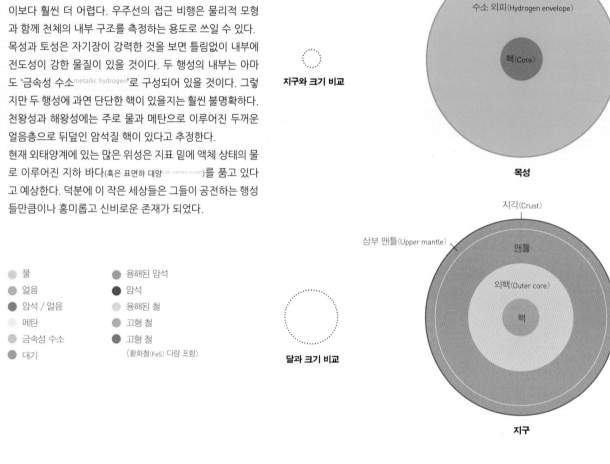

고층대기(Upper atmosphere)

수소 외피(Hydrogen envelope)

핵(Core)

지구와 크기 비교

목성

지각(Crust)

상부 맨틀(Upper mantle)

맨틀

외핵(Outer core)

핵

달과 크기 비교

지구

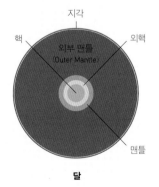

지각

핵 ─ 외부 맨틀 (Outer Mantle) ─ 외핵

맨틀

달

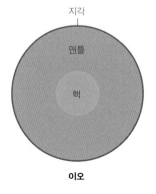

지각

맨틀

핵

이오

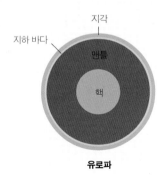

지각

지하 바다

맨틀

핵

유로파

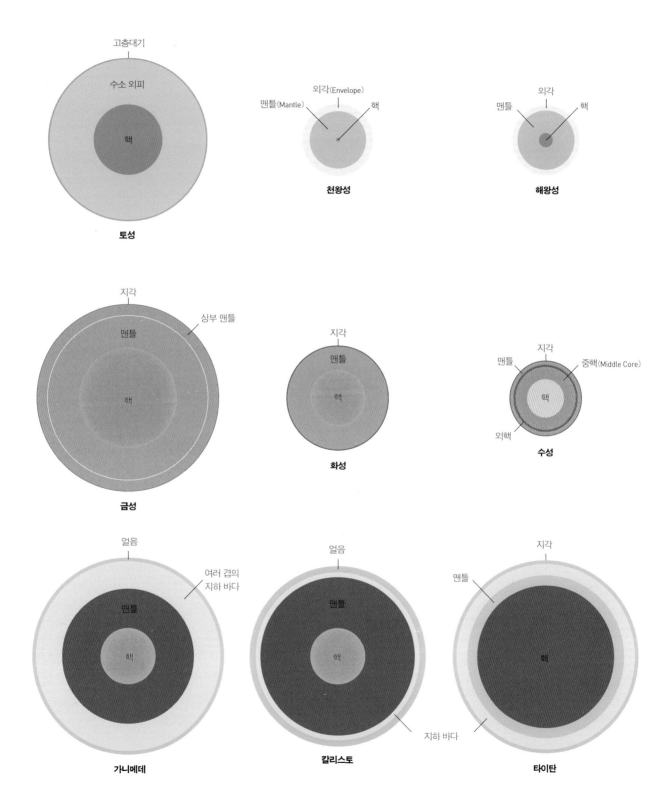

고층대기
수소 외피
핵
토성

맨틀(Mantle)
외각(Envelope)
핵
천왕성

맨틀
외각
핵
해왕성

지각
상부 맨틀
맨틀
핵
금성

지각
맨틀
핵
화성

맨틀
지각
중핵(Middle Core)
핵
외핵
수성

얼음
여러 겹의
지하 바다
맨틀
핵
가니메데

얼음
맨틀
핵
지하 바다
칼리스토

지각
맨틀
핵
타이탄

행성의 대기

지구의 대기는 우리를 가혹한 우주 공간으로부터 보호해주는 얇은 보호막이다. 대기에서 가장 차가운 부분은 대류권계면tropopause(대류권과 성층권의 경계면 - 옮긴이)이다. 대류권계면은 지상으로부터도, 상층 대기를 따뜻하게 하는 태양으로부터도 열을 받지 못하는 옅은 공기가 있는 곳이다.

엄청난 기압과 고열 때문에 금성의 지표면은 사람이 살 수 있는 곳이 아니다. 그렇지만 금성의 약 50킬로미터 상공은 기온과 기압이 지구 표면과 별반 다르지 않다.

울부짖는 바람과 길게 내리는 유황 비만 없다면, 화성에서의 삶은 꽤

나 아늑할지도 모른다! 화성은 지구보다 훨씬 옅은 대기가 있으며 훨씬 더 춥다. 화성에는 물 얼음 구름뿐만 아니라 이산화탄소^{CO_2} 얼음 구름도 생긴다.

타이탄은 토성의 가장 큰 위성이며, 지구를 제외하고는 표면에 액체가 있는 유일한 천체다. 대기는 지구보다 훨씬 두껍지만 너무나도 추워서 액체 상태로 존재하는 물은 어디에도 없다. 타이탄에서는 물 대신 탄화수소 순환이 일어난다. 타이탄에는 메탄과 에탄으로 이루어진 구름과 호수와 강이 있으며, 심지어 비까지 내린다.

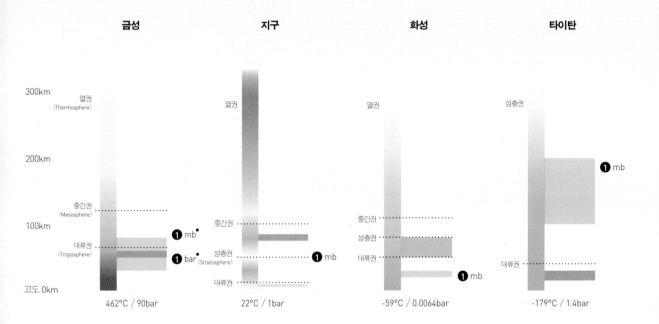

금성   지구   화성   타이탄

462°C / 90bar   22°C / 1bar   -59°C / 0.0064bar   -179°C / 1.4bar

---

- ● 바(bar), 밀리바(mb)는 압력의 단위로, 1바는 1제곱센티미터에 100만 다인(dyne, 질량 1그램의 물체에 작용하여 1초 동안에 1센티미터의 가속도를 내는 힘)의 힘이, 1밀리바는 1제곱센티미터에 1000다인의 힘이 작용할 때의 압력이다. - 옮긴이

- ●● Tholin. 탄화수소 화합물의 일종 - 옮긴이

400°C
0°C
-200°C

- ● 황산 안개(Sulphuric acid haze)
- ● 황 구름(Sulphur cloud)
- ● 물 얼음 구름(Water ice cloud)
- ● 물
- ● 이산화탄소 얼음(CO₂ ice)
- ● 물 얼음(Water ice)
- ● 톨린●● 안개층(Tholin haze layer)
- ● 메탄 구름(Methane cloud)

외행성*outer planet*(화성보다 바깥 궤도를 도는 행성 - 옮긴이)에는 지표면이 없다고 알려졌다. 고도는 보통 지구 표면의 기압과 같은, 기압이 1바 정도인 지점을 기준으로 상대적으로 정해진다.
목성의 줄무늬는 새하얀 암모니아 얼음 구름과 그 밑의 고동색 황화수소암모늄*ammonium hydrogen sulfide* 덕분에 만들어지며, 그 아래에는 물 얼음 구름이 있다고 추정한다. 1995년, 우주선 갈릴레오호는 목성 대기에 탐사선을 투하했다. 탐사선은 -100킬로미터 지점 아래까지 하강해 대기 성분 표본을 채취했으며, 측정을 통해 풍속이 시간당

500킬로미터가 넘는다는 사실을 밝혀냈다.
토성의 대기는 목성과 비슷하지만, 중력이 약해 대기의 고도 범위가 더 넓다. 토성은 탄화수소 안개로 뒤덮여 있어서 하부 구조를 똑똑히 관찰할 수 없으며, 그 때문에 목성보다 외관이 훨씬 단조로워 보인다. 천왕성과 해왕성은 두꺼운 메탄층이 있어서 푸른 색조를 띤다. 해왕성은 태양계에서 가장 강한 바람이 부는데, 시간당 풍속이 1,000킬로미터 이상이다.

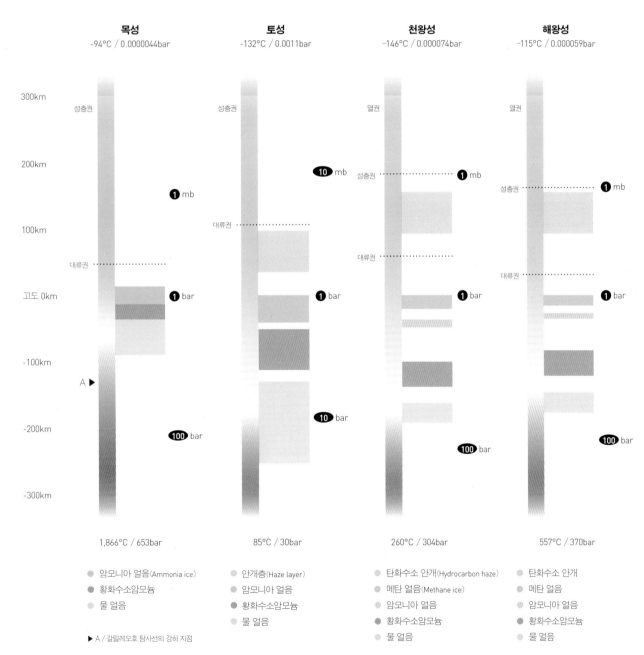

반지의 제왕

토성은 환상적인 고리가 있는 것으로 유명하다. 그렇지만 토성이 고리가 있는 유일한 행성은 아니다. 비록 토성처럼 찬란하게 빛나는 값비싼 반지는 아니지만, 다른 외행성들도 모두 나름의 고리가 있다. 어떻게 해서 고리가 생겼는지는 알 수 없는데, 위성이 산산이 조각나서 만들어졌거나 애초에 위성으로 합쳐질 수 없었던 물질일 수도 있다.

해왕성
1980년대에 해왕성의 고리를 처음 관측했으며, 1989년에 보이저2호가 실제로 확인했다. 여러 개의 고리는 해왕성을 발견하는 데 이바지한 우주비행사들의 이름을 따서 명명했다. 다른 행성들의 고리 구조와 마찬가지로 해왕성의 고리들은 작은 위성들과 어우러져 있다.

천왕성
천왕성의 고리는 1977년에 발견했다. 고리들이 아주, 정말 아주 살짝 천왕성 뒤편의 별이 내뿜는 빛을 가로막았을 때였다. 고리들에는 특정한 명칭 대신에 숫자와 그리스 문자로 이름을 붙였다.

목성
목성의 고리는 너무나 흐릿해서 1979년에 보이저1호가 목성을 지나치기 전까지는 발견하지 못했다. 이들 고리는 작은 유성들이 고리 내부의 위성들을 폭격한 결과로 만들어졌다.

토성
토성의 주요 고리들은 발견 순서에 따라 알파벳순으로 분류했다. 반면, 주요 고리 사이의 여러 틈이나 간극에는 토성을 관측한 역사적 인물들의 이름을 붙였다. 토성의 고리는 수십만 킬로미터에 걸쳐 늘어져 있지만, 그 두께는 엄청나게 얇다. 주요 고리들의 두께는 겨우 수십 미터에 불과하다.
우주선 보이저호와 카시니호의 관측에 따르면, 고리 사이의 간극은 토성의 작은 위성들 때문에 생긴다. 가장 바깥쪽에 있는 'E 고리(E Ring)'는 엔켈라두스 위성의 남극에서 방출한 분자 때문에 생긴 것으로 보인다.

······ 고리의 폭

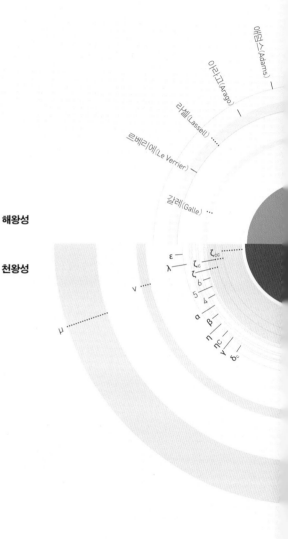

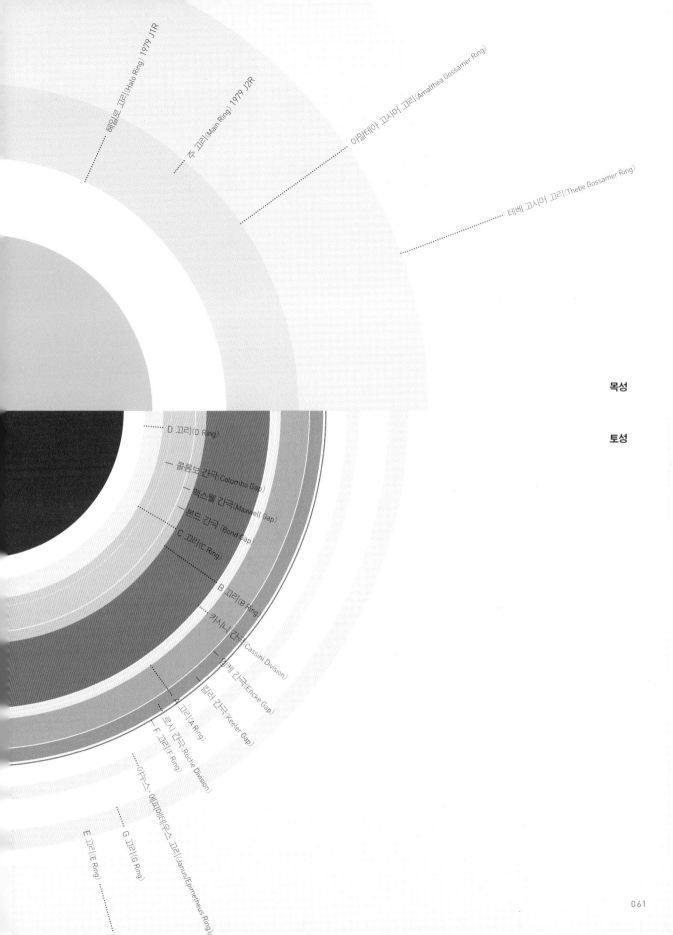

해일로 고리(Halo Ring) 1979 J1R

주 고리(Main Ring) 1979 J2R

아말테아 고시머 고리(Amalthea Gossamer Ring)

테베 고시머 고리(Thebe Gossamer Ring)

목성

토성

D 고리(D Ring)

콜롬보 간극(Columbo Gap)

맥스웰 간극(Maxwell Gap)

본드 간극 (Bond Gap)

C 고리(C Ring)

B 고리(B Ring)

카시니 간극(Cassini Division)

엥케 간극(Encke Gap)

킬러 간극(Keeler Gap)

A 고리(A Ring)

로시 간극(Roche Division)

F 고리(F Ring)

야누스·에피메테우스 고리(Janus/Epimetheus Ring)

G 고리(G Ring)

E 고리(E Ring)

소행성

소행성은 커다랗지만 행성이라 불릴 정도로 크지는 않은 돌덩이를 뜻한다. 이탈리아의 천문학자 주세페 피아치^{Giuseppe Piazzi}는 1801년에 최초로 소행성인 1 케레스를 발견했다. 지난 200년 동안 우리는 화성과 목성 사이를 도는 수없이 많은 작은 소행성을 발견했다. 이 소행성들은 소행성대를 이룬다. 케레스같이 가장 큰 축에 드는 소행성은 중력이 충분하여 구체 형태를 유지할 수 있지만, 그보다 작은 소행성은 중력이 충분치 못해 훨씬 불규칙한 형태를 띤다.

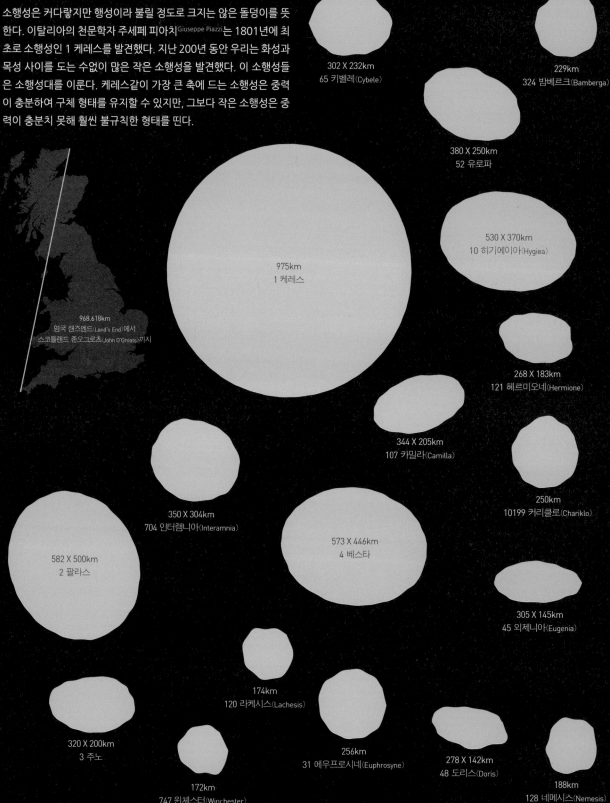

302 X 232km
65 키벨레(Cybele)

229km
324 밤베르크(Bamberga)

380 X 250km
52 유로파

530 X 370km
10 히기에이아(Hygiea)

975km
1 케레스

968.618km
영국 랜즈엔드(Land's End)에서
스코틀랜드 존오그로츠(John O'Groats)까지

268 X 183km
121 헤르미오네(Hermione)

344 X 205km
107 카밀라(Camilla)

250km
10199 커리클로(Chariklo)

350 X 304km
704 인터램니아(Interamnia)

573 X 446km
4 베스타

582 X 500km
2 팔라스

305 X 145km
45 외제니아(Eugenia)

174km
120 라케시스(Lachesis)

320 X 200km
3 주노

256km
31 에우프로시네(Euphrosyne)

278 X 142km
48 도리스(Doris)

188km
128 네메시스(Nemesis)

172km
747 윈체스터(Winchester)

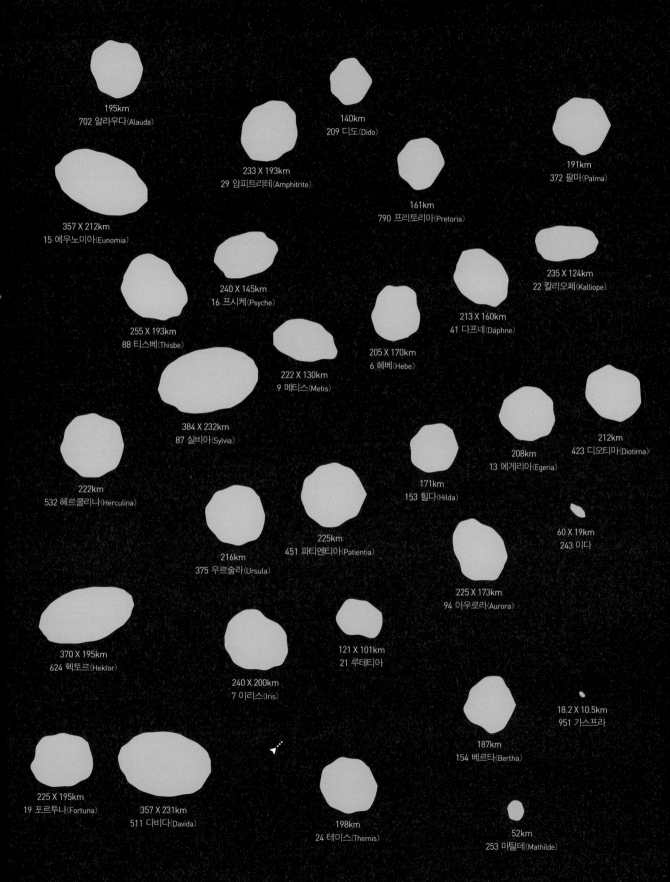

195km
702 알라우다(Alauda)

140km
209 디도(Dido)

233 X 193km
29 암피트리테(Amphitrite)

191km
372 팔마(Palma)

357 X 212km
15 에우노미아(Eunomia)

161km
790 프리토리아(Pretoria)

240 X 145km
16 프시케(Psyche)

235 X 124km
22 칼리오페(Kalliope)

255 X 193km
88 티스베(Thisbe)

213 X 160km
41 다프네(Daphne)

222 X 130km
9 메티스(Metis)

205 X 170km
6 헤베(Hebe)

384 X 232km
87 실비아(Sylvia)

212km
423 디오티마(Diotima)

222km
532 헤르쿨리나(Herculina)

208km
13 에게리아(Egeria)

171km
153 힐다(Hilda)

225km
451 파티엔티아(Patientia)

60 X 19km
243 이다

216km
375 우르술라(Ursula)

225 X 173km
94 아우로라(Aurora)

370 X 195km
624 헥토르(Hektor)

121 X 101km
21 루테티아

240 X 200km
7 이리스(Iris)

18.2 X 10.5km
951 가스프라

187km
154 베르타(Bertha)

225 X 195km
19 포르투나(Fortuna)

357 X 231km
511 다비다(Davida)

198km
24 테미스(Themis)

52km
253 마틸데(Mathilde)

소행성의 위치

소행성의 절대다수는 화성과 목성 궤도 사이의 소행성대 안에 있다. 그렇지만 모든 소행성이 소행성대에 머물지는 않으며, 일부는 내태양계inner Solar System에 있다. 지구궤도에 근접하거나 심지어 지구궤도를 가로지르기까지 하는 소행성은 지구 근접 소행성Near-Earth Asteroid이라고 불린다. 이런 소행성은 우리에게 커다란 위험을 불러일으킨다. 언젠가 지구와 충돌할 수도 있기 때문이다.

목성의 중력은 소행성의 궤도에 강한 영향을 미치는데, 소행성은 이 거대 행성과 그다지 잘 조화를 이루지 못한다. 아주 소수의 소행성만이 공전궤도가 목성의 절반보다 길거나(2:1 궤도 공명•) 4분의 1보다 작다(4:1 궤도 공명•). 공명비가 4:1 안쪽인 이런 소행성들은 헝가리아Hungaria 소행성군이라고 불린다.

주 소행성대Main Asteroid belt 너머의 소행성들은 중력계의 스위트스폿인 '트로이 점Trojan point'에 갇힐 수 있다. 트로이 점이라는 이름이 붙은 이유는 이 소행성들은 명칭을 그리스·트로이 전쟁에 참가했던 사람들의 이름을 따서 지어서 트로이군이라 불리기 때문이다. 트로이 소행성군은 두 집단으로 나뉘며, 각각 목성 공전궤도의 60도 앞과 뒤에 자리를 잡고 공전한다••. 힐다 소행성군Hilda family of asteroids은 목성과 3:2 공명 궤도를 이루는데, 이는 목성이 태양 주위를 두 번 공전할 때마다 힐다 소행성군은 세 번씩 공전한다는 의미다.

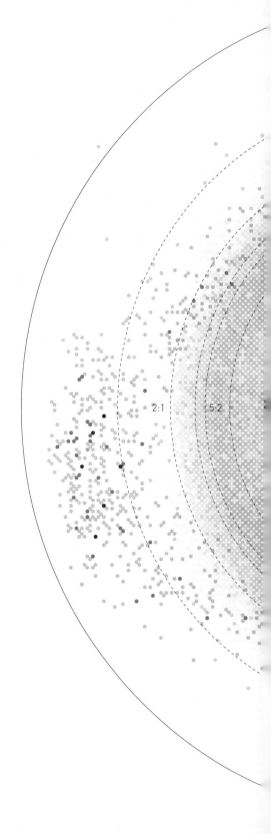

•   궤도 공명(resonance) 비율은 일반 상식과 달리 공전주기의 비율을 뜻하는 것이 아니라 공전 회수의 비를 말한다. - 옮긴이
••   몇몇 독자는 눈치챘겠지만, 목성 앞뒤의 두 트로이 점은 앞서 살펴본 라그랑주 점으로, 구체적으로는 태양과 목성 사이의 L4와 L5다. - 옮긴이
•••   Trojans & Greeks, 정식으로는 둘 다 목성 트로이군으로 분류하지만, 전방에서 목성을 이끄는 소행성들은 그리스군 혹은 아킬레스군 소행성이라고 부르며, 후방에서 목성을 뒤따르는 소행성들은 트로이군 혹은 헥토르군 소행성이라고 부른다. - 옮긴이

2장 / 태양계

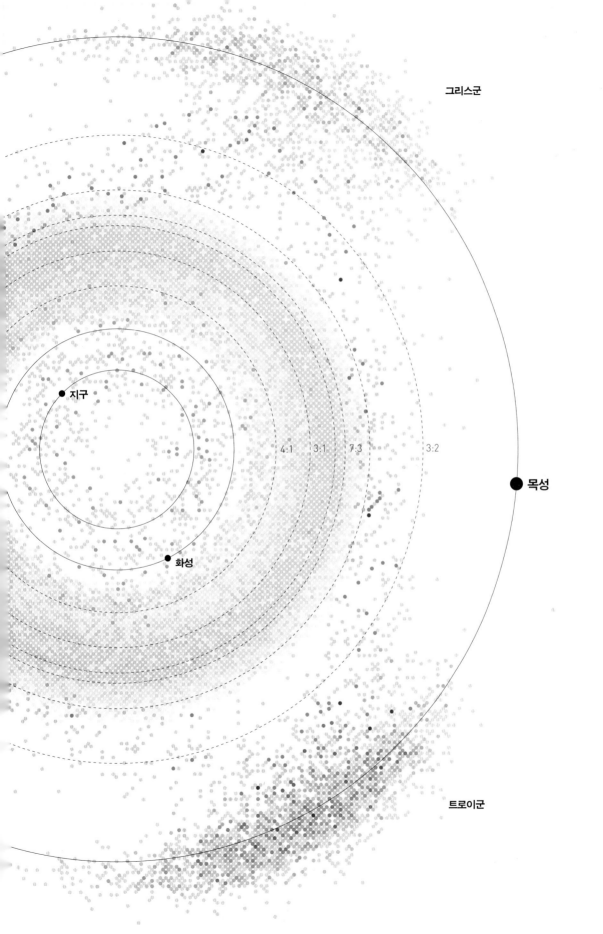

그리스군

4:1 3:1 7:3 3:2

● 지구

● 화성

● 목성

트로이군

소행성의 이름

태양계에 속한 주요 천체에는 해당 천체의 지형지물이나 위성, 고리를 명명하고자 만들어진 테마가 있다. 그렇지만 만약 여러분이 어떤 소행성을 발견한다면, 내키는 대로 이름을 붙일 수 있다. 단 하나의 주요 규칙은 이름이 반드시 고유해야만 한다는 것이다. 소행성체센터 Minor Planet Center가 분류한 총 1만 8,977개의 이름이 있는 소행성 가운데 1만 3,290개에는 이 소행성이 누구 혹은 무엇의 이름을 따왔는지 기술한 인용문이 달렸다.

1만 3,290개의 이름은 전 세계 각지의 다양한 사람과 사물에 기원을 둔다. 여러분이 예상하는 대로 상당수 소행성은 과학자나 천문학자 (혹은 그들의 친구와 가족)의 이름을 따서 명명되었다. 산이나 마을, 신

● 연예

13070 숀코너리(Seanconnery) / 숀 코너리(Sean Connery, 1930), 제임스 본드 시리즈로 유명한 영국 배우

13681 몬티파이선(Monty Python) / 영국의 코미디 프로그램 '몬티파이선의 날아다니는 서커스(Monty Python's Flying Circus)'

246247 셸던쿠퍼(Sheldoncooper) / 텔레비전 시리즈 '빅뱅 이론(The Big Bang Theory)'의 등장인물

● 친구 · 가족

소행성을 발견한 사람의,
19%가 딸과 아들,
18%가 아내나 남편,
16%가 친구,
16%가 부모,
5%가 손녀와 손자의
이름을 따서 붙였다.

● 스포츠 · 레저

230975 로저페더러(Rogerfederer)
로저 페더러(Roger Federer, 1981), 스위스의 테니스 선수

6481 텐징(Tenzing)
텐징 노르가이(Tenzing Norgay, 1914~1986),
에베레스트산을 최초로 등정한 네팔의 산악인

20043 엘런맥아더(Ellenmacarthur)
엘런 맥아더(Ellen Macarthur, 1976), 요트를 타고 홀로
세계일주를 한 영국 여성

● 지리

1718 나미비아(Namibia) / 아프리카의 나미비아공화국

10958 몽블랑(Mont Blanc) / 유럽에서 가장 높은 산

19620 오클랜드(Auckland) / 뉴질랜드에서 가장 큰 도시

● 예술 · 문학

4444 에스허르(Escher) / 마우리츠 코르넬리스 에스허르(Maurits C. Escher, 1898~1972), 네덜란드의 판화가

10185 가우디(Gaudi) / 안토니 가우디(Antoni Gaudi, 1852~1926), 에스파냐의 건축가

39427 샬럿브론테(Charlottebronte) / 샬럿 브론테(Charlotte Bronte, 1816~1855), 영국의 소설가 겸 시인

화 속 인물, 유명 작가의 이름을 딴 소행성도 있다. 심지어 어떤 소행성은 코미디 그룹 몬티파이선(Monty Python)에 캐스팅된 배우의 이름을 따서 명명하기도 했다. 일부 소행성의 이름은 복수의 카테고리에 속하기도 한다.

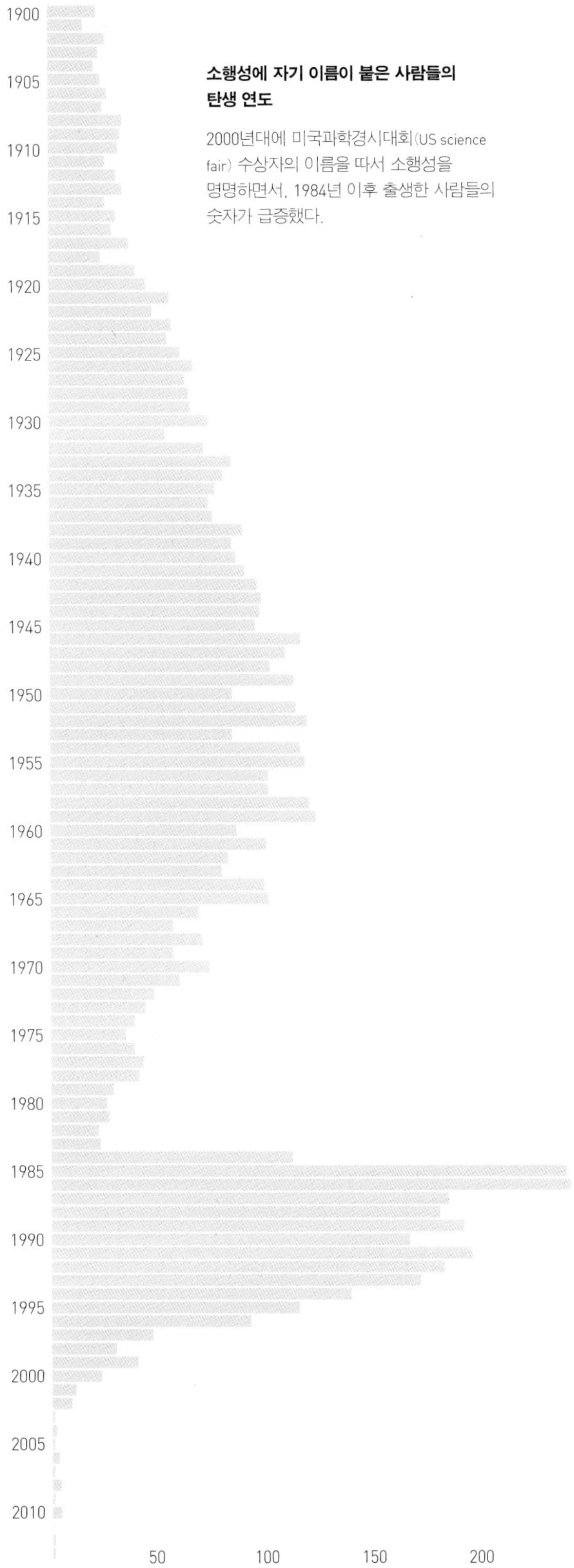

과학 · 자연

1991 다윈(Darwin)
찰스 다윈(Charles Darwin, 1809~1882), 영국의 박물학자

7672 호킹(Hawking)
스티븐 호킹(Stephen Hawking, 1942~2018),
블랙홀 연구로 유명한 이론물리학자

25275 조셀린벨(Jocelynbell) / 조셀린 벨(Jocelyn Bell, 1943),
펄서●를 발견한 영국의 천체물리학자

91006 플레밍(Fleming) / 알렉산더 플레밍(Alexander Fleming,
1881~1955), 페니실린을 발명한 영국의 생물학자 겸 약리학자

**소행성에 자기 이름이 붙은 사람들의
탄생 연도**

2000년대에 미국과학경시대회(US science
fair) 수상자의 이름을 따서 소행성을
명명하면서, 1984년 이후 출생한 사람들의
숫자가 급증했다.

● pulsar. 눈에 보이진 않지만 주기적으로 전파나 방사선을 방출하는 천체 – 옮긴이

충돌 임박

우리는 매년 수만 개의 소행성을 발견한다. 이들 대부분은 크기가 매우 작고 지구와 멀리 떨어져 있다. 그렇지만 때때로 커다란 소행성이 불편할 정도로 지구에 가까이 접근하고는 한다.

2029년에는 소행성 아포피스Apophis가 지구에서 채 4만 킬로미터도 떨어지지 않은 곳을 지나칠 것이다. 4만 킬로미터는 천문학의 관점에서 볼 때 그다지 먼 거리가 아니다. 고작해야 지구에서 달까지 가는 거리의 10분의 1에 불과하다. 만약 아포피스가 이보다 조금만 더 지구와 가까워진다면, 엄청난 파괴를 일으킬 것이다.

그런데 우리가 날아오는 것을 아예 보지도 못했던 소행성도 있었다.

1908년에는 한 소행성이 러시아 툰구스카Tunguska에 떨어져서 엄청난 지역의 나무를 납작하게 해버렸다. 오늘날에는 소행성을 감시하고 있어서 최근 몇 년간 수백여 개의 소행성을 발견했지만, 아직도 모든 소행성을 포착하지는 못했다.

2013년 2월, 전 세계는 첼랴빈스크 운석 낙하 사건Chelyabinsk Event에 경악했다. 10~20미터 크기의 소행성이 소리 소문도 없이 대기에 진입한 후 러시아 첼랴빈스크에 떨어지며 폭발을 일으킨 것이다. 이 폭발로 1,000명이 넘는 사람이 다쳤다. 대체 우리가 놓친 소행성은 몇 개나 되는 걸까?

1900~2100년

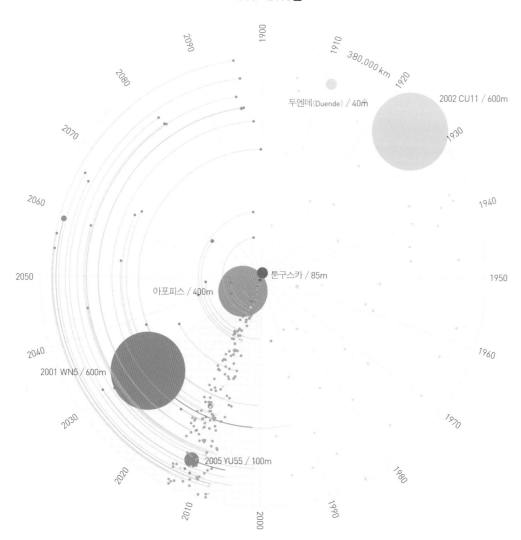

500m / 100m / 50m / 20m 이하

● 충돌 발생
● 최소 한 달 전에 경고한 근접 통과
— 경고 일자
● 경고가 (사실상) 없었던 근접 통과
● 사건 발생 이후에야 발견한 근접 통과

2000〜2030년

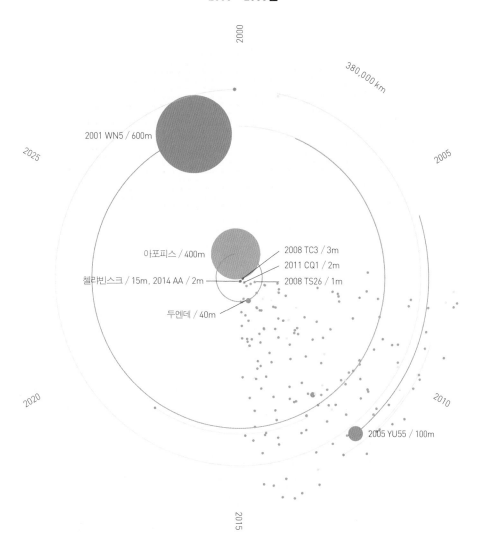

2000

380,000km

2025

2005

2001 WN5 / 600m

아포피스 / 400m

2008 TC3 / 3m
2011 CQ1 / 2m
체랴빈스크 / 15m, 2014 AA / 2m
2008 TS26 / 1m

두엔데 / 40m

2020

2010

2005 YU55 / 100m

2015

운석의 분류

예나 지금이나 때때로 대기에서 폭발하거나 불타버리지 않을 만큼 크기가 커서 지구로 떨어지는 작은 파편이 있다. 일부 운석은 하늘에서 떨어질 때 관측되기도 하지만 대부분은 땅에 박힌 채로 발견되며, 특히 남극대륙의 빙하 위에서 많이 발견된다. 어떤 운석은 바위로, 다른 운석은 철로, 또 다른 운석은 바위와 철로 이루어져 있다. 운석의 화학적 구성을 연구하다 보면 때때로 운석이 어떤 천체에서 왔는지 알 수 있다.

석질운석 Stony meteorites

절대다수의 운석은 암석이 주성분이다. 운석에 쓰인 소재와 광물은 지구의 지각에서 발견되는 것들과 별반 다른 바가 없다. 비록 철 같은 광물은 지구 표면보다 아주 소량만 포함하지만 말이다.

콘드라이트 Chondrites (미분화 운석 혹은 시원 운석)

콘드라이트는 구체 형태로 뭉친 특정한 광물을 포함한 석질운석이다. 이 운석은 여태까지 화성(化性) 활동을 경험한 적이 없다. 달리 말하자면, 높은 열에는 노출된 적이 없어서 태양계가 탄생한 이후로 한 번도 변형된 적이 없다. 가장 원시적인 콘드라이트는 탄소질carbonaceous 콘드라이트다.

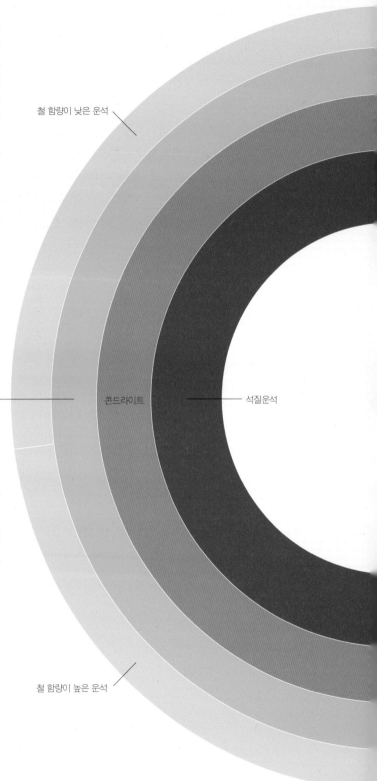

철 함량이 낮은 운석

보통 콘드라이트(Ordinary chondrite)

콘드라이트

석질운석

철 함량이 높은 운석

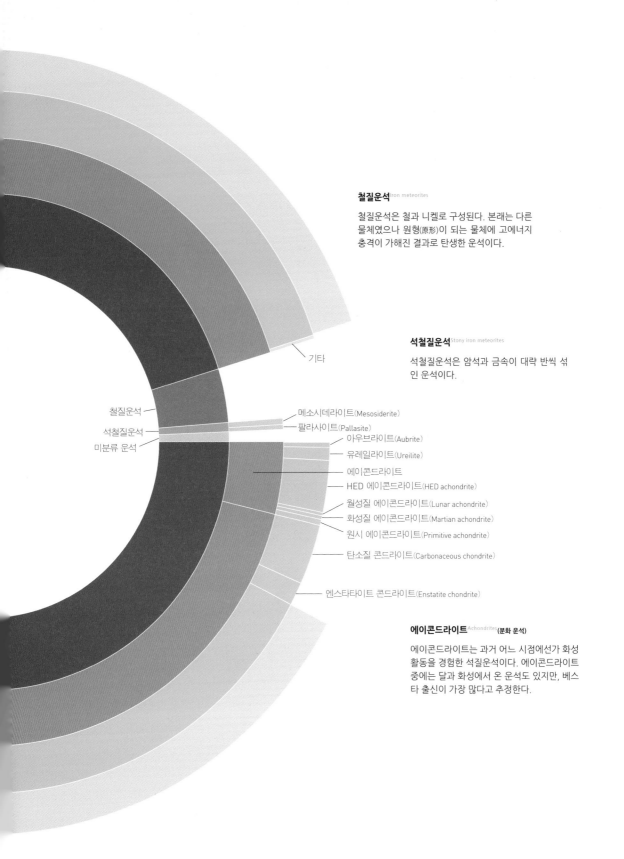

철질운석 Iron meteorites

철질운석은 철과 니켈로 구성된다. 본래는 다른 물체였으나 원형(原形)이 되는 물체에 고에너지 충격이 가해진 결과로 탄생한 운석이다.

기타

석철질운석 Stony iron meteorites

석철질운석은 암석과 금속이 대략 반씩 섞인 운석이다.

철질운석

석철질운석

미분류 운석

메소시데라이트(Mesosiderite)

팔라사이트(Pallasite)

아우브라이트(Aubrite)

유레일라이트(Ureilite)

에이콘드라이트

HED 에이콘드라이트(HED achondrite)

월성질 에이콘드라이트(Lunar achondrite)

화성질 에이콘드라이트(Martian achondrite)

원시 에이콘드라이트(Primitive achondrite)

탄소질 콘드라이트(Carbonaceous chondrite)

엔스타타이트 콘드라이트(Enstatite chondrite)

에이콘드라이트 Achondrites **(분화 운석)**

에이콘드라이트는 과거 어느 시점에선가 화성 활동을 경험한 석질운석이다. 에이콘드라이트 중에는 달과 화성에서 온 운석도 있지만, 베스타 출신이 가장 많다고 추정한다.

혜성

고대인은 혜성이 미래를 나타내는 전조라고 생각했지만, 오늘날 우리는 혜성이 가늘고 길쭉한 궤도로 태양 주위를 도는, 얼음과 암석으로 이루어진 작은 물체임을 안다. 혜성은 아름다운 꼬리로 유명하지만, 온도가 아주 낮아서 꼬리가 생기지 않는 외태양계에서 대부분 시간을 보낸다. 혜성이 안쪽에 있는 태양을 향해 움직이면서 온도가 상승하면, 혜성의 겉 부분이 중앙 핵으로부터 떨어져 나가 승화되기 시작하고, 그 결과 멋진 꼬리가 만들어진다. 혜성의 꼬리는 실제로는 하나가 아니라 둘이다. 먼지 꼬리dust tail와 이온 꼬리on tail가 그것이다. 2015년까지 여섯 개의 혜성에 우주선을 보내 탐사했다. 2014년에 유럽우주기구는 우주선 로제타호를 추류모프·게라시멘코 혜성으로 보내서, 처음으로 탐사로봇 필레Philae를 혜성 위에 연착륙하게 하는 데 성공했다.

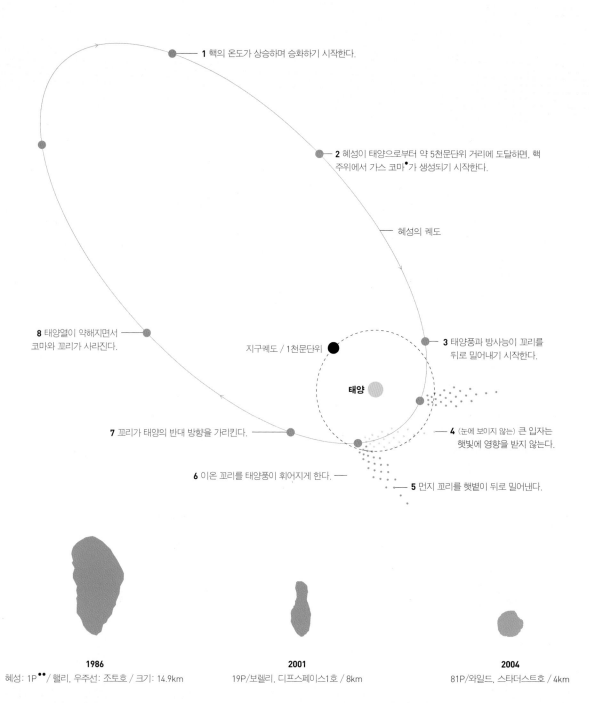

1 핵의 온도가 상승하며 승화하기 시작한다.

2 혜성이 태양으로부터 약 5천문단위 거리에 도달하면, 핵 주위에서 가스 코마●가 생성되기 시작한다.

혜성의 궤도

8 태양열이 약해지면서 코마와 꼬리가 사라진다.

지구궤도 / 1천문단위

태양

3 태양풍과 방사능이 꼬리를 뒤로 밀어내기 시작한다.

7 꼬리가 태양의 반대 방향을 가리킨다.

4 (눈에 보이지 않는) 큰 입자는 햇빛에 영향을 받지 않는다.

6 이온 꼬리를 태양풍이 휘어지게 한다.

5 먼지 꼬리를 햇볕이 뒤로 밀어낸다.

1986
혜성: 1P●● / 핼리, 우주선: 조토호 / 크기: 14.9km

2001
19P/보렐리, 디프스페이스1호 / 8km

2004
81P/와일드, 스타더스트호 / 4km

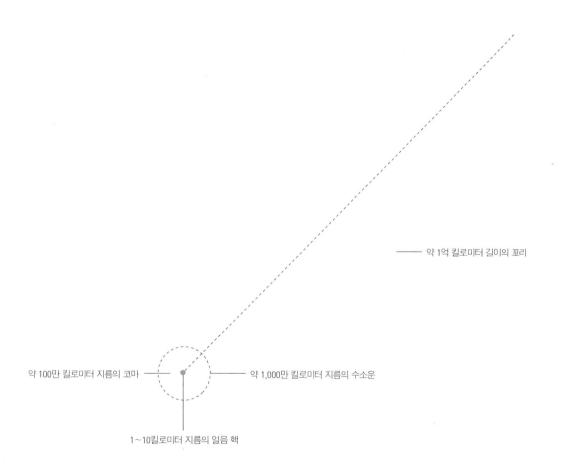

약 1억 킬로미터 길이의 꼬리

약 100만 킬로미터 지름의 코마 ——— ● ——— 약 1,000만 킬로미터 지름의 수소운

1~10킬로미터 지름의 얼음 핵

- coma, 중앙 핵을 감싼 기체층 – 옮긴이
- 1P는 번호가 붙은 주기혜성(타원 궤도를 따라 일정한 주기로 태양 주위를 도는 혜성) 중 1번이라는 뜻이다. – 옮긴이

2005
9P/템펠, 디프임팩트호 / 7.6km

2010
103P/하틀리, 에폭시(Epoxy)호 / 1.6km

2014
67P/추류모프·게라시멘코, 로제타호 / 4.3km

여러 혜성

우리는 혜성이 내태양계에 들어왔을 때만 그 모습을 볼 수 있다. 그렇지만 혜성은 훨씬 먼 곳에서 만들어졌다. 혜성은 공전궤도에 따라 몇 가지 주요 그룹으로 나뉜다.

● 테리 러브조이(Terry Lovejoy)가 2007년 3월, 2007년 5월, 2011년, 2013년, 2014년에 발견한 다섯 개의 혜성을 이룬다.

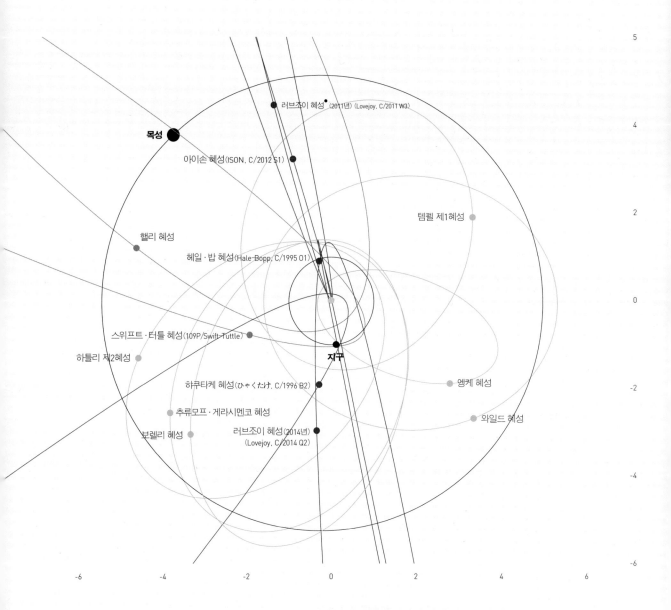

● **단주기혜성** Short period comet

단주기혜성은 궤도주기가 200년보다 짧으며, 이 기간 중 대부분을 카이퍼대 안에서 보낸다. 핼리 혜성 같은 일부 단주기혜성은 비교적 높은 각도로 진입하며, 오르트 구름Oort cloud에 기원을 둔 것으로 추측된다.

● **목성족혜성** Jupiter family comet

목성족혜성은 궤도주기가 20년보다 짧은 단주기혜성으로, 태양계 행성들과 같은 평면plane을 공전하는 경향이 있다. 목성족 혜성은 본래 카이퍼대에서 형성된 것으로 추정되지만, 커다란 행성에 너무 가까이 다가간 나머지 태양계 안쪽으로 끌려들어 간 듯하다. 이들은 이제 목성의 공전궤도 밖으로 나가지 않는 선에서 공전한다.

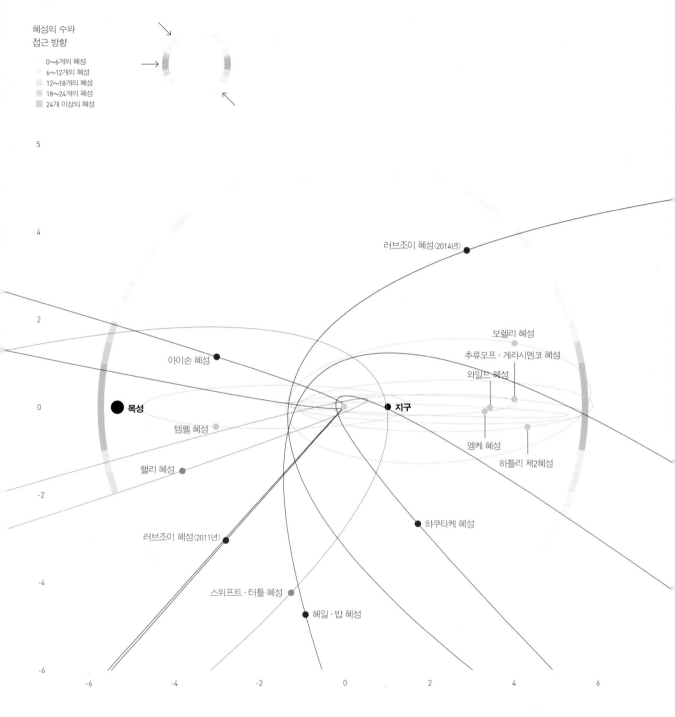

혜성의 수와
접근 방향

- 0~6개의 혜성
- 6~12개의 혜성
- 12~18개의 혜성
- 18~24개의 혜성
- 24개 이상의 혜성

러브조이 혜성(2014년)

보렐리 혜성
추류모프 · 게라시멘코 혜성
와일드 혜성

아이손 혜성

목성
템펠 혜성

지구

엠케 혜성
하틀리 제2혜성

핼리 혜성

하쿠타케 혜성

러브조이 혜성(2011년)

스위프트 · 터틀 혜성

헤일 · 밥 혜성

● **장주기혜성** Long period comet

장주기혜성은 궤도주기가 200년 이상인 혜성으로, 보통 한 번 공전하는 데 수천 년이 걸린다. 장주기혜성은 오르트 구름에 기원을 두지만, 내태양계 쪽으로 흩어져 있다. 태양 최근접 혜성(sungrazing comet)은 러브조이 혜성(2011년)처럼 태양에 지극히 가까이 접근하는 혜성이다. 대부분 태양 최근접 혜성은 수천 년 전에 태양과 너무 가까워지면서 파괴된, 더 커다란 혜성의 파편인 것으로 보인다.

● **비주기혜성** Non-periodic comet

비주기혜성은 공전궤도가 너무나 길어서 내태양계 안으로 다시 돌아올지가 불분명하다. 설사 비주기혜성이 언젠가는 내태양계 안으로 돌아온다고 하더라도, 적어도 향후 수백만 년 안에 돌아오지는 못할 것이다. 이들은 어쩌면 태양의 중력을 완전히 벗어날지도 모른다. 아이손 혜성은 2013년 말에 최초로 내태양계를 방문했다. 태양 최근접 혜성이었던 아이손 혜성은 태양과 너무나 가까워져 산산이 조각나서 가스와 먼지구름만을 남긴 채 사라졌다.

혜성 사냥꾼

'혜성comet'이란 용어는 기다란 머리카락을 뜻하는 그리스어 '코메테스kometes'에서 유래하며, 고대에 이미 널리 알려졌었다. 굴절된 빛줄기에서 대기 중의 수증기, 별로 만들어진 사슬에 이르기까지 혜성의 정체를 두고 수 세기 동안 여러 주장이 난무했다. 우리는 이제 혜성이 태양 주위를 공전하며, 많은 혜성이 주기적이라는 사실을 안다.

망원경의 발명은 혜성의 발견에 박차를 가했다. 초창기 혜성 발견자 가운데 한 명이었던 캐럴라인 허셜Caroline Herschel은 주목할 만한 혜성 여덟 개를 발견했다. 장루이 퐁스Jean-Louis Pons는 혜성 37개를 발견하는 대기록을 세워 단독으로 혜성을 가장 많이 발견한 사람이 되었으며, 이 기록은 오랫동안 깨지지 않았다. 이러한 사건들이 일어난 시기는 1980~1990년대에 캐럴라인과 유진 슈메이커Caroline and Eugene Shoemaker 부부가 훗날 유명해진 슈메이커·레비 제9혜성Shoemaker-Levy 9을 공동 발견한 시기와 거의 일치한다.[•] (슈메이커·레비 제9혜성은 1994년에 목성과 충돌했다). 21세기에 로버트 맥노트Robert H. McNaught는 자기 이름으로 혜성 82개를 발견하여 기존의 기록을 깨뜨렸다.

21세기에는 지상과 우주에서 천체를 연구하는 프로젝트가 늘어나는데, 주 관찰 대상을 관측하는 과정에서 부수적으로 많은 혜성을 발견했다. 그 가운데 가장 주목할 만한 것은 미국항공우주국과 유럽우주기구가 합작하여 만든 소호SOHO 태양 관측 위성이다. 소호 위성이 보내온 이미지를 샅샅이 뒤진 프로와 아마추어 혜성 사냥꾼들 덕분에 총 2,800개가 넘는 혜성을 발견했다. 가장 많은 성과를 낸 아마추어 혜성 사냥꾼은 영국의 천문학자 마이크 오츠Mike Oates로, 이 방식을 통해 총 144개의 혜성을 발견했다.

혜성을 찾아낸 방식과 여태까지 찾아낸 개수
- 인간
- 로봇 조사
- 우주선

비아데(W. Baade) 2	보아티니(A. Boattini) 25	브루잉턴(H. Brewington) 5	카탈리나(Catalina) 47	델포르테(E. J. Delporte) 2	에버하트(E. Everhart) 2	강바르(J. F. Gambart) 5	그리그(U. Gregg) 3	하인드(J. R. Hind) 2
오스틴(R. Austin) 3	블래스웨이트(T. Blathwayt) 2	브레시(T. Bressi) 2	카디널(R. Cardinal) 2	대니얼(Z. Daniel) 3	에반스(D. Evans)	갤리(J. G. Gale) 3	기브스(A. R. Gibbs) 23	힐(R. E. Hill) 22
펀이크스달러(R. van Arsdale) 2	베스터(M. Bester) 6	브래드필드(W. A. Bradfield) 17	버스(S. Bus) 2	디이마카(V. Daimaca) 2	엔소르(G. Ensor) 3	게일(W. F. Gale)	지바코비니(M. Giacobini) 11	허셜(C. Herschel) 8
다레스트(H. L. d'Arrest) 3	베쇼어(E. Beshore) 2	보웰(E. L. G. Bowell)	버넘 주니어(R. Burnham, Jr.) 6	코기아(J. E. Coggia) 5	엘레닌(L. Elenin)	유즈카와(池谷) 6	게르버(F. Gerber) 2	하겐로서(C. W. Hergenrother) 3
아렌트(S. Arend) 3	베르나스코니(G. Bernasconi) 2	부바르(Bouvard)	브룬스(K. C. Bruhns) 5	추류모프(K. Churyumov) 2	두비아고(A. Dubiago)	프렌드(C. Friend) 3	판헨트(H. van Gent) 3	헬린(E. F. Helin) 12
알루(J. T. Alu) 5	베넷(J. Bennett)	보렐리(A. Borrelly) 10	브로턴(J. Broughton)	크리스텐센(E. J. Christensen) 21	드링크워터(M. Drinkwater)	포브스(A. F. I. Forbes)	헤일스(T. Gehrels) 6	하르트비히(E. Hartwig) 3
올콕(G. Alcock) 5	바너드(E. E. Barnard) 16	보리소프(G. Borisov) 3	브로르센(T. Brorsen) 5	체르니흐(N. Chernykh) 3	도나티(G. B. Donati) 5	핀슬러(P. Finsler) 2	개러드(G. J. Garradd) 17	하틀리(M. Hartley) 13
아벨(G. O. Abell) 3	베커(C. W. Baeker) 3	볼렐리(C. Bolelli) 2	브룩스(W. R. Brooks) 21	체르니스(K. Černis) 3	데닝(W. F. Denning) 5	페리스(W. D. Ferris) 3	징(G. Zing) 2	해링턴(R. G. Harrington) 9

[•] 본문에 언급되지 않았지만, 슈메이커·레비 제9혜성의 발견자에는 데이비드 레비(David Levy)가 포함된다. - 옮긴이
[••] Near Earth Astroid Tracking, 나사의 지구 근접 소행성 추적 프로그램
[•••] Solar Wind Anisotropies, 태양 관측 위성 소호에 장착된 자외선 천체관측 장비 - 옮긴이
[••••] Near-Earth Object Wide-field Infrared Survey Explorer, 나사의 지구 근접 천체 광범위 탐사 위성
[•••••] Lincoln Near-Earth Asteroid Research, 링컨연구소의 지구 근접 소행성 연구 프로젝트
[••••••] Wide-field Infrared Surervy Explorer, 광역 적외선 탐사 위성
[•••••••] Lowell Observatory Near-Earth-Object Search, 미국 로웰천문대의 지구 접근 천체 탐색 프로그램
[••••••••] Solar Maximum Mission, 1980년 발사한 태양의 불꽃 연구를 위한 인공위성 - 옮긴이
[•••••••••] Solar and Heliospheric Observatory, 태양 관측 위성
[••••••••••] Infrared Astronomical Satellite, 적외선 관측 위성
[•••••••••••] Solar Terrestrial Relations Observatory, 태양 지구 간 관측소

아이라스 (IRAS) 6
클링케푸스 (E. Klinkerfues) 6
코지 (S. Kozik) 2
레먼(Lemmon)/산 전문대 17
마흐홀츠 (D. Machholz) 10
메시에 (C. Messier) 12
무라카미 (T.上茂樹) 2
팔로마(Palomar)/산 전문대 2
피터슨 (E. Peterson) 2
로먼 (P. B. Roman) 5
스테레오(STEREO)/인공위성 14
슈스터 (H. E. Schuster) 2
슈메이커 (E. Shoemaker) 32
스위프트(Swift) 인공위성 14
티톤 (D. du Toit) 7
바이살라 (Y. Vaisala) 4
휘플 (F. L. Whipple) 6
야나기 (A.山崎) 2

이케야 (池谷薫) 10
클링케르돈 (D. Klinkenberg) 2
코왈스키 (R. Kowalski) 9
로렌스 (K. Lawrence) 3
러브조이 (T. Lovejoy) 6
멜리시 (J. E. Melish) 5
뮐러 (J. Mueller) 15
파이두사코바 (L. Pajdušáková) 5
피터스 (C. Peters) 2
레스피기 (L. Respighi) 3
솔윈드(SOLWIND)/인공위성 19
쇼마스 (A. Schaumasse) 3
슈메이커 (C. S. Shoemaker) 32
스기 (杉) 2
틸브룩 (J. Tilbrook) 2
우쓰노미야 (宇都宮美岳) 2
웨스트 (R. M. West) 3
울프 (M. Wolf) 3

휴메이슨 (M. L. Humason) 2
가우스 (ガ高斯) 2
코월 (C. T. Kowal) 6
라슨 (S. Larson) 6
마이어 (R. Meier) 5
므르코스 (A. Mrkos) 4
오테르마 (L. Oterma) 12
페린 (C. D. Perrine) 4
페리 (C. Perrine) 9
소호 (SOHO) 2,842
사인 (P. Shajn) 2
스파르 (T. B. Spahr) 3
틸레 (U. Thiele) 2
터틀 (H. P. Tuttle) 6
왓슨 (G. Watson) 2
위어타넨 (C. A. Wirtanen) 5

휴스 (D. Hughes) 2
예거 (M. Jager) 2
코를레비크 (K. Korlević) 2
라거크비스트 (C. I. Lagerkvist) 3
로네오스 (LONEOS) 20
메샹 (P. Méchain) 7
모리 (v. Mori) 2
뉴이민 (G. Neujmin) 3
페레이라 (F. Pereyra) 2
라인무스 (K. W. Reinmuth) 2
태양 탐사 임무 (SMM) 20
섀벌리 (J. M. Schaeberle) 2
세키 (関) 9
스페이스워치(Spacewatch)/관측소 29
티네그라(Tanagra) 민천경 6
터커 (R. Tucker) 2
바흐만 (A. A. Wachmann) 4
비네케 (F. T. Winnecke) 10

홀다 (池末) 12
쥬얼스 (C. Juels) 2
코프 (A. Kopff) 2
리니어(LINEAR)/프로젝트 222
몬타니 (J. Montani) 4
너이민 (G. Neujmn) 7
펠티에 (L. Petter) 12
리드 (W. Reid) 6
륌커 (K. Rümker) 2
리드 (M. Read) 4
스코티 (J. V. Scotti) 10
슬로터 (D. Slaughter) 2
템펠 (W. Tempel) 12
터뷸로 (A. F. Tubbiolo) 2
와이즈(WISE) 우주망원경 18
윌슨 (A. G. Wilson) 7

홀보르셈 (P. R. Holvorcem) 5
존스 (A. F. A. L. Jones) 3
고자이 (小暮) 2
라사그라 (La Sagra) 8
라엘 (E. Laas) 2
매크노트 (R. H. McNaught) 82
몬타그네 (J. Montague) 2
나가무 (中村) 2
파라스케보풀로스 (J. Paraskevopoulos) 2
리드 (M. Read) 2
러셀 (K. S. Russell) 13
센티지 (A. Sandage) 2
슈바이처 (A. G. Schweizer) 4
스켈러럽 (J. F. Skjellerup) 5
쓰치노 (槌野) 3
데 비코 (F. de Vico) 6
윌크 (A. Wilk) 4

홀트 (H. E. Holt) 6
존슨 (E. Johnson) 4
코호우테크 (L. Kohoutek) 5
구니 (邦) 2
리 (W. Li) 2
맥밀런 (R. S. McMillan) 22
미첼 (M. Mitchell) 2
니오와이즈(NEOWISE) 망원경 3
팬스타스(PANSTARRS) 망원경 55
케네세 (F. Quénisset) 2
루데노코 (M. Rudenko) 3
슈바스만 (F. K. A. Schwassmann) 4
스키프 (B. A. Skiff) 16
타고 (A. Tago) 3
트리톤 (K. Tritton) 3
반 네스 (M. E. Van Ness) 4
와일드 (P. Wild) 7

홈스 (E. Holmes) 2
잭슨 (C. Jackson) 3
크레사크 (L. Kresák) 2
레비 (D. H. Levy) 22
모리 (A. Maury) 2
메트카프 (J. H. Metcalf) 5
니트(NEAT) 54
폰스 (J. L. Pons) 37
로스 (D. Ross) 2
스완 (SWAN) 10
슈바르츠 (M. Schwartz) 3
사이딩스프링(Siding Spring) 전문대 13
타부르 (V. Tabur) 3
토레스 (C. Torres) 3
판 비스브룩 (G. Van Biesbroeck) 3
화이트 (G. L. White) 2

카이퍼대

1992년, 천문학자들은 해왕성 궤도 너머에서 작은 물체를 발견했다. '1992 QB1(큐비원)'이라 불리는 이 물체는 현재 카이퍼대에서 명왕성에 합류한 1,000여 개의 천체 가운데 하나다. 2005년에 에리스를 발견하면서 외태양계에 있는 큰 물체는 명왕성 하나뿐이 아니라는 사실이 밝혀졌다. 이들은 대부분 원형이 아닌 타원형으로 움직이며, 공전하면서 태양과의 거리가 변한다.

명왕성 / 평면도

카이퍼대의 천체들은 보통 여덟 개의 주요 행성이 그리는 궤도와 비교했을 때 기울어진 궤도로 공전한다. 그러므로 이 천체들은 태양에 멀어졌다가 가까워졌다가 할 뿐만 아니라 위아래로 오르락내리락한다.

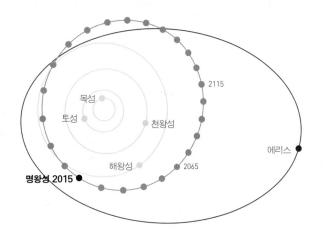

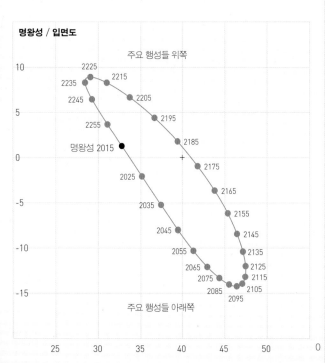

200 km / 500 / 1000 / 2000

- 큐비원족
- 명왕성족
- 투티족
- 산란원반
- 기타

키론(Chiron)

명왕성

카이퍼대 궤도에 있는 천체 대부분은 해왕성 바로 너머를 공전하며, (명왕성과는 달리) 해왕성의 궤도와 교차하여 지나가지 않는다. 이러한 천체들은 첫 번째 천체인 1992 QB1이 발견된 이후 '큐비원족Cubewano'으로 알려졌다.

카이퍼대에는 명왕성과 마찬가지로 해왕성과 궤도 공명을 이루는 천체들이 있다. 이러한 '명왕성족Plutino'은 해왕성이 태양 주위를 세 번 돌 때마다 두 번씩 공전한다(2:3 궤도 공명). 그리고 '투티노족Twotino'이라 불리는 천체들은 해왕성이 두 번 공전할 때마다 한 번씩 공전한다(1:2 궤도 공명). 어떤 천체는 아주 제멋대로인 궤도로 공전하는데, 다른 행성들(특히 목성과 해왕성)의 중력에 영향을 받기 때문으로 보인다. 이러한 천체들이 모여 산란원반Scattered Disk을 이룬다.

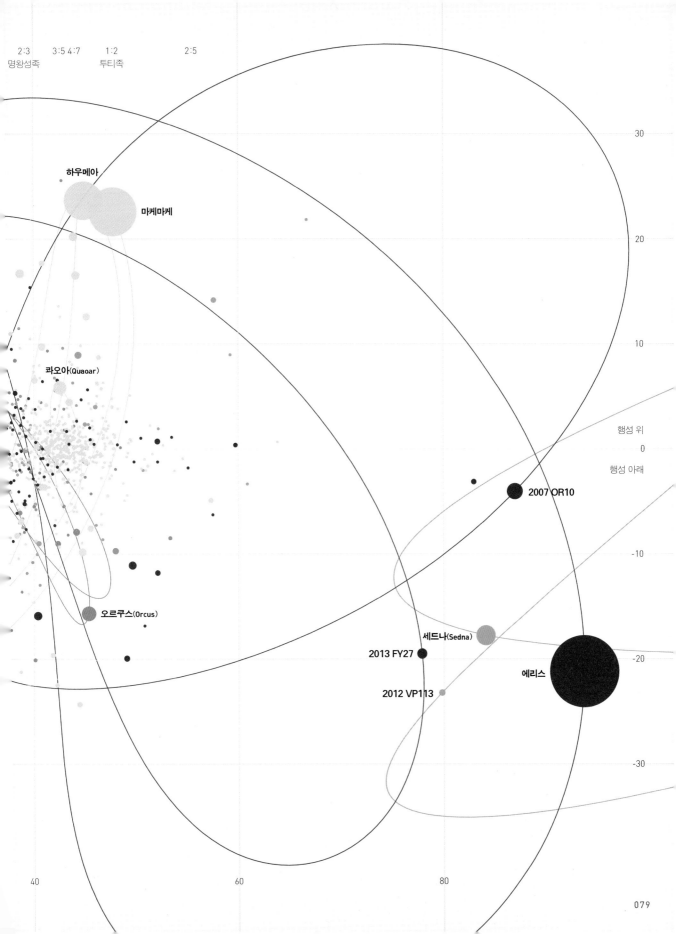

고공 점프

만약 여러분이 지구에서 0.5미터 높이까지 뛰어오를 수 있다면, 달이나
목성 혹은 다른 소행성에서는 얼마나 높이 도약할 수 있을까?
그 답은 천체의 질량과 크기에 따라 다르다. 만약 어떤 천체가 너무 작
다면, 여러분은 위로 솟구친 다음에 다시는 되돌아오지 못할 것이다.

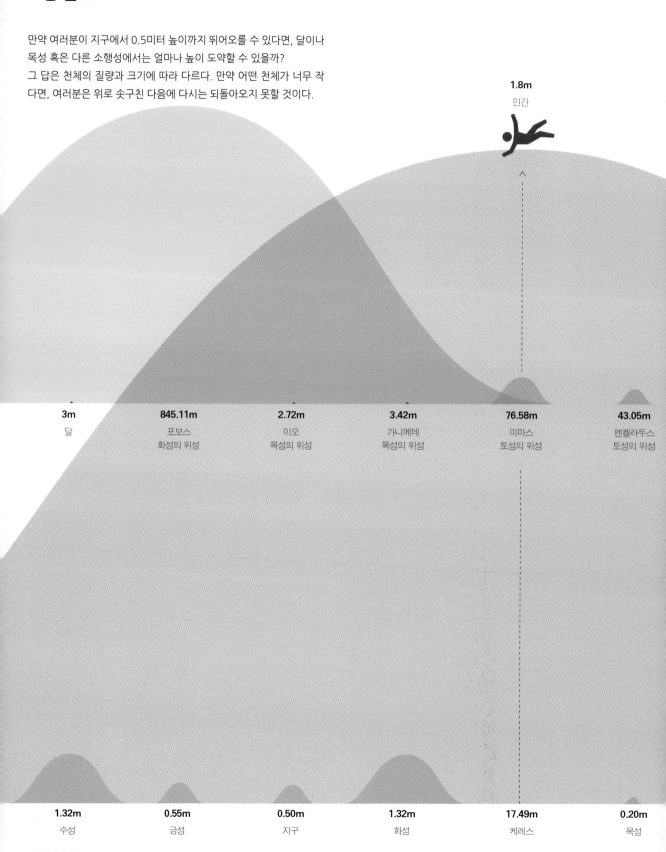

1.8m
인간

3m
달

845.11m
포보스
화성의 위성

2.72m
이오
목성의 위성

3.42m
가니메데
목성의 위성

76.58m
미마스
토성의 위성

43.05m
엔켈라두스
토성의 위성

1.32m
수성

0.55m
금성

0.50m
지구

1.32m
화성

17.49m
케레스

0.20m
목성

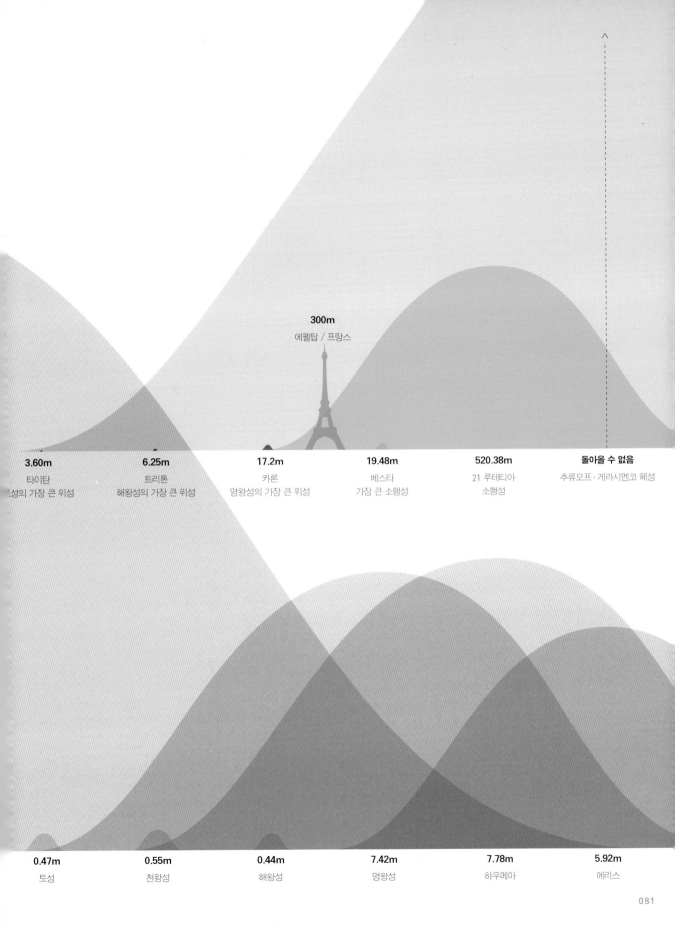

300m
에펠탑 / 프랑스

3.60m
타이탄
성의 가장 큰 위성

6.25m
트리톤
해왕성의 가장 큰 위성

17.2m
카론
명왕성의 가장 큰 위성

19.48m
베스타
가장 큰 소행성

520.38m
21 루테티아
소행성

돌아올 수 없음
추류모프 · 게라시멘코 혜성

0.47m
토성

0.55m
천왕성

0.44m
해왕성

7.42m
명왕성

7.78m
하우메아

5.92m
에리스

태양계 연대표

우리는 태양계의 나이를 비교적 정확하게 안다. 태양계에서 최초로 응고된 물질을 포함한 유성에서 찾아낸 증거 덕분에 말이다. 최초의 응고로부터 참 많은 일이 있었다.

ㄹ 빙하기　　ㄹ 천문학　　ㄹ 지질학　　ㄹ 생명　　☠ 대량 멸종

A 45억 6,800만 년 전 / 소행성과 혜성 형성
B 44억 년 전 / 토성의 고리 형성
　 44억 년 전 / 지구상에서 가장 오래된 광물 생성
C 41억 년 전 / 원시 생명체가 탄생했을 가능성 존재
D 40억 년 전 / 지구상에서 가장 오래된 바위 형성
E 36억 년 전 / 최초의 단순한 단세포생물과 미세 화석 출현
F 23억 년 전 / 지구의 대기에 산소 등장
G 21억 년 전 / 최초의 광합성 시작

45억 6,800만~45억 6,400만 년 전 / 대형 행성들 형성

45억 6,800만~45억 5,800만 년 전 / 지구형 행성들 형성

45억 6,300만~45억 5,300만 년 전 / 가스 원반과 먼지 원반 고갈

45억 6,800만~40억 년 전 / 명왕누대 •

45억 800만~44억 7,800만 년 전 / 지구의 달 생성

A

45억 년 전

43억~41억 년 전 / 달에 대형 분지 형성

40억~25억 년 전 / 시생누대(Archean eon)

E

35억 년 전

37억 6,800만~36억 6,800만 년 전 / 천왕성과 해왕성의 위치 상호 전환

30억 년 전

15억 년 전

H

10억 년 전

4억 2,000만~3억 7,000만 년 전 / 첫 번째 나무고사리(tree fern)와 종자식물 등장

I

3억 7,000만~3억 2,500만 년 전 / 최초의 육상 척추동물 등장

3억 2,500만~3억 년 전 / 최초의 파충류와 석탄 숲 등장. 대기 중 산소 농도 사상 최고

☠ 전체 종의 70%

2억~6,600만 년 전 / 공룡이 세상 지배

L ☠ 전체 종의 70~75%

1억 년 전

5,600만~3,500만 년 전 / 해저 조류가 대기 중 이산화탄소 농도 희석

6,600만~5,700만 년 전 / 최초의 대형 포유류 및 영장류 등장

☠

5,000만 년 전

M

☠ 전체 종의 75%

4,000만 년 전

5,000만~6,000만 년 후 / 캐나다 로키산맥 침식

T　　S　　 ● R　　Q　　P　　　O　　　　　　　　　　N

1억 년 후

현재

260만 년 전~현재 / 현 빙하기

U

2억 5,000만 년 후

5억 년 후

V

20억 년 후

25억 년 후

40억~50억 년 후 / 안드로메다은하(Andromeda Galaxy)와 우리 은하인 은하수(Milky Way)가 결합한 신생 '밀코메다(Milkomeda)' 은하에서 12%의 확률로 태양 퇴출

40억 년 후

45억 년 후

60억 년 후

65억 년 후

• Hadean eon, 최초의 지질 시대로 약 46억 년 전부터 약 38억 년 전을 가리킨다. - 옮긴이

H 10억 년 전 / 최초의 단순한 다세포생물 출현
I 4억 6,500년 전 / 최초의 녹색식물과 곰팡이 출현
J 3억 년 전 / 초대륙 판게아(Pangaea) 형성
K 2억 5,000만 년 전 / 첫 번째 공룡과 악어 포유류 출현
L 2억 년 전 / 판게아가 곤드와나(Gondwana)대륙과 로라시아(Laurasia)로 분리
M 5,000만 년 전 / 히말라야산맥이 형성되기 시작
N 800만 년 전 / 고릴라로부터 새로운 종이 분리
O 400만 년 전 / 침팬지로부터 새로운 종이 분리

P 230만 년 전 / 인류의 조상이 처음 등장
Q 140만 년 전 / 호모에렉투스(Homo erectus)가 처음 등장
R 20만 년 전 / 호모사피엔스(Homo sapiens)가 처음 등장
S 5,000만 년 후 / 포보스가 화성과 충돌하거나 부서지면서 화성의 고리가 생성
T 8,000만 년 후 / 하와이의 빅아일랜드(Big Island)가 바다 밑으로 가라앉을 예정
U 2억 5,000만 년 후 / 새로운 초대륙이 형성
V 6억 년 후 / 달이 너무 멀어져서 개기일식의 발생 중단
W 35년 후 / 지구의 대기가 현재 금성의 대기와 비슷하게 변화

44억 6,800만~40억 6,800만 년 전 / 목성과 토성이 궤도 공명을 이루기 시작

43억 6,800만~42억 6,800만 년 전 / 성단이 흩어지기 시작

B

C

40억 6,800만~38억 6,800만 년 전 / 후기 운석 대충돌기(Late heavy bombardment)

D

40억 년 전

28억~25억 년 전 / 지구의 지질구조판 안정화

25억~21억 년 전 / 빙하기

25억~5억 4,000만 년 전 / 원생누대(Proterozoic eon)

G

F

20억 년 전

8억 4,000만~6억 3,000만 년 전 / 빙하기

5억 4,000만 년 전~현재 / 현생누대(Phanerozoic eon)

5억 만 년 전

4억 4,500만~4억 2,000만 년 전 / 최초로 턱이 있는 물고기 등장

4억 6,000만~4억 2,000만 년 전 / 빙하기

전체 종의 60~70%

3억 6,000만~2억 6,000만 년 전 / 빙하기

5억 4,000만~4억 8,500만 년 전 / 캄브리아기 대폭발(Cambrian explosion)

J

K

2억 5,000만 년 전 / 전체 종의 90~96%

7,500만 년 전

3,400만~2,300만 년 전 / 포유류의 급속한 진화

3,000만 년 전

2,300만~700만 년 전 / 광범위한 삼림이 형성되면서 대기 중 이산화탄소 농도 희석

2,000만 년 전

10억 년 후

10억~20억 년 후 / 태양의 에너지 배출량이 늘어나면서 지구의 바다 증발

15억 년 후

30억 년 후

W

35억 년 후

50억 년 후

54억 2,000만~77억 2,000만 년 후 / 태양이 적색거성이 되면서 지구를 삼켜버릴 가능성 존재

55억 년 후

75억 년 후

여행 시간

태양계를 여행하려면 시간이 얼마나 걸릴까? 그 답은 여러분이 얼마나 빨리 움직일 수 있느냐에 달렸다. 만약 시속 100킬로미터 속도로 이동한다면 달나라 여행은 반년짜리 장기 여행이 되겠지만, 빛의 속도로 이동한다면 고작 1초가 조금 넘게 걸리는 초단기 여행이 될 것이다.

● 행성 / 왜행성
● 항성
● 기타

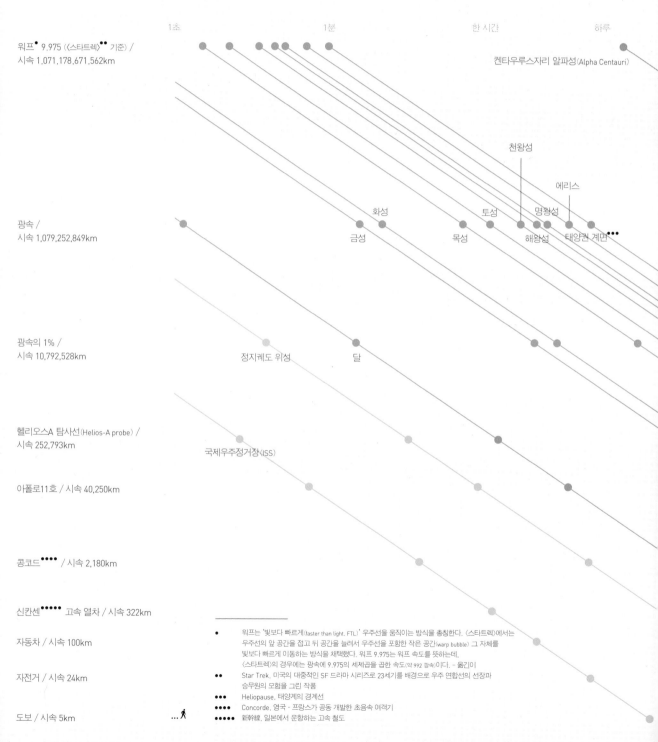

1초 · 1분 · 한 시간 · 하루

워프 9.975 〈스타트렉〉 기준) / 시속 1,071,178,671,562km — 켄타우루스자리 알파성(Alpha Centauri)

광속 / 시속 1,079,252,849km — 금성 · 화성 · 목성 · 토성 · 천왕성 · 해왕성 · 명왕성 · 에리스 · 태양권 계면

광속의 1% / 시속 10,792,528km — 정지궤도 위성 · 달

헬리오스A 탐사선(Helios-A probe) / 시속 252,793km — 국제우주정거장(ISS)

아폴로11호 / 시속 40,250km

콩코드 / 시속 2,180km

신칸센 고속 열차 / 시속 322km

자동차 / 시속 100km

자전거 / 시속 24km

도보 / 시속 5km

● 워프는 '빛보다 빠르게(faster than light, FTL)' 우주선을 움직이는 방식을 총칭한다. 〈스타트렉〉에서는 우주선의 앞 공간을 접고 뒤 공간을 늘려서 우주선을 포함한 작은 공간(warp bubble) 그 자체를 빛보다 빠르게 이동하는 방식을 채택했다. 워프 9.975는 워프 속도를 뜻하는데, 〈스타트렉〉의 경우에는 광속에 9.975의 세제곱을 곱한 속도(약 992 광속)이다. ─ 옮긴이

●● Star Trek, 미국의 대중적인 SF 드라마 시리즈로 23세기를 배경으로 우주 연합선의 선장과 승무원의 모험을 그린 작품

●●● Heliopause, 태양계의 경계선

●●●● Concorde, 영국 · 프랑스가 공동 개발한 초음속 여객기

●●●●● 新幹線, 일본에서 운항하는 고속 철도

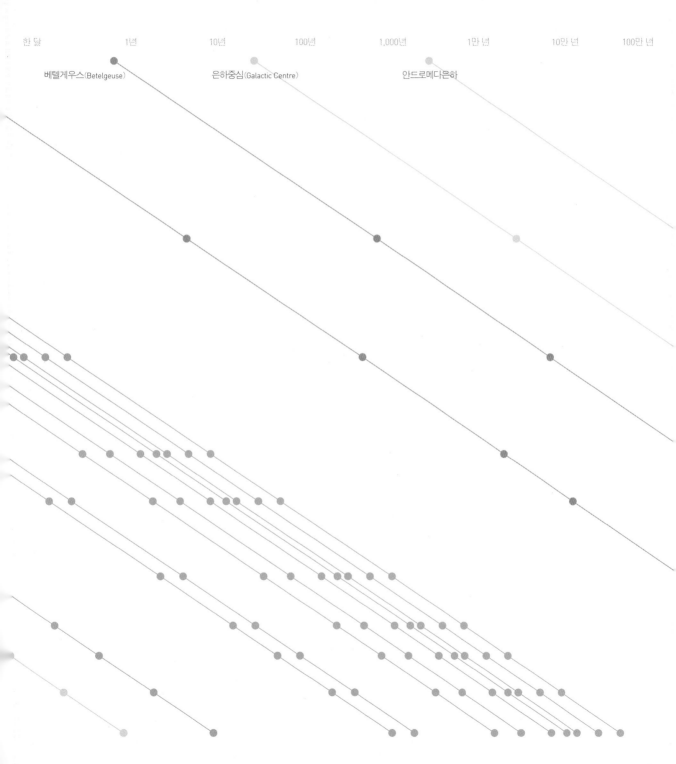

한 달   1년   10년   100년   1,000년   1만 년   10만 년   100만 년

베텔게우스(Betelgeuse)   은하중심(Galactic Centre)   안드로메다은하

3장 / 망원경

광학망원경 / 크기의 문제

그 형태가 어떻든 모든 망원경은 두 가지 일을 한다. 첫째, 주 조리개가 렌즈든 거울이든 망원경은 주 조리개를 통과하는 빛을 모은다. 둘째, 이렇게 모은 빛을 카메라나 필름, 접안렌즈 또는 다른 탐지기에 집중하게 한다. 망원경은 여러 가지 방식으로 이 두 가지 작업을 한

다. 흔히 렌즈나 거울이 추가되고는 하는데, 그 결과 외형이 기다란 모양이 된다. 그렇지만 17세기 초반에 망원경이 처음 발명된 이래로 망원경의 두 가지 주요 기능은 변하지 않았다. 지난 4세기 동안, 망원경의 발전은 주로 주 렌즈나 거울을 더 크게 하는 형태로 이루어졌다.

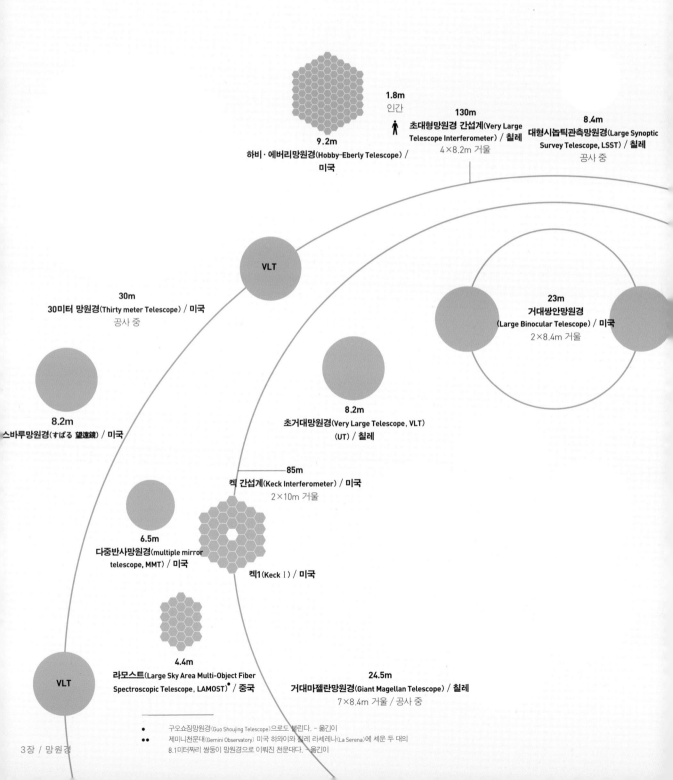

9.2m
하비·에버리망원경(Hobby-Eberly Telescope) /
미국

1.8m
인간

130m
초대형망원경 간섭계(Very Large
Telescope Interferometer) / 칠레
4×8.2m 거울

8.4m
대형시놉틱관측망원경(Large Synoptic
Survey Telescope, LSST) / 칠레
공사 중

VLT

30m
30미터 망원경(Thirty meter Telescope) / 미국
공사 중

23m
거대쌍안망원경
〈Large Binocular Telescope〉 / 미국
2×8.4m 거울

8.2m
스바루망원경(すばる 望遠鏡) / 미국

8.2m
초거대망원경(Very Large Telescope, VLT)
(UT) / 칠레

85m
켁 간섭계(Keck Interferometer) / 미국
2×10m 거울

6.5m
다중반사망원경(multiple mirror
telescope, MMT) / 미국

켁1(Keck I) / 미국

VLT

4.4m
라모스트(Large Sky Area Multi-Object Fiber
Spectroscopic Telescope, LAMOST)• / 중국

24.5m
거대마젤란망원경(Giant Magellan Telescope) / 칠레
7×8.4m 거울 / 공사 중

• 구오쇼징망원경(Guo Shoujing Telescope)으로도 불린다. – 옮긴이
•• 제미니천문대(Gemini Observatory) 미국 하와이와 칠레 라세레나(La Serena)에 세운 두 대의
8.1미터짜리 쌍둥이 망원경으로 이뤄진 천문대다. – 옮긴이

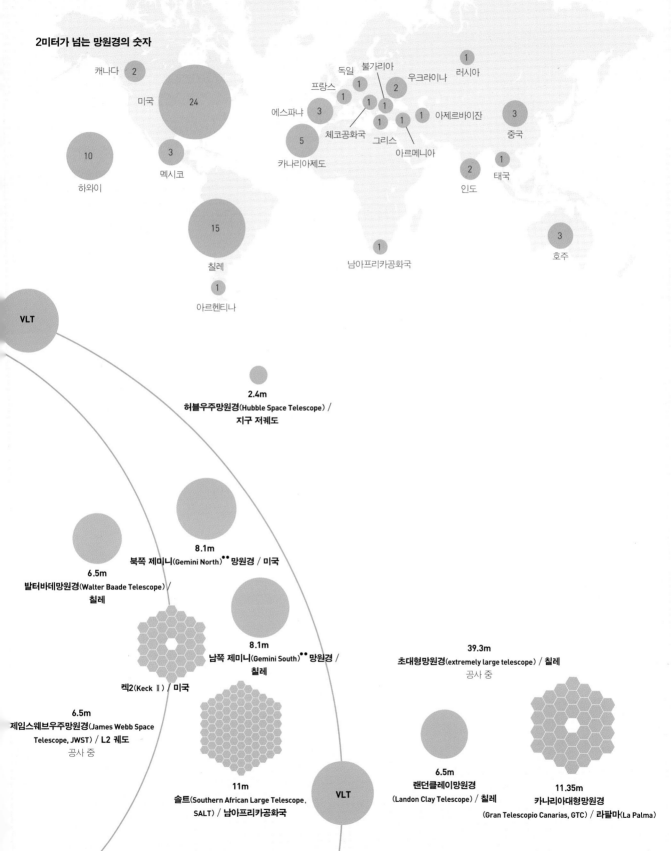

2미터가 넘는 망원경의 숫자

캐나다 **2**

미국 **24**

멕시코 **3**

하와이 **10**

칠레 **15**

아르헨티나 **1**

프랑스 **1**
독일 **1**
불가리아 **1**
우크라이나 **2**
러시아 **1**
에스파냐 **3**
체코공화국 **1**
그리스 **1**
아르메니아 **1**
아제르바이잔 **1**
중국 **3**
카나리아제도 **5**
인도 **2**
태국 **1**
남아프리카공화국 **1**
호주 **3**

2.4m
허블우주망원경(Hubble Space Telescope) /
지구 저궤도

VLT

6.5m
발터바데망원경(Walter Baade Telescope) /
칠레

8.1m
북쪽 제미니(Gemini North)** **망원경 / 미국**

8.1m
남쪽 제미니(Gemini South)** **망원경 /
칠레**

6.5m
켁2(Keck Ⅱ) / 미국**

6.5m
제임스웨브우주망원경(James Webb Space
Telescope, JWST) / **L2 궤도**
공사 중

11m
솔트(Southern African Large Telescope,
SALT) / **남아프리카공화국**

VLT

39.3m
초대형망원경(extremely large telescope) / **칠레**
공사 중

6.5m
랜던클레이망원경
(Landon Clay Telescope) / **칠레**

11.35m
카나리아대형망원경
(Gran Telescopio Canarias, GTC) / **라팔마**(La Palma)

대기의 창

우리는 밤하늘이 별로 가득 차 있다고 생각하지만, 우리의 눈은 빛의 전체 스펙트럼 가운데 극히 일부만을 볼 수 있다. 망원경을 사용하면 우리가 맨눈으로는 볼 수 없는, 더 짧거나 긴 파장을 볼 수 있어서 엄청나게 다양한 물체와 천문 현상을 관찰할 수 있다. 지구의 대기는 빛의 상당 부분을 차단한다. 따라서 지상에서 관찰할 수 있는 빛은 대기의 창(Atmospheric window)을 통과한 파장뿐이다. 가장 제대로 관측하려면 망원경을 산꼭대기나 비행기, 고고도 열기구(High-altitude balloon)에 설치해야 한다. 심지어는 우주선에 실어 보내야 할 수도 있다.

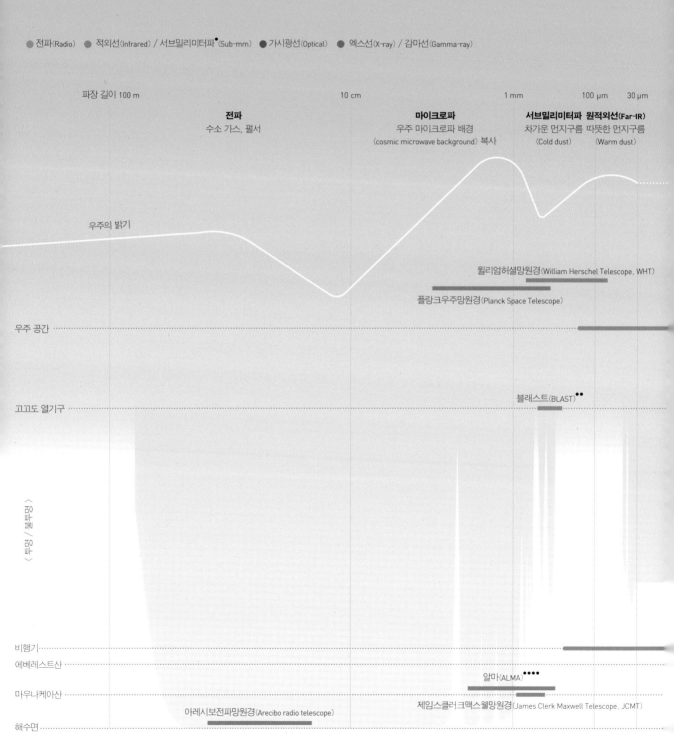

● 전파(Radio)　● 적외선(Infrared) / 서브밀리미터파·(Sub-mm)　● 가시광선(Optical)　● 엑스선(X-ray) / 감마선(Gamma-ray)

파장 길이 100 m　　　　　　　　　10 cm　　　　　　　　1 mm　　　100 μm　30 μm

전파
수소 가스, 펄서

마이크로파
우주 마이크로파 배경
(cosmic microwave background) 복사

서브밀리미터파　원적외선(Far-IR)
차가운 먼지구름 따뜻한 먼지구름
(Cold dust)　　(Warm dust)

우주의 밝기

윌리엄허셜망원경(William Herschel Telescope, WHT)
플랑크우주망원경(Planck Space Telescope)

우주 공간

고고도 열기구

블래스트(BLAST)··

〈 흡수율 / 불투명도 〉

비행기
에베레스트산
알마(ALMA)····
마우나케아산
제임스클러크맥스웰망원경(James Clerk Maxwell Telescope, JCMT)
아레시보전파망원경(Arecibo radio telescope)
해수면

3장 / 망원경

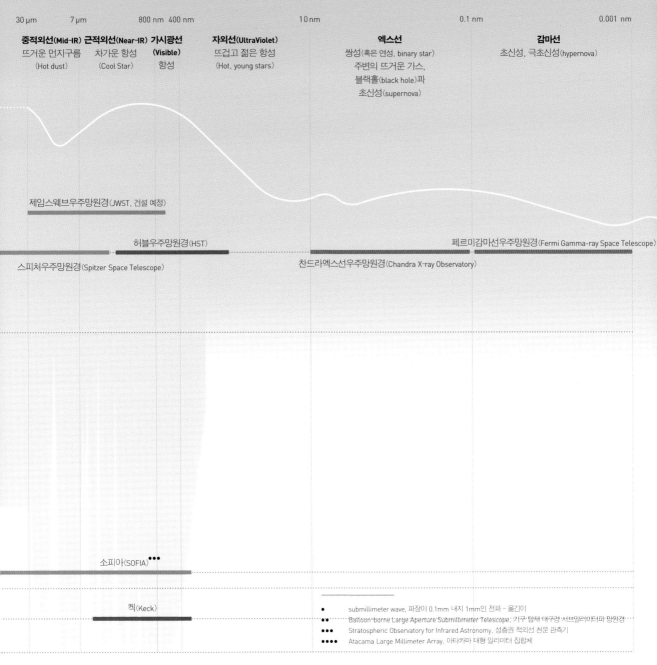

| 30 µm | 7 µm | 800 nm | 400 nm | | 10 nm | | 0.1 nm | | 0.001 nm |

중적외선(Mid-IR) **근적외선(Near-IR)** **가시광선**
뜨거운 먼지구름   차가운 항성   **(Visible)**   **자외선(UltraViolet)**
(Hot dust)   (Cool Star)   항성   뜨겁고 젊은 항성
                                               (Hot, young stars)

엑스선
쌍성(혹은 연성, binary star)
주변의 뜨거운 가스,
블랙홀(black hole)파
초신성(supernova)

감마선
초신성, 극초신성(hypernova)

제임스웨브우주망원경(JWST, 건설 예정)

허블우주망원경(HST)

페르미감마선우주망원경(Fermi Gamma-ray Space Telescope)

스피처우주망원경(Spitzer Space Telescope)

찬드라엑스선우주망원경(Chandra X-ray Observatory)

소피아(SOFIA)•••

켁(Keck)

•   submillimeter wave, 파장이 0.1mm 내지 1mm인 전파 – 옮긴이
••   Balloon-borne Large Aperture Submillimeter Telescope, 기구 탑재 대구경 서브밀리미터파 망원경
•••   Stratospheric Observatory for Infrared Astronomy, 성층권 적외선 천문 관측기
•••• Atacama Large Millimeter Array, 아타카마 대형 밀리미터 집합체

저 하늘 끝까지

광학망원경은 제아무리 크더라도 구름 너머를 관찰할 수는 없다. 그러므로 대형 망원경은 대부분 구름을 피하려고 최대한 높은 곳에 설치한다. 이렇게 조처하더라도 망원경이 직면하는 가장 커다란 장애물은 여전히 지구의 대기 그 자체다. 최적의 설치 장소는 대부분 산꼭대기이므로 유럽과 미국의 관측소들은 산 정상에 있다. 20세기 후반에는 카나리아제도나 하와이의 마우나케아산, 칠레의 안데스산맥과 같이 외딴곳에 관측소를 많이 지었다.

4,000미터 이상의 고도에서도 약간의 공기는 존재하므로, 많은 대형 망원경은 해상도를 최대한 높이고자 적응 광학adaptive optics과 같은 기술을 써서 제작한다.

더 긴 파장을 관찰할 때는 대기 중의 수증기가 가장 큰 문제이므로, 아주 높으면서도 매우 건조한 장소를 찾는 것이 중요하다. 최고의 장소는 칠레의 아타카마사막 같은 장소로, 이곳에는 다수의 광학망원경과 알마ALMA라는 망원경 집합체가 설치되어 있다. 간발의 차이로 2등을 차지한 장소는 남극이다. 남극은 몹시 건조할 뿐만 아니라 두꺼운 얼음층 덕분에 고도가 비교적 높기 때문이다.

- 적외선망원경 / 서브밀리미터파망원경
- 광학망원경
- 공사 중

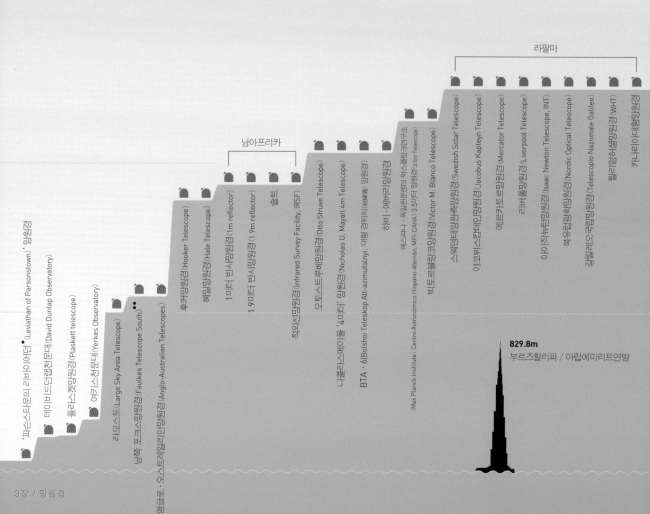

829.8m
부르즈할리파 / 아랍에미리트연방

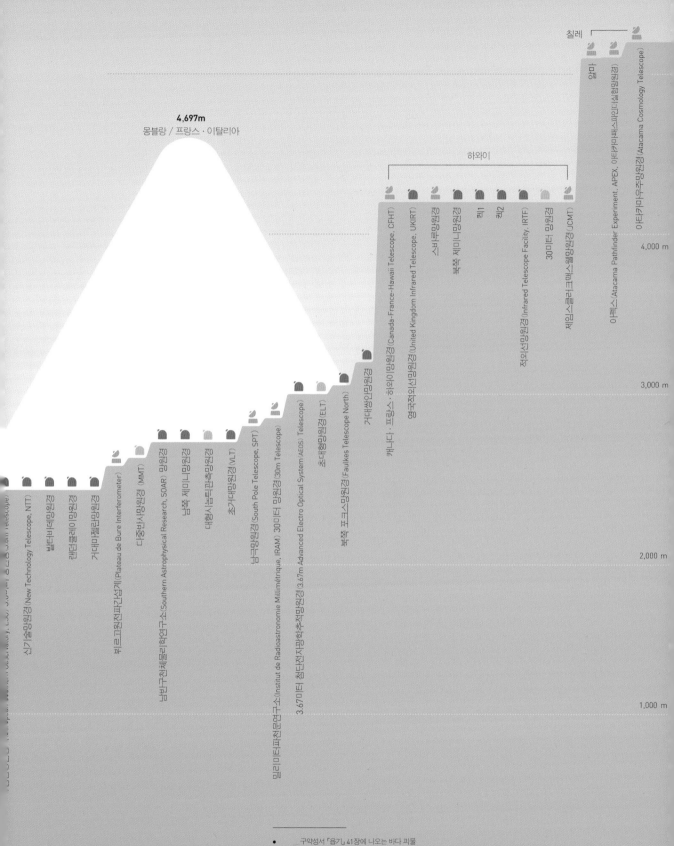

4,697m
몽블랑 / 프랑스 · 이탈리아

칠레

하와이

영마

신기술망원경(New Technology Telescope, NTT)

빌트버레망원경

렌던클라이망원경

거대마젤란망원경

뷔르고원전파간섭계(Plateau de Bure Interferometer)

다중반사망원경(MMT)

남반구천체물리학연구소(Southern Astrophysical Research, SOAR) 망원경

남쪽 제미니망원경

대형시놉틱관측망원경

초거대망원경(VLT)

남극망원경(South Pole Telescope, SPT)

밀리미터파천문연구소(Institut de Radioastronomie Millimétrique, IRAM) 30미터 망원경

3.67미터 첨단전자광학시스템망원경(3.67m Advanced Electro Optical System(AEOS) Telescope)

조대형망원경(ELT)

북쪽 포크스망원경(Faulkes Telescope North)

거대쌍안망원경

캐나다 · 프랑스 · 하와이망원경(Canada-France-Hawaii Telescope, CFHT)

영국적외선망원경(United Kingdom Infrared Telescope, UKIRT)

스바루망원경

북쪽 제미니망원경

켁1

켁2

적외선망원경(Infrared Telescope Facility, IRTF)

30미터 망원경

제임스클러크맥스웰망원경(JCMT)

아펙스(Atacama Pathfinder Experiment, APEX, 아타카마패스파인더실험망원경)

아타카마우주망원경(Atacama Cosmology Telescope)

4,000 m

3,000 m

2,000 m

1,000 m

● 구약성서 「욥기」 41장에 나오는 바다 괴물
●● 호주의 사이딩스프링천문대에 있는 포크스망원경은 미국 하와이 할레아칼라산천문대(Haleakala Observatory)에 있는 포크스망원경과 자매 망원경으로 만들어졌다.

해수면

093

저 하늘 너머로

지구의 대기라는 한계를 극복하는 방법이 산꼭대기에 걸터앉는 것만은 아니다. 우리는 더 높은 고도로 올라가고자 망원경을 항공기에 싣거나 고고도 열기구에 달곤 했다. 그렇지만 이러한 조처조차도 대기의 영향을 완전히 없애지는 못한다. 대기의 영향을 완전히 없애려면 우주로 나갈 수밖에 없다. 비록 건설비가 더 비싸고 고장이 났을 때 수리하기도 어렵지만 말이다. 현재 인류는 궤도에 망원경으로 이뤄진 함대를 보유하고 있다.

● 전파　　● 적외선 / 서브밀리미터파　　● 가시광선　　◑ 엑스선 / 감마선

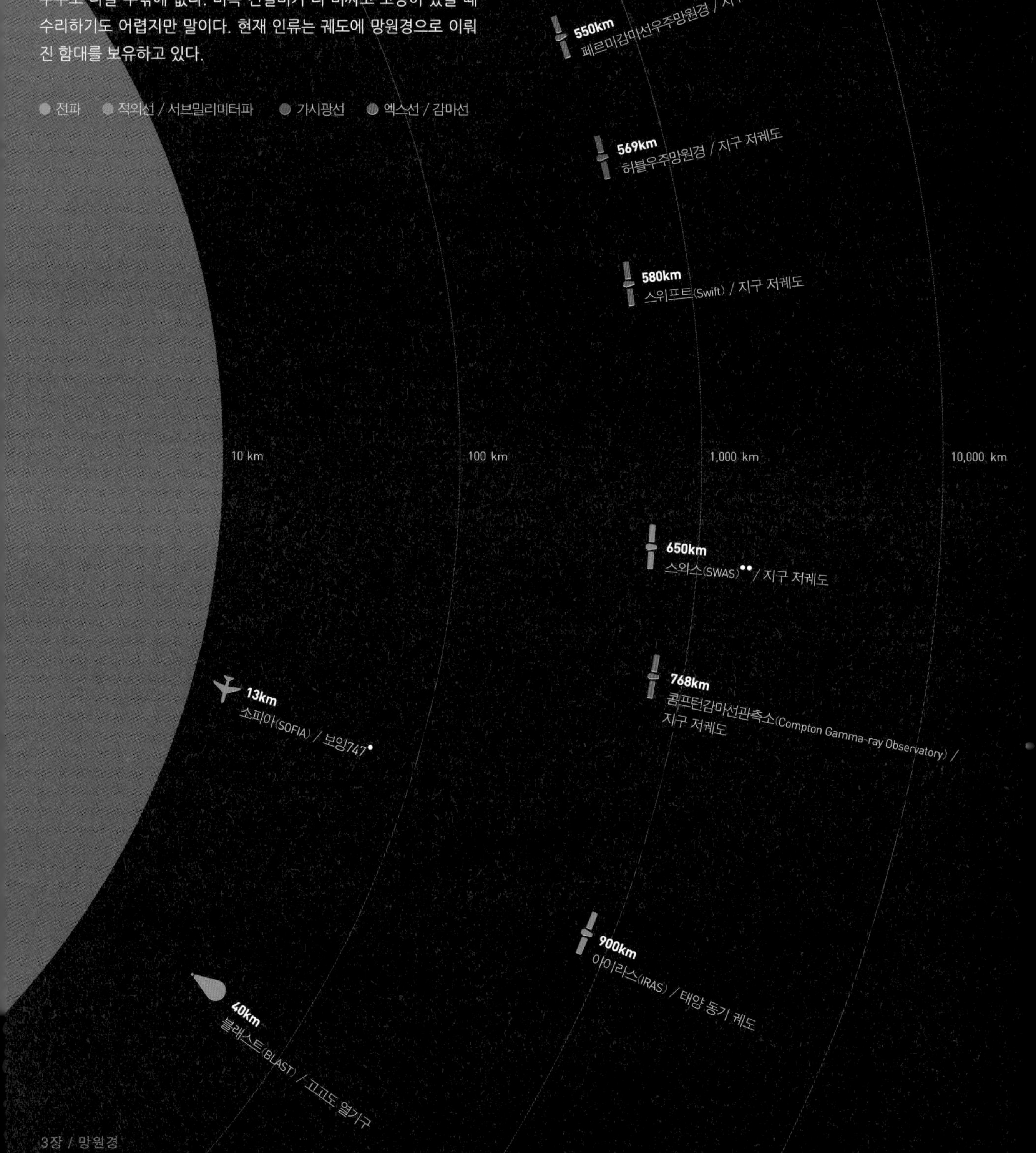

550km
페르미감마선우주망원경 / 지구 저궤도

569km
허블우주망원경 / 지구 저궤도

580km
스위프트(Swift) / 지구 저궤도

10 km　　　　　　100 km　　　　　　1,000 km　　　　　　10,000 km

650km
스와스(SWAS) ●● / 지구 저궤도

768km
콤프턴감마선관측소(Compton Gamma-ray Observatory) /
지구 저궤도

13km
소피아(SOFIA) / 보잉747 ●

900km
아이라스(IRAS) / 태양 동기 궤도

40km
블라스트(BLAST) / 고고도 열기구

193,000,000km /
스피처우주망원경 /
지구를 뒤쫓는 태양 주회 궤도
(Earth-trailing Heliocentric Orbit)

1,500,000km
허셜우주망원경(Herschel Space Observatory) / L2

71,000km
아이소(ISO)●●● /
고타원 궤도(Highly elliptical Earth Orbit)

1,500,000km
제임스웨브우주망원경 / L2(건설 예정)

100,000 km   1,000,000 km   10,000,000 km   100,000,000 km

1,500,000km
플랑크우주망원경 / L2

133,000km
찬드라엑스선우주망원경 / 고타원 궤도

1,500,000km
더블유맵(WMAP)●●●● / L2

● Boeing 747, 미국 보잉사가 제작한 장거리용 제트 항공기 - 옮긴이
●● Submillimeter Wave Astronomy Satellite, 서브밀리미터파 천문 위성
●●● Infrared Space Observatory, 적외선 우주 공간 관측소
●●●● Wilkinson Microwave Anisotropy Probe, 윌킨슨 마이크로파 비등방성 탐색기

전파망원경 / 크게 더 크게!

우리가 맨눈으로 볼 수 있는 빛은 방사선의 극히 일부에 불과하다. 천문학자들은 20세기 초부터 전파를 모으는 망원경을 제작하기 시작했다.

일부 전파망원경은 광학망원경과 크게 다르지 않으며, 거울 역할을 하는 커다란 접시dish가 달렸다. 광학망원경과 마찬가지로 전파망원경도 거울이 크면 클수록 더 희미한 물체를 더 자세히 관찰할 수 있다. 그렇기에 언제나 더 큰 전파망원경을 만들고 싶어 하는 열망이 있어 왔다. 그리고 이보다 더 정밀하게 관측하려고 여러 개의 접시를 결합하여 하나의 커다란 망원경 구실을 하게 하기도 한다.

● **VLBA** Very Long Baseline Array **(초장기선 집합체)**

미국국립전파천문대US National Radio Astronomy Observatory가 운영하는 우주 전파 관측망으로 미국 전역에 걸쳐 있다.

● **국제 VLBI** Global Very Long Baseline Interferometry **(국제 초장기선 간섭 관측법)**

VLBA와 EVN, 우주에 있는 망원경들은 해상도를 최고로 높이려고 종종 협력하여 크기가 지구의 세 배에 달하는 거대한 망원경으로 작동한다.

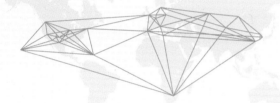

망원경의 크기

더 큰 망원경은 더 자세하게 관측할 수 있음을 뜻한다. 중국은 세계에서 가장 감도가 높은 전파망원경 패스트FAST, Five Hundred Meter Aperture Spherical Telescope(500米口径球面射电望远镜, 500미터 구경 구형 망원경)를 건설하고 있다.

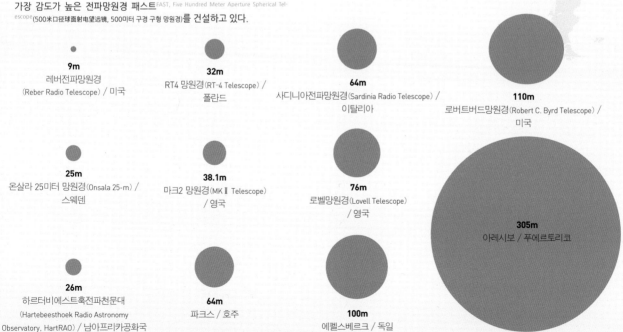

9m
레버전파망원경
(Reber Radio Telescope) / 미국

32m
RT4 망원경(RT-4 Telescope) /
폴란드

64m
사디니아전파망원경(Sardinia Radio Telescope) /
이탈리아

110m
로버트버드망원경(Robert C. Byrd Telescope) /
미국

25m
온살라 25미터 망원경(Onsala 25-m) /
스웨덴

38.1m
마크2 망원경(MKⅡ Telescope)
/ 영국

76m
로벨망원경(Lovell Telescope)
/ 영국

305m
아레시보 / 푸에르토리코

26m
하르터비에스트훅전파천문대
(Hartebeesthoek Radio Astronomy
Observatory, HartRAO) / 남아프리카공화국

64m
파크스 / 호주

100m
에펠스베르크 / 독일

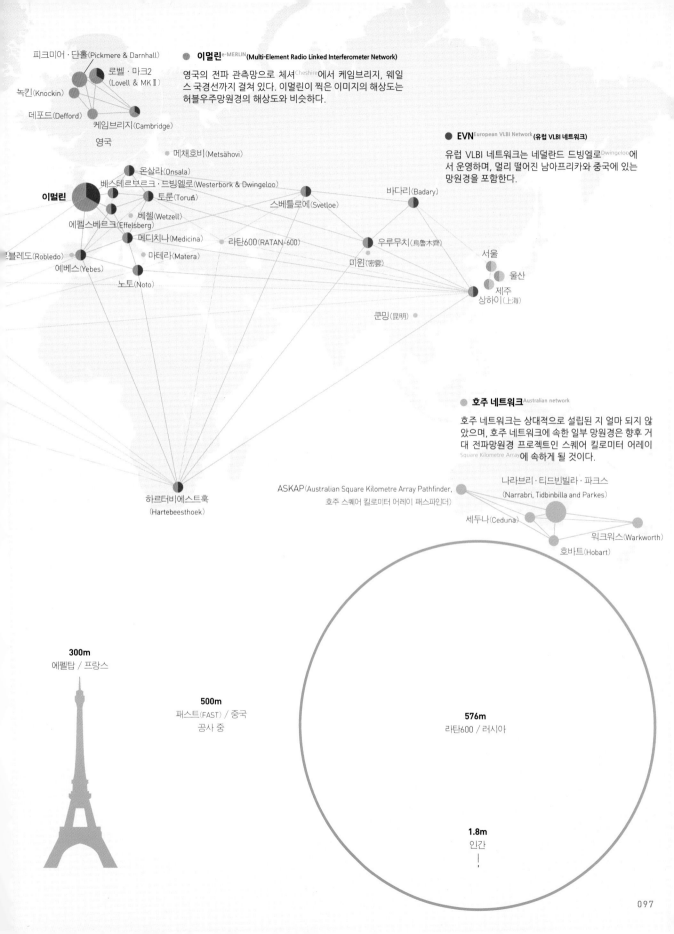

이멀린 e-MERLIN (Multi-Element Radio Linked Interferometer Network)

영국의 전파 관측망으로 체셔Cheshire에서 케임브리지, 웨일스 국경선까지 걸쳐 있다. 이멀린이 찍은 이미지의 해상도는 허블우주망원경의 해상도와 비슷하다.

EVN European VLBI Network (유럽 VLBI 네트워크)

유럽 VLBI 네트워크는 네덜란드 드빙엘로Dwingeloo에서 운영하며, 멀리 떨어진 남아프리카와 중국에 있는 망원경을 포함한다.

호주 네트워크 Australian network

호주 네트워크는 상대적으로 설립된 지 얼마 되지 않았으며, 호주 네트워크에 속한 일부 망원경은 향후 거대 전파망원경 프로젝트인 스퀘어 킬로미터 어레이 Square Kilometre Array에 속하게 될 것이다.

피크미어 · 단홀 (Pickmere & Darnhall)
로벨 · 마크2 (Lovell & MKⅡ)
녹킨 (Knockin)
데포드 (Defford)
케임브리지 (Cambridge)
영국

메채호비 (Metsähovi)
온살라 (Onsala)
베스테르보르크 · 드빙엘로 (Westerbork & Dwingeloo)
이멀린
토룬 (Toruń)
베첼 (Wetzell)
에펠스베르크 (Effelsberg)
메디치나 (Medicina)
마테라 (Matera)
노토 (Noto)
블레도 (Robledo)
예베스 (Yebes)
스베틀로에 (Svetloe)
라탄600 (RATAN-600)
바다리 (Badary)
우루무치 (烏魯木齊)
미윈 (密雲)
쿤밍 (昆明)
서울
울산
제주
상하이 (上海)

하르터비에스트훅 (Hartebeesthoek)

ASKAP (Australian Square Kilometre Array Pathfinder, 호주 스퀘어 킬로미터 어레이 패스파인더)
나라브리 · 티드빈빌라 · 파크스 (Narrabri, Tidbinbilla and Parkes)
세두나 (Ceduna)
워크워스 (Warkworth)
호바트 (Hobart)

300m
에펠탑 / 프랑스

500m
패스트 (FAST) / 중국
공사 중

576m
라탄600 / 러시아

1.8m
인간

망원경 연대기

천문학자들은 최고의 이미지를 얻고자 언제나 더 큰 망원경을 찾는다. 19세기에 가장 큰 망원경은 아일랜드 파슨스타운에 있던 리바이어던 망원경이었다. 그곳에서 최초로 안드로메다은하의 나선팔을 발견했다. 20세기에는 미국 대륙에 더 커다란 망원경을 건설했으며 20세기 후반에는 하와이와 칠레에 설치했다.
최초의 전파망원경은 1930년대에 만들어졌다. 그렇지만 대형 전파망원경을 최초로 건설한 것은 우주 경쟁이 시작된 이후였다. 1980년대 이래로 전파천문학자들은 광대한 망원경 관측망을 연결하여 우리 행성보다도 큰 망원경을 만들었다. 다양한 크기의 망원경이 한데 모여 지구보다도 더 큰 망원경이 된 것이다.

1840년부터 망원경 가동 기간

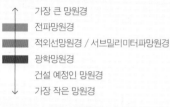

↑ 가장 큰 망원경
▬ 전파망원경
▨ 적외선망원경 / 서브밀리미터파망원경
▬ 광학망원경
  건설 예정인 망원경
↓ 가장 작은 망원경

✦ 궤도 위성에 실린 망원경

젠스키의 회전목마(Jamsky's merry-go-round) / 미국 ⋯⋯⋯

헤일망원경 / 미국 ⋯⋯⋯

후커망원경 / 미국 ▬▬▬▬

오토스트루베망원경 / 미국 ⋯⋯⋯

파슨스타운의 리바이어던 / 아일랜드

여키스천문대 / 미국

● Cosmic Background Explorer, 우주 배경 탐사선

| 1850 | 1855 | 1860 | 1865 | 1870 | 1875 | 1880 | 1885 | 1890 | 1895 | 1900 | 1905 | 1910 | 1915 | 1920 | 1925 | 1930 |

우주 초장기선 간섭 관측법(space-VLBI) / 지구 저궤도

초장기선 집합체(VLBA) / 북미

이멀린 / 영국

잰스키 장기선 간첩계(JVLA) / 미국

거대미터파전파망원경(Giant Metrewave Radio Telescope) / 인도

알마 / 칠레

라탄600 / 러시아

아레시보 / 푸에르토리코

로버트버드망원경 / 미국

에펠스베르크 / 독일

300피트 망원경(300 Foot Telescope) / 미국

로벨망원경 / 영국

파크스 / 호주

초대형망원경(ELT) / 칠레

30미터 망원경 / 미국

제임스클러크맥스웰망원경(JCMT) / 미국

카나리아대형망원경 / 라팔마

솔트 / 남아프리카공화국

켁1 / 미국

레버전파망원경 / 미국

대형시놉틱관측망원경 / 칠레

스바루망원경 / 미국

초거대망원경(VLT) / 칠레

북쪽 제미니망원경 / 미국

제임스웨브우주망원경 / L2

윌리엄허셜망원경 / 라팔마

앵글로 · 오스트레일리안망원경 / 호주

영국적외선망원경(UKIRT) / 미국

캐나다 · 프랑스 · 하와이망원경(CFHT) / 미국

신기술망원경(NTT) / 칠레

ESO 3.6미터 망원경 / 칠레

허셜우주망원경 / L2

아이작뉴턴망원경(INT) / 라팔마

허블우주망원경 / 지구 저궤도

북쪽 포크스망원경 / 미국

남쪽 포크스망원경 / 호주

플랑크 / L2

더블유맵(WMAP) / L2

스피처우주망원경 / 지구를 뒤쫓는 태양 주회 궤도

아이라스 / 태양 동기 궤도

아이소(ISO) / 고타원 궤도

코비(COBE) / 태양 동기 궤도

| 1940 | 1945 | 1950 | 1955 | 1960 | 1965 | 1970 | 1975 | 1980 | 1985 | 1990 | 1995 | 2000 | 2005 | 2010 | 2015 | 2020 |

메가픽셀

최근 수십 년 동안 디지털 이미지 처리 기술은 놀라운 속도로 발전했다. 천문학 분야는 디지털 이미지 기술 발전을 선도해왔다. 탐지기는 일반적인 스마트폰이나 디지털카메라와 비슷하게 설계하지만, 훨씬 더 민감한 장비다. 카메라의 표준 측정 단위는 메가픽셀Megapixels(100만 화소)이다.

초창기 천체관측용 카메라는 지극히 평범한 물건이었지만, 최근에는 기술 발전이 이루어져 수십억 화소의 카메라를 만들 정도가 되었다. 천체관측용 카메라는 대부분 지상에 설치하는 망원경에 들어가지만, 우주선 가이아Gaia호에는 예외적으로 9억 3,800만 화소의 카메라를 탑재했다. 행성 간 우주선에는 일반적으로 이보다 훨씬 작은 카메라를 싣는다. 목적지에 도착하기까지 시간이 오래 걸리므로 오래전에 설계하고 제작한 카메라를 싣고 있을 수밖에 없을뿐더러, 지구에 이미지를 전송할 때 쓸 수 있는 대역폭 또한 제한적이기 때문이다.

20메가픽셀
35밀리미터(상당) 필름
천체관측용이 아님

13메가픽셀
캐논(canon) EOS 5D DSLR
천체관측용이 아님

8메가픽셀
아이폰6(iPhone 6)
천체관측용이 아님

1메가픽셀
초창기 디지털카메라
천체관측용이 아님

938메가픽셀 우주선 가이아호 / 천체관측용
126메가픽셀 슬론 디지털 전천 탐사(Sloan Digital Sky Survey, SDSS) / 천체관측용
95메가픽셀 케플러우주망원경(Kepler space observatory) / 우주선
80메가픽셀 스바루망원경의 서브프라임·카메라(Suprime-cam) / 천체관측용
36메가픽셀 디스커버리채널망원경(Discovery Channel Telescope)의 LMI(Large Monolithic Imager) / 천체관측용
17메가픽셀 허블망원경의 WFC3(Wide Field Camera 3) / 천체관측용
8메가픽셀 INT의 WFC(Wide Field Camera) / 천체관측용
4메가픽셀 로제타호의 오시리스(Optical, Spectroscopic, and Infrared Remote Imaging System, OSIRIS) / 우주선
1.9메가픽셀 큐리오시티의 마스트카메라(MastCam)와 MAHLI(Mars Hand Lens Imager) / 우주선
1메가픽셀 뉴허라이즌스호의 로리(Long Range Reconnaissance Imager, LORRI), 메신저호의 수성이중화상시스템(Mercury Dual Imaging System, MDIS) 그리고 카시니호의 ISS(Imaging Science Subsystem) / 우주선

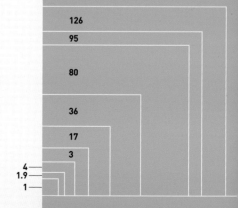

3,200메가픽셀
대형시놉틱관측망원경의 기가캠(Gigacam) /
천체관측용

1,400메가픽셀
판스타스(Panoramic Survey Telescope and Rapid
Response System, Pan-STARRS) / 천체관측용

938

870메가픽셀
하이퍼슈프라임캠(Hyper Suprime-Cam, HSC) /
천체관측용

570메가픽셀
빅토르블랑코망원경의 암흑에너지카메라
(Dark Energy Camera) / 천체관측용

340메가픽셀
CFHT의 메가캠(Megacam) / 천체관측용

126
95
80
36
17
3
4
1.9
1

해상도

인간의 맨눈으로 볼 수 있는 가장 작은 물체는 팔 하나 정도의 거리에 놓인 핀 끝 정도의 크기를 지닌 물체. 이 말은 우리가 맨눈으로는 달 표면에 있는 111킬로미터짜리 물체를 간신히 알아볼 수 있다는 의미다.

망원경이 크면 클수록 사물을 더 세밀하고 자세하게 볼 수 있다. 더 커다란 망원경을 발명하면서 천문학은 크게 발전했다. 광학망원경과 적외선망원경을 제약하는 요인은 보통 지구의 대기다. 왜냐하면 지구의 대기가 요동치면서 끊임없이 우리가 지상에서 보는 빛을 왜곡하기 때문이다. 전파망원경에는 그러한 제약이 없다.

우리는 시력표를 이용하여 각 관측기구가 얼마나 자세히 볼 수 있는지를 상대적으로 표현했다. 그리고 각 관측기구가 달만큼 떨어진 거리에서 식별할 수 있는 물체의 크기를 나타냈다.

4행 / 144각초
페르미(Fermi)의 감마선 망원경(gamma-ray telescope)이 허블울트라디프필드(Hubble Ultra Deep Field) 영상의 크기
달에서 관측할 수 있는 가장 작은 물체의 크기 **265km**

8행 / 60각초
인간의 눈(시력 1.0 기준)
달에서 관측할 수 있는 가장 작은 물체의 크기 **111km**

1행 / 300각초
플랑크의 마이크로파 인공위성(microwave satellite)
달에서 관측할 수 있는 가장 작은 물체의 크기 **553km**

각도의 단위로 3600분의 1도를 뜻하며, 천문학에는 시상(Seeing)을 측정하는 단위로 쓰인다. 시상은 지구 대기의 요동(turbulance) 때문에 천체가 깜빡거리거나 흐릿하게 보이는 현상을 일컫는 말로, 시상 값이 클수록 망원경을 통해 보이는 별의 이미지는 더 흐릿하다. – 옮긴이
Angular size. 지구의 관측자가 봤을 때 천체의 겉으로 보이는 지름 – 옮긴이
opposition. 지구에서 볼 때 해당 천체가 태양의 반대편에 있는 상태 – 옮긴이

7행 / 66각초 (가장 가까울 때)
금성의 각 크기
달에서 관측할 수 있는 가장 작은 물체의 크기 **122km**

9행 / 43각초
충(衝) 에 있을 때 토성 고리의 지름
달에서 관측할 수 있는 가장 작은 물체의 크기 **79km**

```
L T
F P
T O Z
L P E D
P E C F D
E D F C Z P
F E L O P Z D
D E F P O T E C
L E F O D P C T
F D P L T C E O
P E Z O L C F T D
```

오른쪽 위 (위에서 아래로)

- **13행 / 18각초**
  허셜의 적외선 인공위성(infrared satellite)
  달에서 관측할 수 있는 가장 작은 물체의 크기 **33km**

- **20행 / 3.5각초**
  화성의 각 크기(가장 멀 때)
  달에서 관측할 수 있는 가장 작은 물체의 크기 **6.4km**

- **24행 / 1.2각초**
  뒤뜰에 있는 90밀리미터(3.5인치)급 **가정용 망원경**
  달에서 관측할 수 있는 가장 작은 물체의 크기 **2.2km**

- **25행 / 1각초**
  어두운 장소에서 나타나는 지구 대기의 번짐 효과
  (blur effect)
  달에서 관측할 수 있는 가장 작은 물체의 크기 **1.8km**

- **29행 / 0.4각초**
  어두울 때 고지대에서 나타나는 지구 대기의 번짐 효과
  달에서 관측할 수 있는 가장 작은 물체의 크기 **735m**

- **32행 / 0.16각초**
  JWST의 적외선 인공위성
  달에서 관측할 수 있는 가장 작은 물체의 크기 **295m**

- **39행 / 0.04각초**
  이랄린의 전파간섭계(radio interferometer)
  달에서 관측할 수 있는 가장 작은 물체의 크기 **74m**

- **45행 / 0.01각초**
  켁 망원경의 이론적 해상도
  달에서 관측할 수 있는 가장 작은 물체의 크기 **18m**

- **65행 / 0.00015각초**
  EVN의 전파간섭계
  달에서 관측할 수 있는 가장 작은 물체의 크기 **0.3m**

왼쪽 아래 (아래에서 위로)

- **11행 / 25각초**
  화성의 각 크기(가장 가까울 때)
  달에서 관측할 수 있는 가장 작은 물체의 크기 **46km**

- **15행 / 9.5각초**
  금성의 각 크기(가장 멀 때)
  달에서 관측할 수 있는 가장 작은 물체의 크기 **18km**

- **22행 / 2각초**
  해왕성의 각 크기
  달에서 관측할 수 있는 가장 작은 물체의 크기 **3.7km**

- **27행 / 0.7각초**
  토성 고리의 카시니 간극
  달에서 관측할 수 있는 가장 작은 물체의 크기 **1.3km**

- **28행 / 0.5각초**
  켁 망원경
  달에서 관측할 수 있는 가장 작은 물체의 크기 **920m**

- **34행 / 0.1각초**
  명왕성의 각 크기
  달에서 관측할 수 있는 가장 작은 물체의 크기 **184m**

- **38행 / 0.05각초**
  허블우주망원경과 베텔게우스의 각 크기
  달에서 관측할 수 있는 가장 작은 물체의 크기 **92m**

- **55행 / 0.001각초**
  VLT의 광학 간섭계(optical interferometer)
  달에서 관측할 수 있는 가장 작은 물체의 크기 **1.8m**
  (사람을 관측할 수 있음)

103

태양

태양은 지구에서 가장 가까운 항성이다. 태양은 핵에서 열핵반응^{ther-} ^{monuclear reaction}이 일어나는 거대한 플라스마 ^{plasma} 공이다. 지구의 거의 모든 생명체는 태양이 만들어내는 빛과 열 덕분에 살아간다. 태양은 약 45억 6,700만 살로, 수명의 절반 정도를 살았다.

총 빛 방출량
383,000,000,000,000,000,000,000,000W(와트) = 383YW(요타와트)
(383자 와트)

질량
1,989,000,000,000,000,000,000,000,000,000kg(킬로그램)
(198양 9,000자 킬로그램) = 지구의 33만 배

질량 손실
620,000,000,000kg/s(초당 6,200억 킬로그램)

극지방의 자전주기 36일

코로나(Corona) 온도 50만~600만 도(°C)

표면 온도 **5,504°C**

핵의 온도 **15,500,000°C**

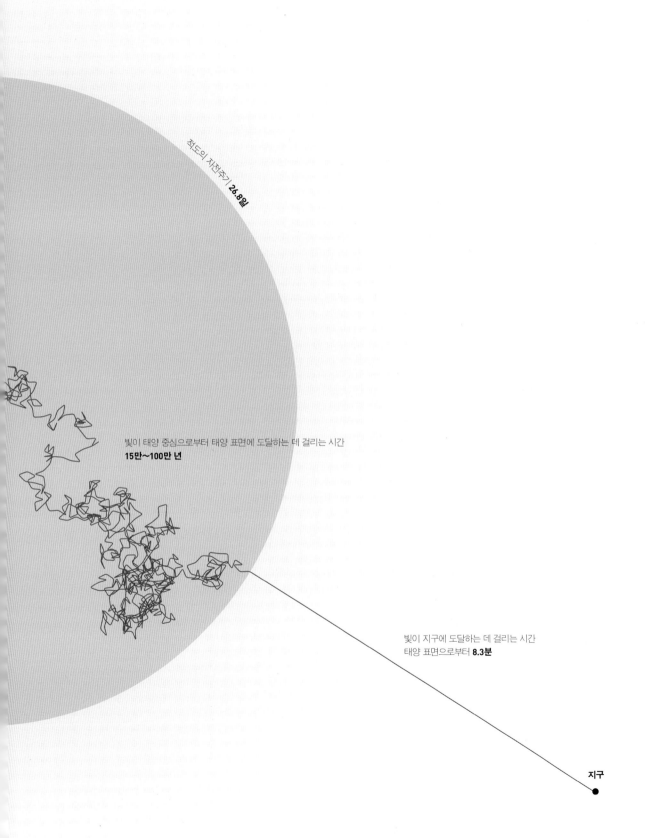

적도의 자전주기 | **26.8일**

빛이 태양 중심으로부터 태양 표면에 도달하는 데 걸리는 시간
15만~100만 년

빛이 지구에 도달하는 데 걸리는 시간
태양 표면으로부터 **8.3분**

지구

태양의 빛은 여러 색상의 스펙트럼으로 나눌 수 있다. 스펙트럼은 흔히 무지개처럼 보인다. 19세기에 무지개를 연구하던 천문학자들은 무지개 안에 어두운 띠가 있음을 깨달았다. 구스타프 키르히호프Gustav Kirchhoff와 로베르트 분젠Robert Bunsen은 1860년에 각 화학 원소가 특정한 색으로 이루어진 띠를 만들며, 이것이 스펙트럼의 지문과도 같다는 사실을 발견했다. 1868년, 천문학자 쥘 장센Jules Janssen과 노먼 로키어Norman Lockyer는 태양의 스펙트럼을 분석하던 도중에 여태까지 알려지지 않았던 원소를 발견했다. 이 새로운 원소는 1895년이 되어서야 페르 테오도르 클레베Per Teodor Cleve와 닐스 아브라함 랑레트Nils Abraham Langlet가 지구상에서 발견했다. 이 원소는 그리스의 태양신인 헬리오스의 이름을 따서 헬륨이라 이름 붙었다. 헬륨은 오늘날 태양과 온 우주에서 두 번째로 많은 원소로 알려졌다. 태양의 스펙트럼은 수소와 헬륨뿐만 아니라 지구 대기에 있는 산소와 같은 아주 다양한 원소의 존재를 보여준다. 관측된 원소들은 태양의 고층 대기에 있으며, 대부분 이전 세대의 항성 덕분에 생성되었다.

Ba / 바륨 Barium
Ca / 칼슘 Calcium
Cr / 크롬 Chromium
Fe / 철 Iron
H / 수소 Hydrogen
He / 헬륨 Helium
Hg / 수은 Mercury
Mg / 마그네슘 Magnesium
Na / 소듐 Sodium
O / 지구의 대기에서 산소 Oxygen
Sr / 스트론튬 Strontium
Ti / 티타늄 Titanium

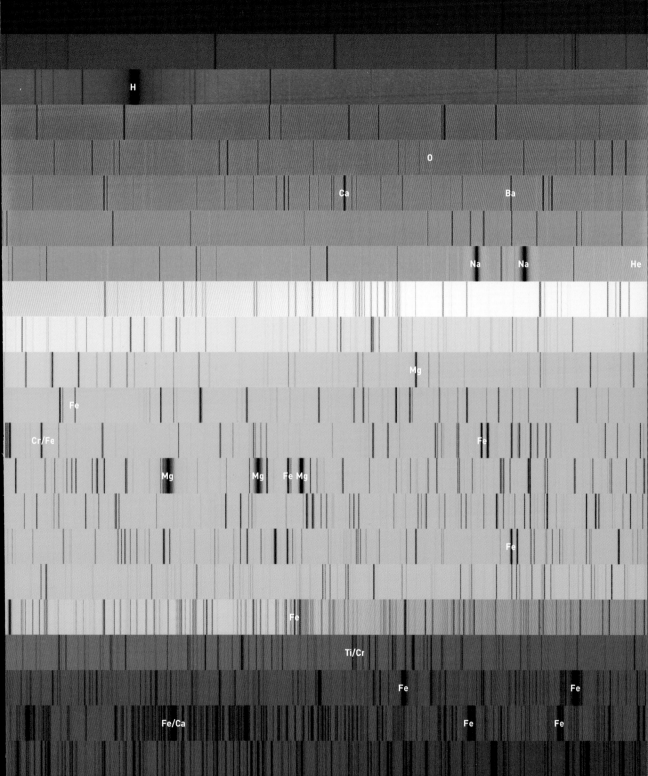

태양흑점

태양의 표면은 플라스마와 자기장으로 이루어진 불타는 가스 덩어리다. 자기장이 태양 표면에 구멍을 뚫어놓은 곳에서는 태양의 다른 부분보다 온도가 살짝 내려가며 더 적은 빛을 생성한다. 이 어두운 부분을 '태양흑점Sunspot'이라 부른다. 태양흑점은 시간이 지남에 따라 이동하며, 흑점의 총 개수는 11년 주기로 변한다.

월별 흑점의 개수

250

200

100

50

10

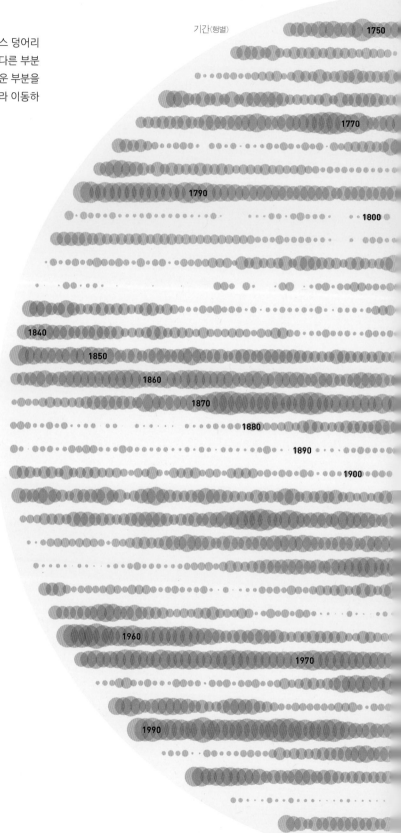

기간(행별)

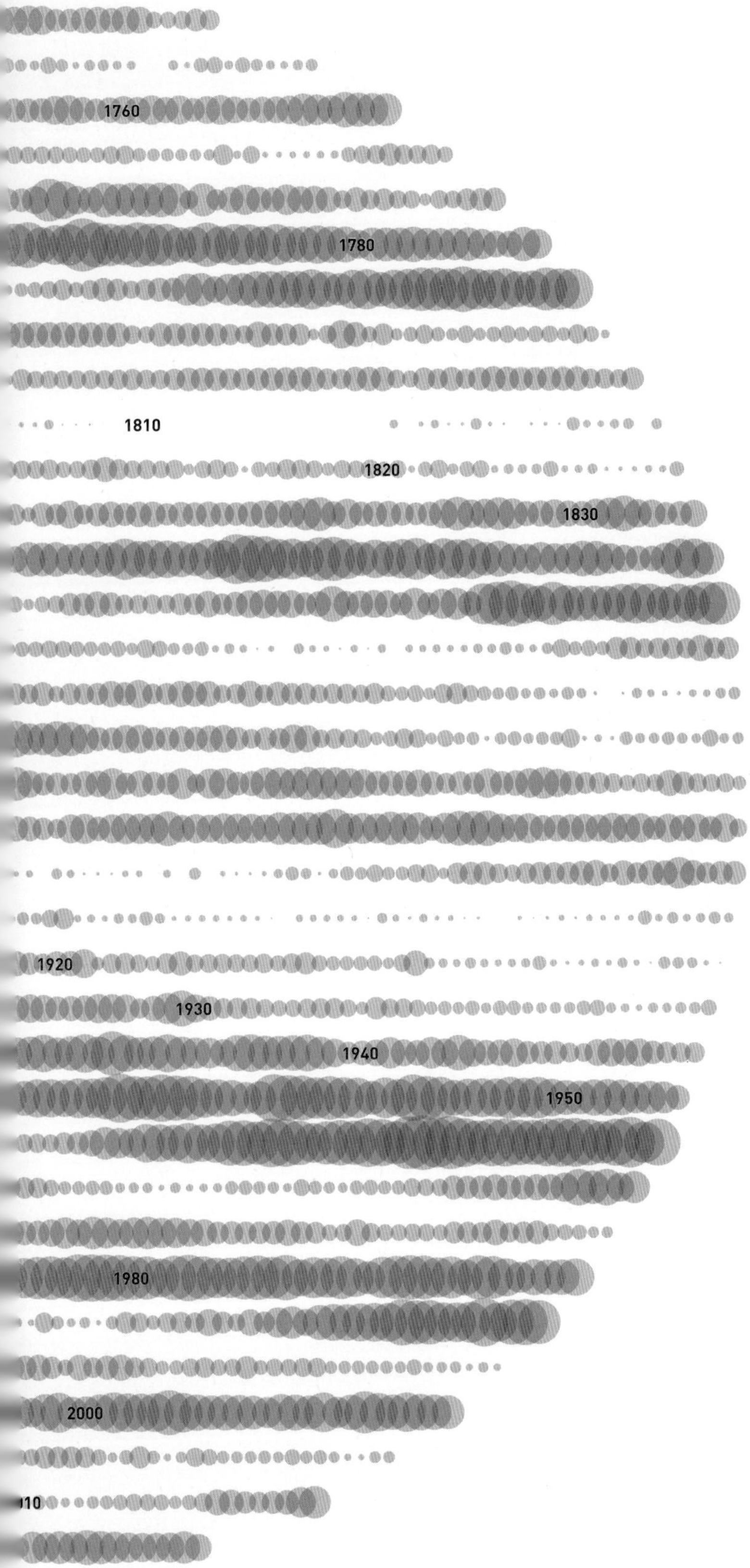

1760
1780
1810
1820
1830
1920
1930
1940
1950
1980
2000
110

버터플라이 다이어그램

태양흑점은 태양 표면이라고 아무 데서나 다 나타나는 게 아니다. 흑점은 약 11년의 기간에 걸쳐 태양의 적도와 점점 더 가까운 곳에 형성된다. 태양의 활동 주기 역시 11년인데, 흑점의 움직임은 태양의 활동 주기와 명확한 연관성이 있다.

20세기 초에는 흑점이 자기 현상 magnetic phenomena 이라고 밝혀졌으며, 태양의 자기장이 표면을 뚫고 들어가는 곳에서 나타난다는 사실 또한 알려졌다. 태양흑점은 흑점주기가 변할 때마다 자기장이 반대 극성으로 변하는 극성 역전 현상을 겪는다. 이는 태양의 자기장이 실제로는 22년에 걸쳐 변동한다는 사실을 보여준다.

태양흑점과 자기장 사이에 연관성이 있다는 말은 지난 수백 년간 흑점을 관측한 자료로 자기 주기 magnetic cycle 의 행동 양식을 추론할 수 있다는 뜻이다.

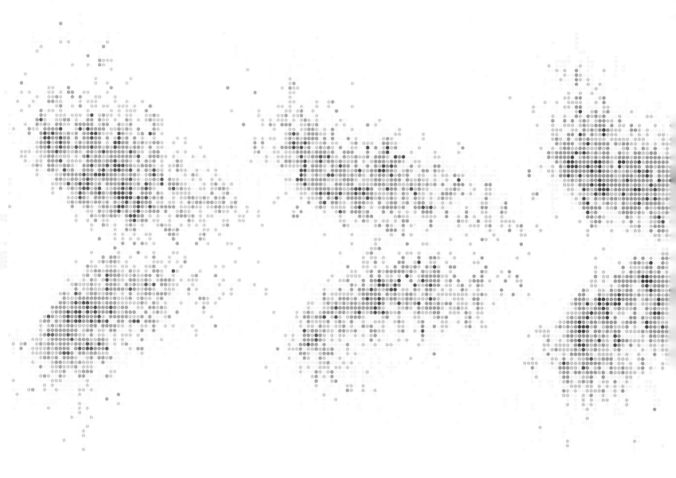

1960   1970   1980

북극

60°

0°

-30°

남극

월별 흑점의 개수

○ 1〜5개

● 5〜10개

● 10〜20개

● 20개 이상

60°

30°

태양의 적도 0°

-30°

-60°

1990

2000

2010

태양폭발

1970년대 후반부터 인공위성들은 태양 표면에서 일어나는 태양폭발Solar flare (플레어)을 기록해왔다. 측정한 태양폭발은 A, B, C, M, X 등 여러 가지 등급으로 분류하는데, 각 등급은 이전 등급보다 10배씩 더 강하다. 각 등급 안에서도 1부터 9까지 숫자가 쓰이는데, M5급 태양폭발은 M1급 태양폭 발보다 다섯 배 더 강력하다.

X1급 태양폭발은 대략 2억 메가톤의 TNT 폭탄이나 화산 폭발의 백만 배에 해당하는 에너지를 갖고 있다. 현재까지 X등급 위의 분류 기준은 없으므로 태양폭발의 규모가 아무리 크더라도 X등급을 넘어갈 수는 없으며, X등급 뒤 에 붙는 숫자만 높아진다(역사상 가장 대규모 태양폭발은 X28등급이었다).

C등급
우리에게 눈에 띄는 영향을 미치지 않는다.

M등급
지구의 남극과 북극 근방에서 전자파 정전을 일으킬 수 있으며, 방사능 폭풍을 일으켜 우주비행사에게 영향을 줄 수 있다.

X등급
인공위성을 녹아웃이 되게 할 수 있고, 항공기 승객이 받는 방사선의 양을 늘릴 수 있으며, 지상의 전력망에서 정전을 일으킬 수 있다.

태양주기(Solar cycle)
24 / 2008년 1월에 시작
23 / 1996년 5월~2008년 1월
22 / 1986년 9월~1996년 5월

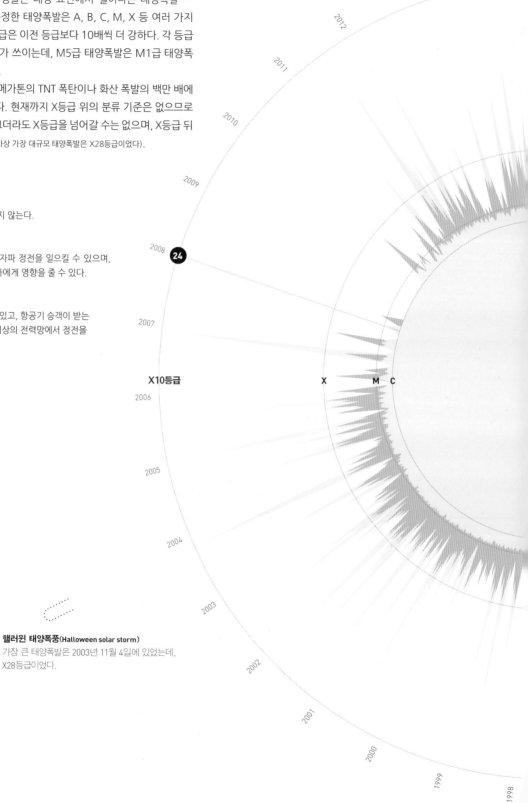

핼러윈 태양폭풍(Halloween solar storm)
가장 큰 태양폭발은 2003년 11월 4일에 있었는데, X28등급이었다.

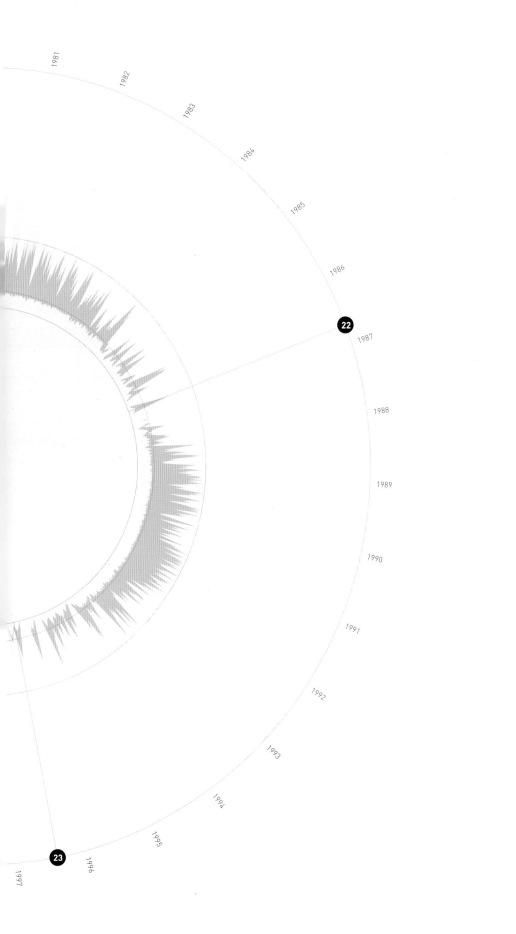

태양의 춤

우리는 흔히 태양을 태양계의 중심이라고 생각하지만, 실제로는 그렇지 않다. 태양계의 행성들에 중력이 있기 때문이다. 태양은 자신의 파트너인 여러 행성의 리드에 따라 복잡한 형태로 태양계라는 무도회장을 빙글빙글 돈다.

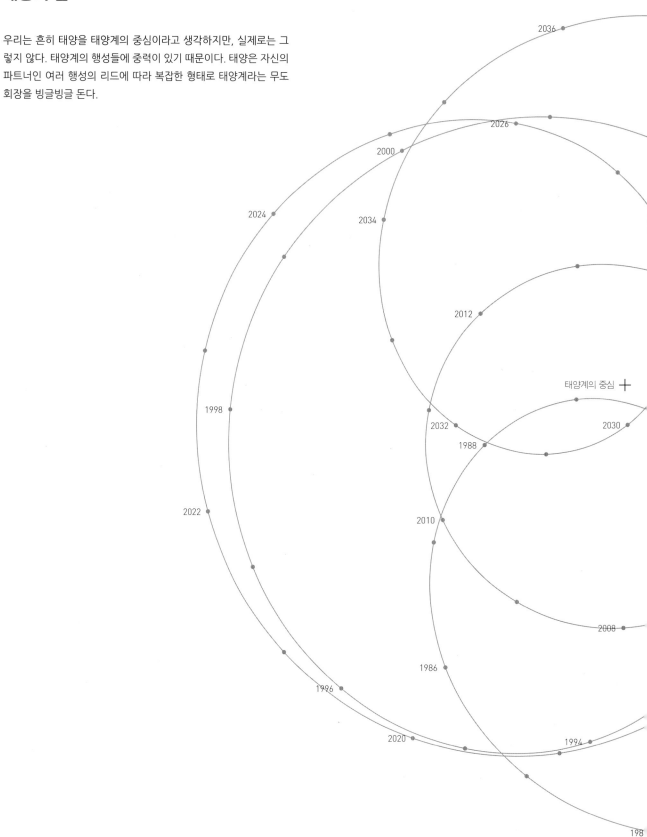

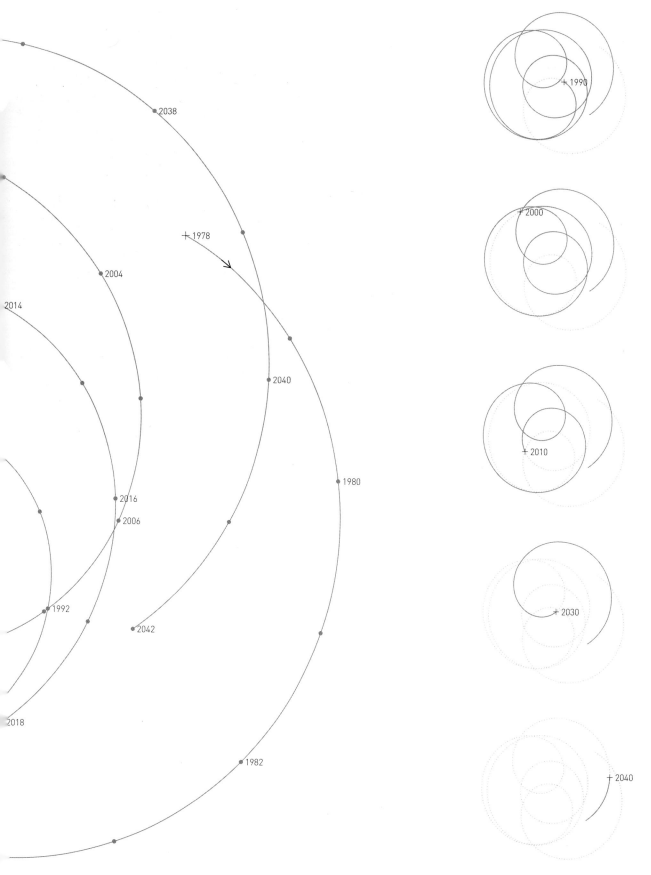

북쪽 하늘의 별자리

고대 뱃사람과 유목민에게 밤하늘은 길을 찾는 데 필수적인 도구였다. 해가 지면 밤하늘은 지금이 1년 중 어떤 시기인지 그리고 그곳이 어떤 위도에 속하는 장소인지 이해하는 데 도움을 주었다. 오랜 시간이 지나면서 사람들은 주위의 별들을 연결하여 어떤 무늬를 만들기 시작했다. 이러한 무늬는 별자리라고 불리는데, 이웃한 별자리들은 대개 신화적 이야기로 연결되어 있다. 오늘날에야 별자리에 담긴 이야기가 그저 재미난 옛날이야기로 여겨지지만, 그때는 농작물을 기르거나 고향으로 돌아오는 길을 찾거나 심지어 바다를 건너는 데 필수적이었던 정보를 생각해내도록 도와주었다.

많은 별자리가 고대의 신화에 기원을 둔다. 예를 들어 영웅 '페르세우스Perseus'는 '카시오페이아Cassiopeia' 여왕의 딸인 '안드로메다Andromeda' 공주를 구하려고 날개 달린 말인 '페가수스Pegasus'를 탔다. 다른 별자리는 동물의 이름을 따서 붙였다. 이를테면 사자자리Leo는 사자에서, 기린자리Camelopardalis는 낙타kamélos와 같은 긴 목과 표범pardalis과 같은 반점이 있는 동물인 기린에서 이름을 따왔다.

큰곰자리Ursa Major는 북반구에서 가장 널리 알려진 별자리 가운데 하나다. 큰곰자리에는 유명한 별자리인 북두칠성Plough(혹은 Big Dipper)이 속해 있는데, 큰곰의 등과 꼬리에 해당한다.

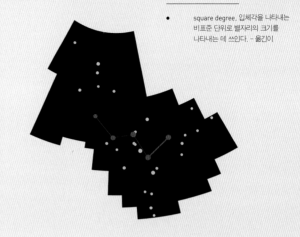

● square degree. 입체각을 나타내는 비표준 단위로 별자리의 크기를 나타내는 데 쓰인다. – 옮긴이

카시오페이아자리 / 598 평방도(sq deg)●

안드로메다자리 / 722 평방도

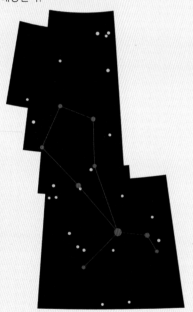

목동자리(Boötes) / 907 평방도

기린자리 / 757 평방도

삼각형자리(Triangulum) / 132 평방도

작은곰자리(Ursa Minor) / 256 평방도

큰곰자리 / 1,280 평방도

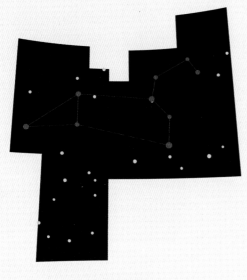

사자자리 / 947 평방도

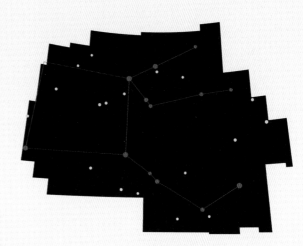

페가수스자리 / 1,121 평방도

백조자리(Cygnus) / 804 평방도

페르세우스자리 / 615 평방도

남쪽 하늘의 별자리

남쪽 하늘에는 북쪽 하늘처럼 유명한 별자리가 대거 포진하고 있진 않지만, 가장 큰 별자리인 바다뱀자리^{Hydra}와 가장 작은 별자리인 남십자자리^{Crux}가 속해 있다.

남쪽 별자리는 북쪽 별자리보다 이름이 더 현대적인 기원을 둔 사례가 많다. 직각자리^{Norma}나 황새치자리^{Dorado}, 나침반자리^{Pyxis}처럼 말이다.

남십자자리 / 68 평방도

궁수자리(Sagittarius) / 867 평방도

켄타우루스자리(Centaurus) / 1,060 평방도

염소자리(Capricornus) / 414 평방도

돛자리(Vela) / 500 평방도

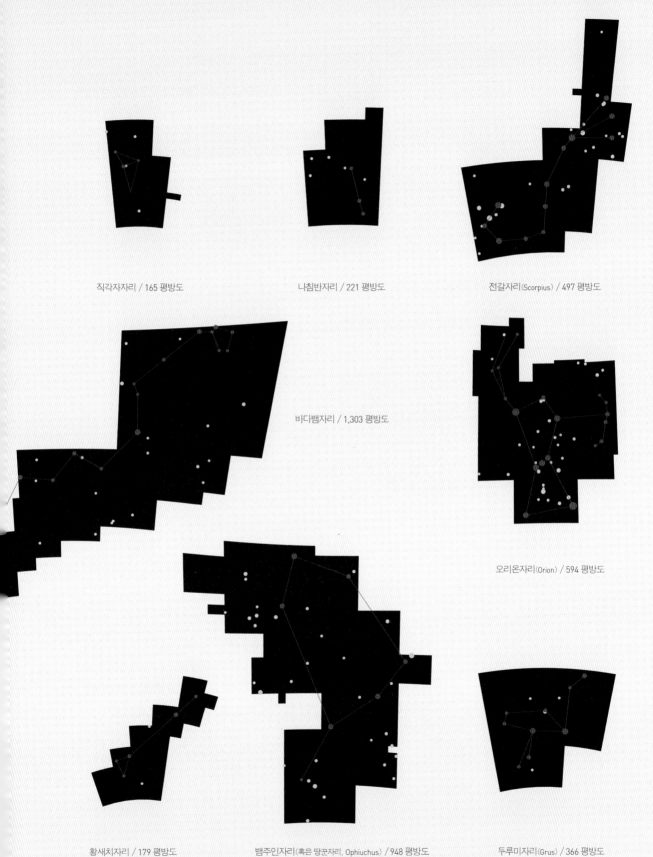

직각자리 / 165 평방도

나침반자리 / 221 평방도

전갈자리(Scorpius) / 497 평방도

바다뱀자리 / 1,303 평방도

오리온자리(Orion) / 594 평방도

황새치자리 / 179 평방도

뱀주인자리(혹은 땅꾼자리, Ophiuchus) / 948 평방도

두루미자리(Grus) / 366 평방도

3차원으로 본 오리온자리

밤하늘을 바라보다 보면 아주 자연스럽게 거대한 크리스털 구체 같은 하늘 위에 빛나는 점처럼 별이 붙어 있는 듯하다는 생각이 떠오른다. 그리고 수많은 고대인은 실제로 그렇게 상상했다. 실제로는 모든 별은 각기 다른 거리에 자리 잡고 있으며, 때로는 엄청 멀리 떨어져 있기도 하다. 실제 우주는 3차원이지만, 우리가 볼 수 있는 것은 2차원으로 표현된 우주뿐이다.

우리에게 아주 친숙한 별자리인 오리온자리는 그리스신화 속 사냥꾼인 오리온의 이름을 따왔는데, 다른 방향에서 바라보면 우리가 보는 모습과는 전혀 다른 모습이다. 우리가 서로 밀접하게 붙어 있다고 생각하던 별들이 실제로는 그렇지 않은 것이다. 심지어 오리온의 허리띠에 해당하는 위치에 있는 세 별 사이에는 첩자가 한 명 껴 있기까지 하다. 이 첩자는 허리띠 중앙의 별인 알닐람Alnilam으로 다른 별보다 훨씬 밝지만, 지구에서 두 배나 멀리 떨어져 있다.

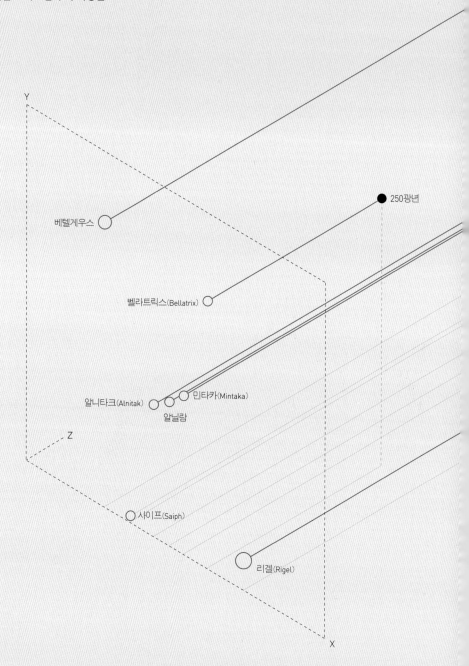

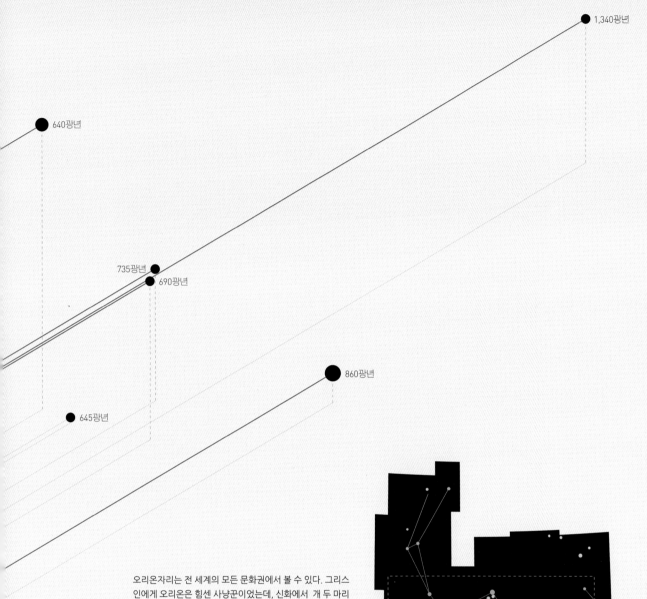

640광년

1,340광년

735광년
690광년

860광년

645광년

오리온자리는 전 세계의 모든 문화권에서 볼 수 있다. 그리스인에게 오리온은 힘센 사냥꾼이었는데, 신화에서 개 두 마리(큰개자리Canis Major, 작은개자리Canis Minor)와 함께 황소(황소자리Taurus)와 맞서 싸우는 모습으로 그려진다. 아프리카 사람들의 덤불 이야기African bush story•에서 오리온의 허리띠에 해당하는 세 별은 더 밝은 별인 알데바란Aldebaran이 사냥하는 얼룩말이다. 호주 원주민의 천문학에서 오리온의 허리띠는 카누에 탄 세 형제를 의미하는 줄판Djulpan이라는 이름으로 알려졌는데, 계절 풍이 불어오는 시기에 곧 접어들리라고 경고한다.

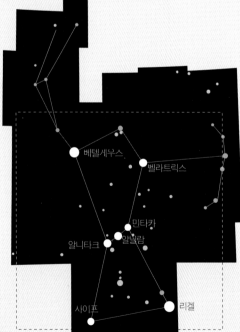

베텔게우스
벨라트릭스
민타카
알니타크 알닐람
사이프 리겔

오리온자리 / 594평방도

• 아프리카에서는 사냥하거나 숨거나 쉴 때 덤불을 이용한다고 한다. 지연히 덤불에서는 신화나 전래 동화를 포함한 온갖 이야기가 오간다. 덤불 이야기는 이런 이야기를 모은 것이다. - 옮긴이

가장 가까운 별

지구에서 가장 가까운 축에 속하는 별은 무엇일까? 태양을 제외하고 지구에서 가장 가까운 항성은 약 4.3광년(40.7조 킬로미터) 떨어진 곳에 있는 알파 켄타우리(켄타우루스자리 알파성) 항성계에 있다. 알파 켄타우리는 삼중성계triple star system로 가까운 거리에서 공전하는 두 항성인 알파 켄타우리 A·B와 프록시마켄타우리Proxima Centauri로 이루어진다. 항성은 움직이므로 그 위치가 시시각각 변한다.

바너드별Barnard's star은 우리를 향해 비교적 빠른 속도로 접근하고 있는데, 약 1만 년 뒤에는 4광년 거리까지 다가올 것이다. 서기 3만 5000년경에는 로스248Ross 248이 태양에서 3광년 떨어진, 가장 가까운 별이 될 것이다. 대략 서기 4만 년에는 보이저1호가 글리제445Gliese 445에 1.6광년 거리까지 다가갈 것이다.

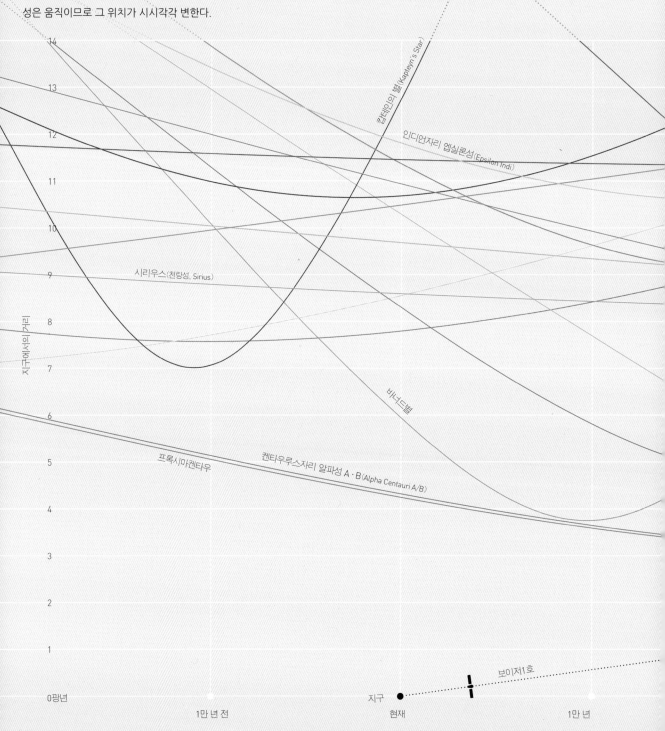

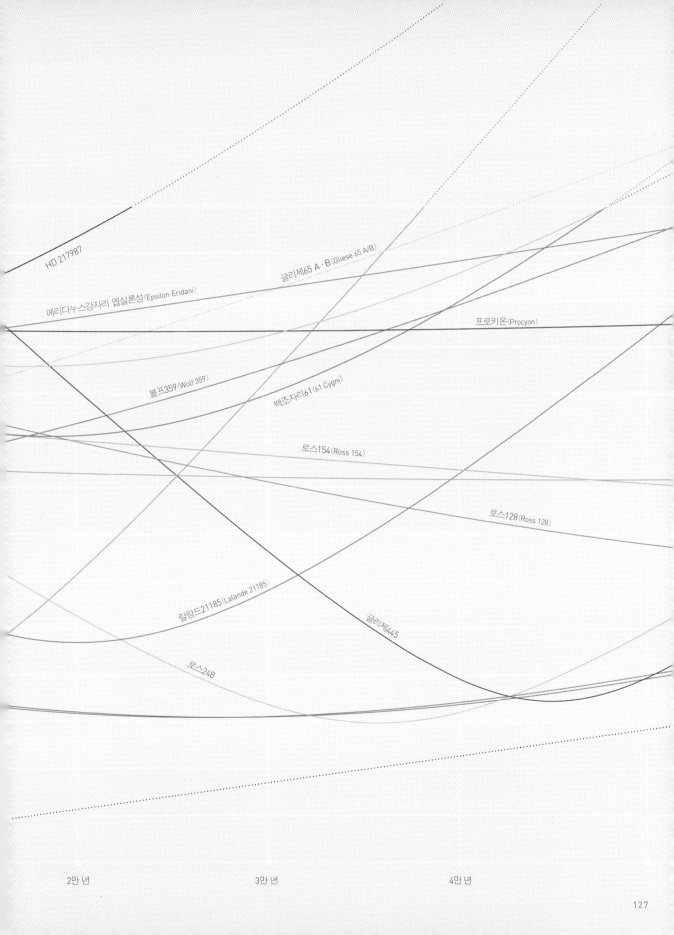

HD 217987

글리제65 A · B (Gliese 65 A/B)

에리다누스강자리 엡실론성(Epsilon Eridani)

프로키온(Procyon)

볼프359 (Wolf 359)

백조자리61 (61 Cygni)

로스154(Ross 154)

로스128(Ross 128)

랄랑드21185 (Lalande 21185)

글리제445

로스248

2만 년   3만 년   4만 년

고유운동

유사 이래로 천문학자들은 항성을 별 혹은 붙박이별이라고 불러 왔지만, 붙박이별은 실제로는 붙박이가 아니다. 일부 항성은 우주를 함께 여행하기도 하지만, 대부분 항성은 각기 다른 속도로 각기 다른 방향을 향해 움직인다. 항성은 1초에 수만 킬로미터에 달하는 속도로 이동하지만, 너무나 멀리 떨어져 있어서 우리 눈으로는 움직임을 감지할 수 없다. 주의 깊은 관찰을 통해 하늘에서 일어나는 이러한 '고유운동proper motion'을 측정할 수 있으며, 계산을 통해 아주 먼 미래에 하늘이 어떻게 보일지 추측할 수 있다. 머나먼 미래에는 지금과는 다른 별자리가 우리 후손의 밤하늘을 수놓을 것이다.

10만 년이 지나면, 사자자리 속 사자는 더는 웅크린 사자가 아닐 것이며, 쌍둥이자리 속 쌍둥이는 목이 잘린 쌍둥이가 될 것이다! 카시오페이아자리는 더는 친숙한 더블유W 모양이 아닐 것이며, 큰개자리는 개의 별Dog Star인 시리우스가 떨어져 나가면서 목줄이 풀릴 것이다. 큰곰자리의 일부인 북두칠성에 속한 다섯 개의 밝은 별은 헤어지지 않은 채로 우주를 여행하긴 하겠지만, 큰곰은 그 꼬리를 말게 될 것이다. 오리온은 검과 방패의 위치를 조정하게 되는 데다 초신성 폭발로 말미암아 한쪽 어깨인 베텔게우스를 잃을지도 모른다.

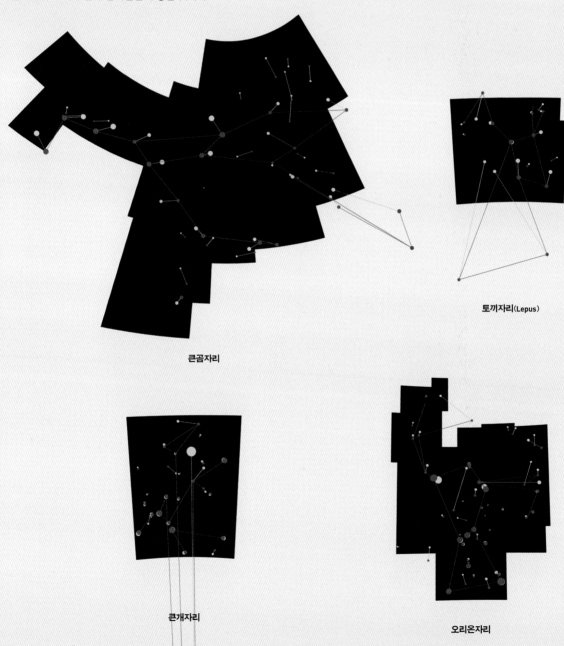

토끼자리(Lepus)

큰곰자리

큰개자리

오리온자리

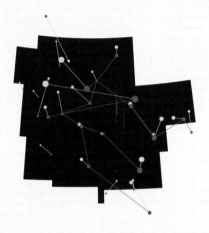

쌍둥이자리(Gemini)

카시오페이아자리

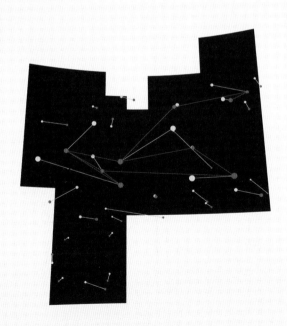

사자자리

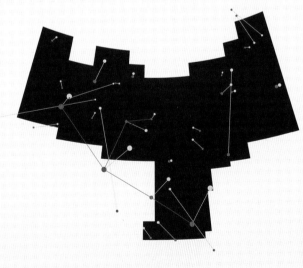

안드로메다자리

가장 밝은 별

밤하늘을 들여다보면, 어떤 별은 다른 별보다 더 밝다는 사실을 알 수 있다. 하늘에서 가장 밝은 별은 '개의 별'이라 불리는 시리우스다. 시리우스는 실제로는 쌍성계binary star system로 시리우스 A와 시리우스 B로 이루어진다. 그다음으로 밝은 별은 남극노인성Canopus으로 시리우스의 대략 절반 정도의 밝기로 빛난다. 많은 사람이 북극성 폴라리스Polaris의 순위가 한참 아래쪽에 있다는 사실에 놀란다. 폴라리스의 중요성은 그 밝기가 아니라 북극과 가까운 그 위치에서 나온다. 우리 눈에 별이 얼마나 밝아 보이느냐는 별의 진정한 밝기뿐만 아니라 그 별이 지구로부터 얼마나 멀리 떨어져 있는지에 따라 결정된다. 상대적으로 희미한 별이라 할지라도 지구와 가깝다면 다른 별보다 더 밝게 보일 수 있다. 예컨대 남극노인성은 실제로는 시리우스보다 600배나 더 밝다. 그저 시리우스보다 40배나 먼 거리에 있기에 그보다 희미하게 보이는 것이다.

북쪽 하늘

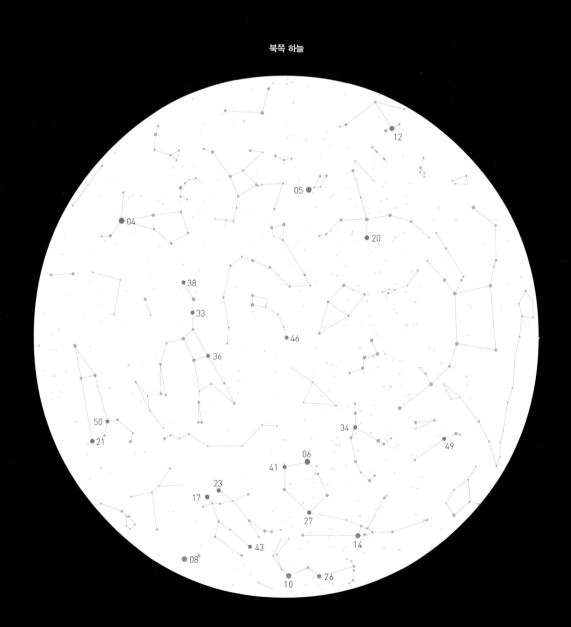

01 / 시리우스(천랑성, 큰개자리 알파성)
02 / 남극노인성(용골자리 알파성)
03 / 알파 켄타우리(켄타우루스자리 알파성)
04 / 아르크투루스(Arcturus, 목동자리 알파성)
05 / 베가(Vega, 직녀성, 거문고자리 알파성)
06 / 카펠라(Capella, 마차부자리 알파성)
07 / 리겔(오리온자리 베타성
08 / 프로키온(작은개자리 알파성)
09 / 아케르나르(Achernar, 에리다누스강자리 알파성)
10 / 베텔게우스(오리온자리 알파성)
11 / 하다르(Hadar, 켄타우루스자리 베타성)
12 / 알타이르(Altair, 견우성)
13 / 아크룩스(Acrux, 남십자자리 알파성)
14 / 알데바란(황소자리 알파성)
15 / 스피카(Spica, 처녀자리의 알파성)
16 / 안타레스(Antares, 전갈자리 알파성)
17 / 폴룩스(Pollux, 쌍둥이자리 베타성)
18 / 포말하우트(Fomalhaut, 남쪽물고기자리 알파성)
19 / 베크룩스(Becrux, 남십자자리 베타성)
20 / 데네브(Deneb, 백조자리 알파성)
21 / 레굴루스(Regulus, 사자자리 알파성)
22 / 아다라(Adhara, 큰개자리 엡실론성)
23 / 카스토르(Castor, 쌍둥이자리 알파성)
24 / 가크룩스(Gacrux, 남십자자리 감마성)
25 / 샤울라(Shaula, 전갈자리 람다성)
26 / 벨라트릭스(오리온자리 감마성)
27 / 엘나스(El Nath, 황소자리 베타성)
28 / 미아플라시두스(Miaplacidus, 용골자리 베타성)
29 / 알닐람(오리온자리 엡실론성)
30 / 알나이르(Al Na'ir, 두루미자리 알파성)
31 / 알니타크(오리온자리 제타성)
32 / 돛자리 감마성(Gamma Velorum)
33 / 알리오스(Alioth, 큰곰자리 엡실론성)
34 / 미르파크(Mirfak, 페르세우스자리 알파성)
35 / 궁수자리 엡실론성(Epsilon Sagittarii)
36 / 두베(Dubhe, 천추, 큰곰자리 알파성)
37 / 웨젠 Wezen, 큰개자리 델타성)
38 / 알카이드(Alkaid, 큰곰자리 에타성)
39 / 아비오르(Avior, 용골자리 엡실론성)
40 / 전갈자리 세타성(Theta Scorpii)
41 / 멘칼리난(Menkalinan, 마차부자리 베타성)
42 / 아트리아(Atria, 남쪽삼각형자리 알파성)
43 / 알레나(Alhena, 쌍둥이자리 감마성)
44 / 돛자리 델타성(Delta Velorum)
45 / 공작 별(Peacock, 공작자리 알파성)
46 / 폴라리스(북극성, 작은공자리 알파성)
47 / 무르짐(Mirzam, 큰개자리 베타성)
48 / 알파드(Alphard, 바다뱀자리 알파성)
49 / 하말(Hamal, 양자리 알파성)
50 / 알기에바(Algieba, 사자자리 감마성)

남쪽 하늘

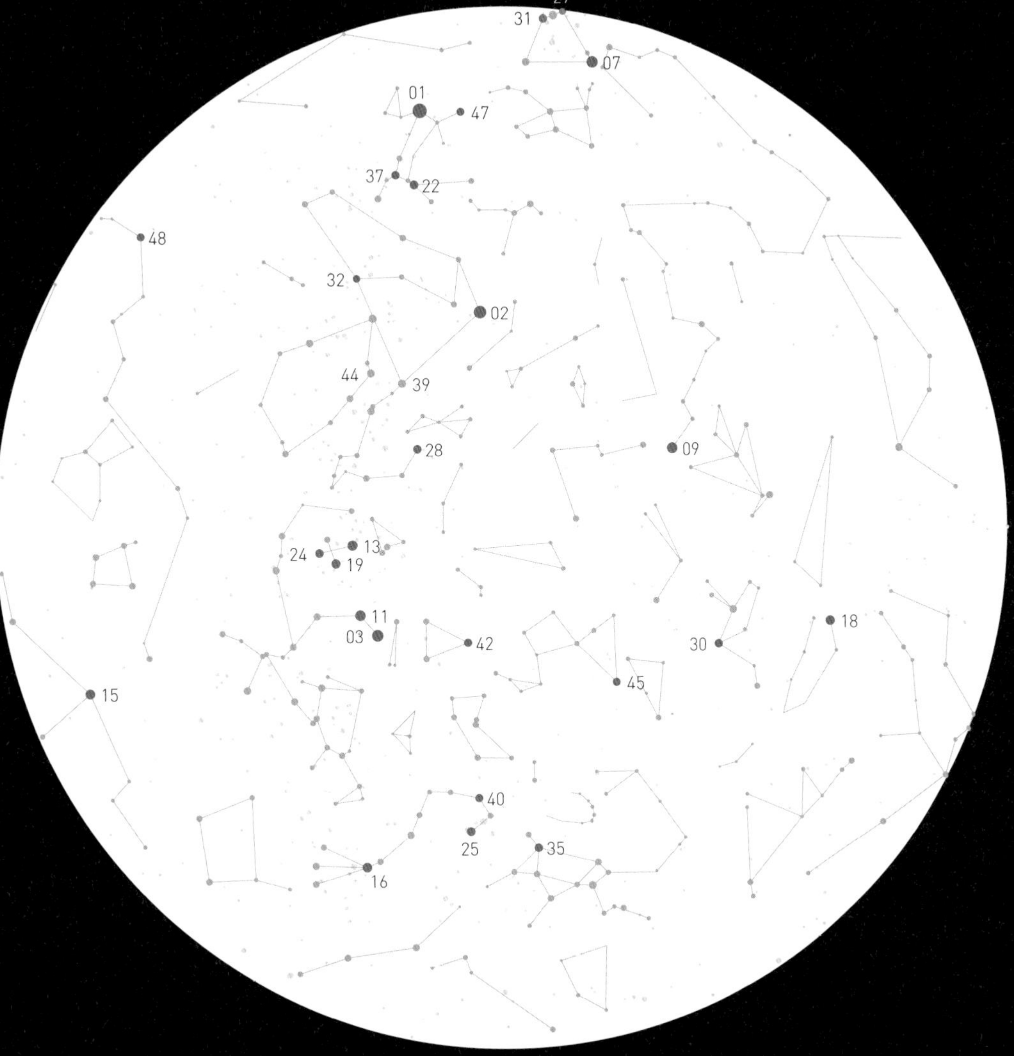

거대한 별 Giant Star

우리 지역구의 스타인 태양은 지름이 약 140만 킬로미터다. 지구의 지름보다 무려 100배가 넘게 긴 엄청난 지름이지만, 다른 수많은 별과 비교했을 때는 아주 앙증맞은 길이에 불과하다. 방패자리 UY는 가장 큰 항성의 자리에 도전하는 전국구 스타 가운데 하나다. 방패자리 UY는 남쪽 하늘의 별자리인 방패자리에 속하며, 태양의 약 1,700배 크기로 추정된다. 만약 방패자리 UY가 태양계의 중심에 자리를 잡았다면, 목성의 공전궤도 너머까지 이르렀을 것이다.

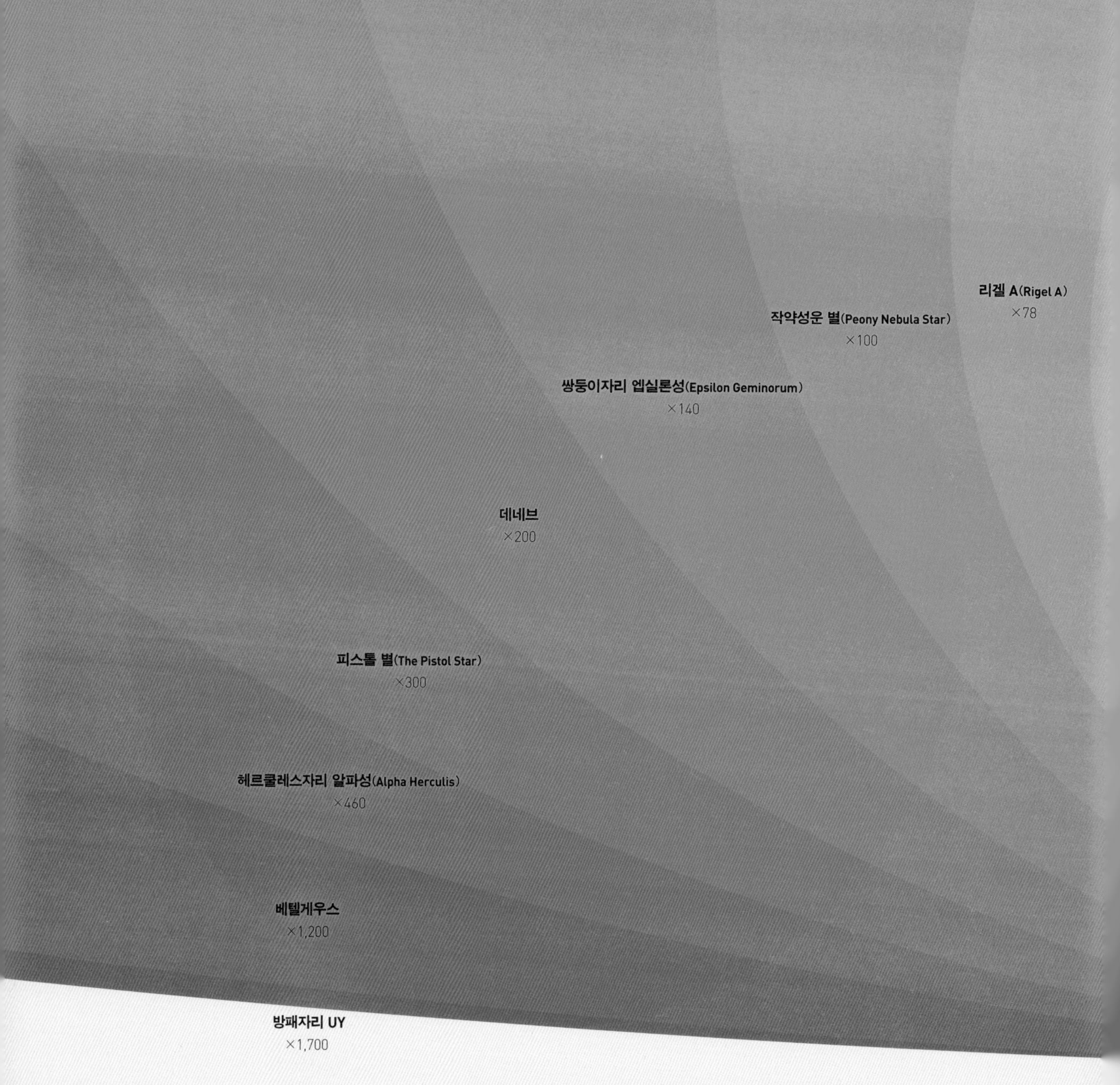

리겔 A(Rigel A)
×78

작약성운 별(Peony Nebula Star)
×100

쌍둥이자리 엡실론성(Epsilon Geminorum)
×140

데네브
×200

피스톨 별(The Pistol Star)
×300

헤르쿨레스자리 알파성(Alpha Herculis)
×460

베텔게우스
×1,200

방패자리 UY
×1,700

남극노인성
×65

알데바란
×44

아르크투루스
×25

목동자리 델타성(Delta Boötis)
태양 지름 ×10

태양

난쟁이 별 Dwarf Star

별은 얼마나 작을 수 있을까? 별은 대개 플라스마 공으로 정의하는데, 자체 중력에 의해 유지되고, 핵에서 일어나는 열핵 융합thermonuclear fusion으로 말미암아 빛난다. 융합이 일어나려면 핵의 온도와 밀도가 극도로 높아야 한다. 우리는 최소한 태양 질량의 7퍼센트는 되어야 앞에서 말한 별의 조건을 충족할 만한 중력을 확보할 수 있다고 생각한다. 현재까지 알려진 가장 작은 별은 2MASS J0523-1403라는 꽤나 거창한 이름을 갖고 있는데, 태양과 비교했을 때 지름이 고작 8.6퍼센트에 불과하며, 밝기는 겨우 8,000분의 1이고, 유효 온도effective temperature는 약 35퍼센트 정도다.

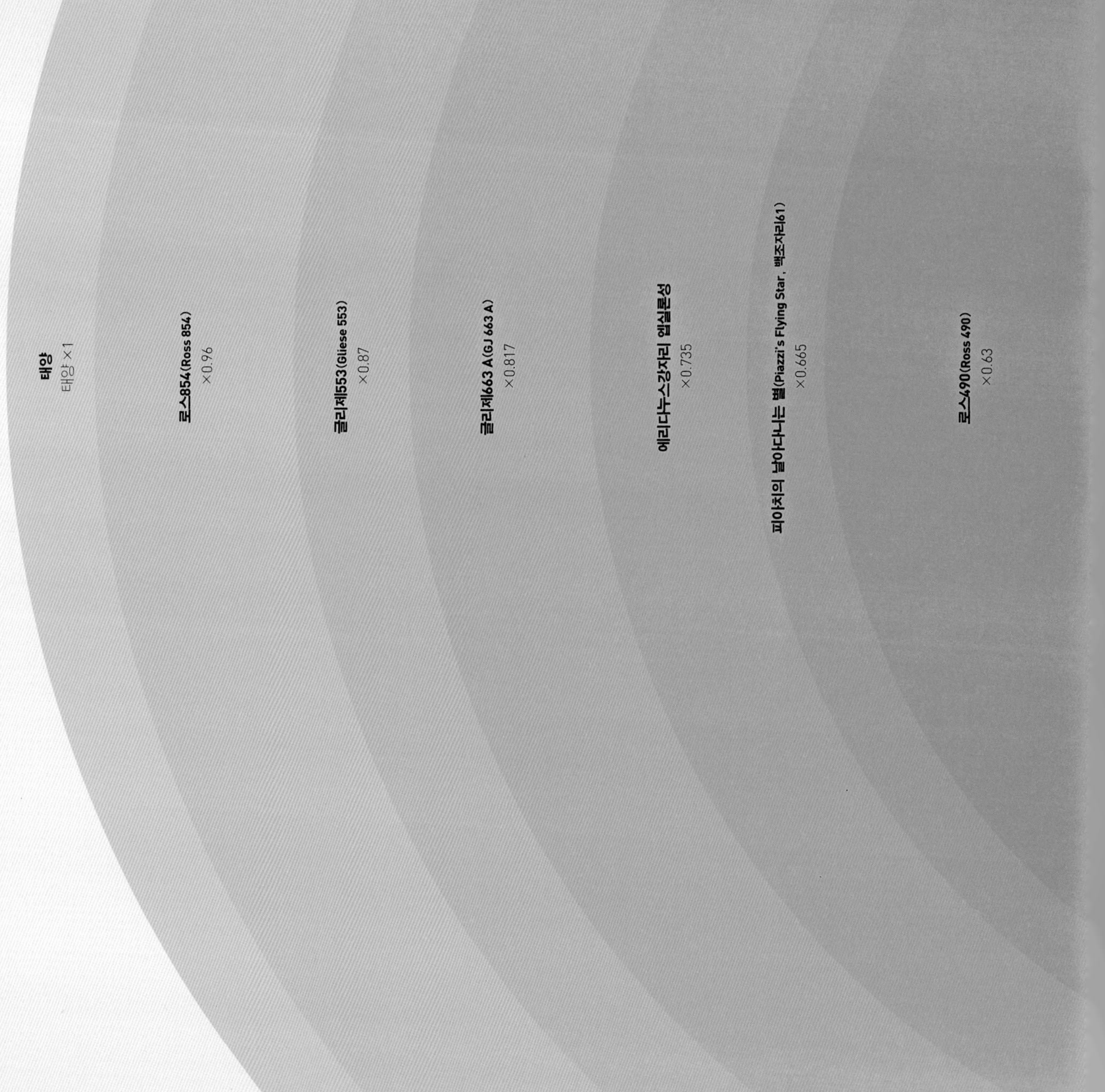

태양
태양 ×1

로스854(Ross 854)
×0.96

글리제553(Gliese 553)
×0.87

글리제663 A(GJ 663 A)
×0.817

에리다누스강자리 엡실론성
×0.735

피아치의 날아다니는 별(Piazzi's Flying Star, 백조자리61)
×0.665

로스490(Ross 490)
×0.63

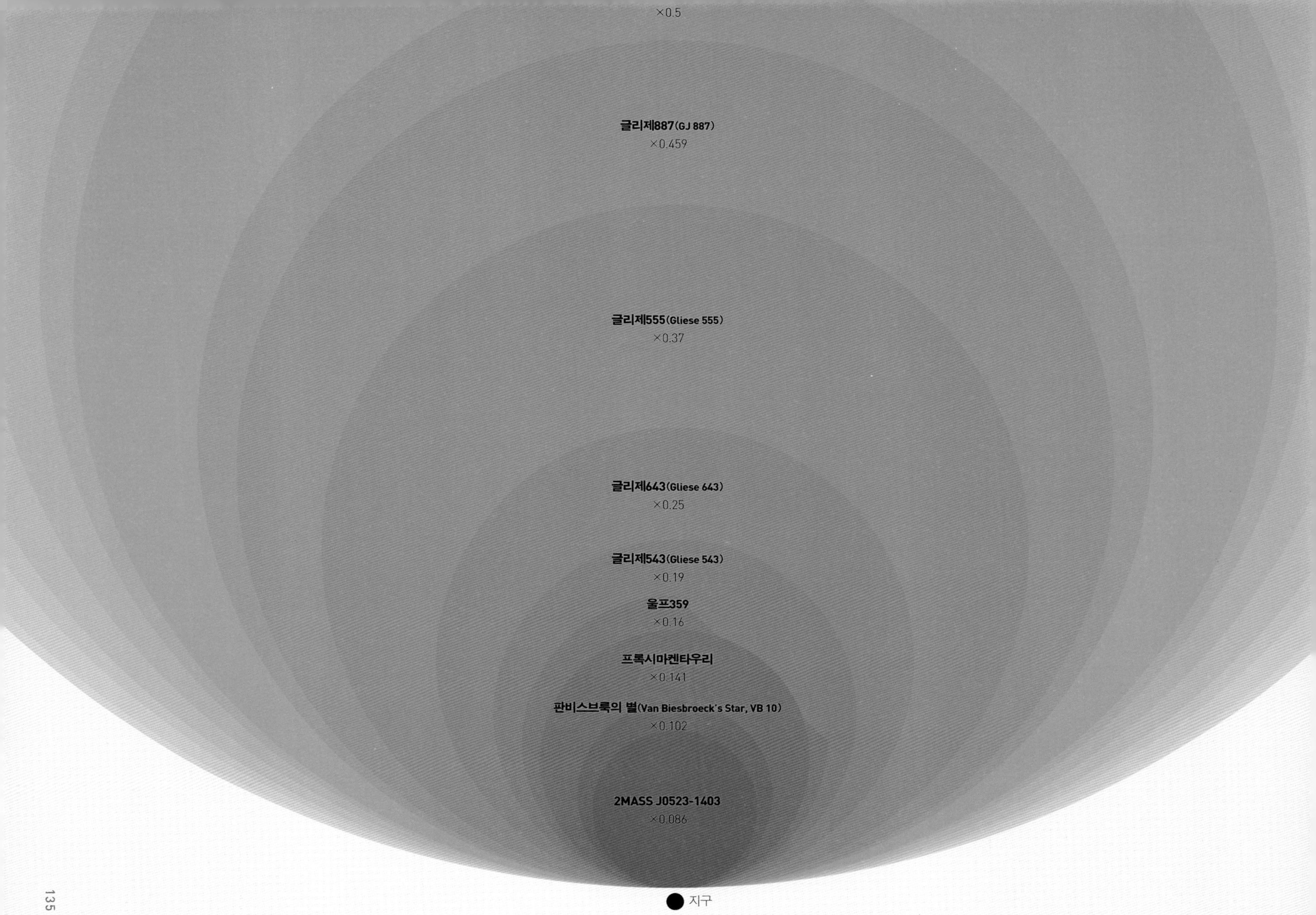

×0.5

글리제887(GJ 887)
×0.459

글리제555(Gliese 555)
×0.37

글리제643(Gliese 643)
×0.25

글리제543(Gliese 543)
×0.19

울프359
×0.16

프록시마켄타우리
×0.141

판비스브룩의 별(Van Biesbroeck's Star, VB 10)
×0.102

2MASS J0523-1403
×0.086

지구

별의 분류 Stellar classification

19세기 후반과 20세기 초에 천문학자들은 각 항성의 스펙트럼에서 나타나는 검은 선의 형태에 따라 항성을 분류했다. 현대적인 분류법은 1901년에 애니 점프 캐넌Annie Jump Cannon이 고안했는데, O, B, A, F, G, K, M 등의 알파벳을 써서 항성을 분류했다. 분류 순서는 수소 분광선, 중성선, 이온화선 등 다양한 선line 사이의 상대적인 강약에 따라 정해지며, 각 선의 강약은 해당 항성의 대기에 어떤 원소가 풍부한

지에 따라 결정된다. 이 복잡한 분류 순서를 기억하고자 천문학자들은 'Oh, Be A Fine Girl/Guy, Kiss Me'라는 문장을 만들었다. 이 순서가 별의 표면 온도와도 관련이 있다는 사실이 밝혀진 것은 한참이 지나서였다. 상대적으로 더 차가운 별은 더 많은 흡수선absortion line이 있는데, 차가운 대기 덕분에 단순한 분자가 형성될 수 있기 때문이다.

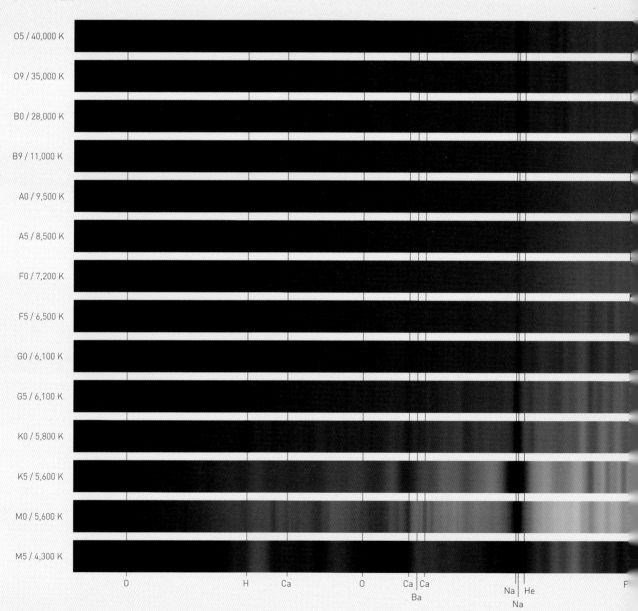

등급 / 온도, 켈빈

O5 / 40,000 K
O9 / 35,000 K
B0 / 28,000 K
B9 / 11,000 K
A0 / 9,500 K
A5 / 8,500 K
F0 / 7,200 K
F5 / 6,500 K
G0 / 6,100 K
G5 / 6,100 K
K0 / 5,800 K
K5 / 5,600 K
M0 / 5,600 K
M5 / 4,300 K

O H Ca O Ca | Ca   Na He
            Ba   Na

O / (지구의 대기에서) 산소   Fe / 철
H / 수소   Mg / 마그네슘
Ca / 칼슘   Hg / 수은
Ba / 바륨   Cr / 크롬
Na / 소듐   Ti / 티타늄
He / 헬륨   Sr / 스트론튬

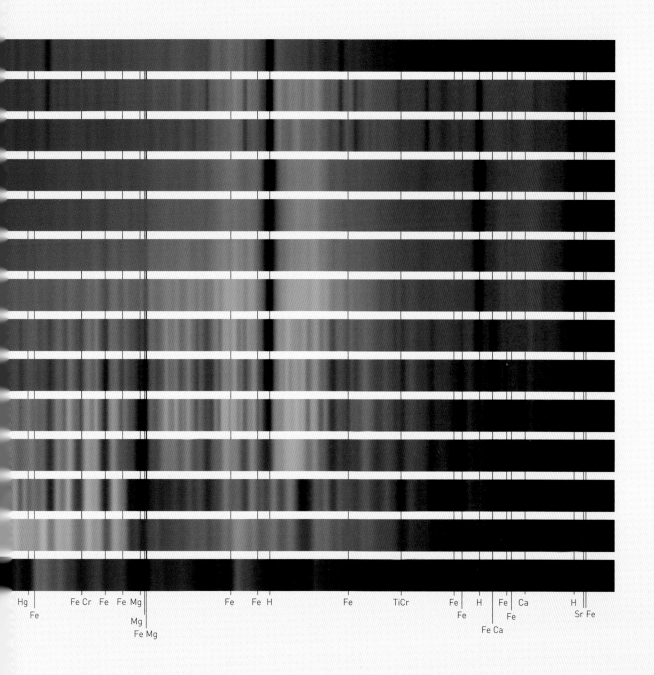

밝기와 온도

20세기 초, 에나르 헤르츠스프룽Ejnar Hertzsprung과 헨리 러셀Henry Russell은 별의 진정한 밝기를 그 색상과 비교했다. 항성의 색은 표면 온도에 따라 다르다. 상대적으로 뜨거운 별은 푸른색으로, 차가운 별은 붉은색으로 나타난다. 이 두 속성을 도표 위에 표시한 헤르츠스프룽과 러셀은 항성이 크기와 나이에 따라 다양한 집단으로 나뉜다는 사실을 발견했다. 우리는 수천 개의 별을 관측하여 얻은 최신 측정값을 사용하여 최신판 헤르츠스프룽·러셀 도표Hertzsprung-Russell diagram를 만들 수 있다.

'주계열Main Sequence'은 도표에서 대각선으로 가로지르는 부분인데, 대부분 항성은 이곳에서 대부분 삶을 보낸다. 각 항성이 주계열상에서 어느 지점에 자리 잡을지는 탄생 당시의 질량에 달렸다. 별은 나이를 먹으면서 팽창하며 그와 동시에 더 차가워지고, 더 밝아진다. 따라서 별은 점차 거성giant star과 초거성supergiant star 구간으로 다가가게 된다. 항성의 온도는 수명이 다하기 직전에 돌연히 상승하며 항성을 왼쪽 구간으로 이동하게 한다. 수명이 다한 항성은 서서히 빛과 열을 잃으면서 백색왜성white dwarf 이나 중성자별neutron star, 심지어 블랙홀black hole이 된다.

태양의 여정

A 0년: 태양의 삶이 시작된다.

B 45억 년: 현재의 태양. 향후 수십억 년에 걸쳐 태양은 조금씩 더 밝고 뜨거워질 것이다.

C 95억 년: 태양이 팽창하여 적색거성red giant이 되면서 2.3배 더 커지고, 3.2배 더 밝아진다.

D 100억 년: 이제 태양은 210배만큼 더 크고 4,200배만큼 더 밝지만, 온도가 대략 현재의 절반 정도로 줄어든다.

E 103억 년: 연료가 떨어진 태양은 외곽 층을 벗어 던진다. 질량은 현재의 절반보다 약간 더 남아 있다가 붕괴가 일어나면서 크기가 본래의 20퍼센트로 줄어든다. 온도는 10만 켈빈 정도가 되고, 현재보다 3,000배 더 밝다.

F 120억 년: 잔존한 태양의 밝기는 현재의 0.003퍼센트이며, 크기는 고작 지구의 약 1.5배에 불과하다.

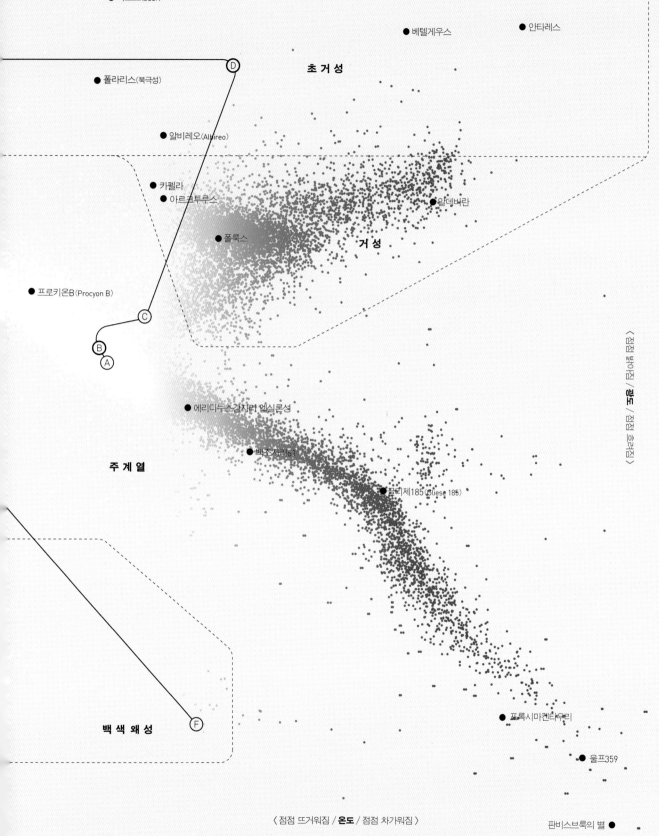

● 사드르(Sadr)

● 베텔게우스   ● 안타레스

초 거 성

Ⓓ

● 폴라리스(북극성)

● 알비레오(Albireo)

● 카펠라
● 아르크투루스   ● 알데바란

● 폴룩스   거 성

● 프로키온B (Procyon B)

Ⓒ

Ⓑ
Ⓐ

● 에리다누스강자리 입실론성

주 계 열

● 백조자리 61

● 글리제185 (Gliese 185)

백 색 왜 성

Ⓕ

● 프록시마켄타우리

● 울프359

〈 점점 뜨거워짐 / **온도** / 점점 차가워짐 〉

판비스브룩의 별 ●

〈 점점 밝아짐 / **광도** / 점점 흐려짐 〉

139

별의 생애

별의 일생은 탄생할 때 얼마나 질량이 크고 작게 태어나는지에 따라 결정된다. 더 거대하게 태어날수록 더 빠르게 연료를 소비한다. 큰 별은 짧고 굵게 사는 셈이다. 별은 핵융합을 통해 엄청나게 비축된 수소를 점차 더 무거운 원소로 바꾼다. 사실 별이 자신의 중력으로 말미암아 붕괴하지 않도록 막아주는 것이 이렇게 핵반응으로 만들어진 방

사능과 에너지다. 한번 연료가 고갈되면 별은 더는 자신을 유지할 수 없으며, 별의 내부가 붕괴하는 동안 외곽 층은 폭발한다. 연료의 고갈은 곧 별의 죽음을 의미한다. 별이 최종적으로 무엇이 되느냐는 소멸 시의 질량에 따라 달라진다.

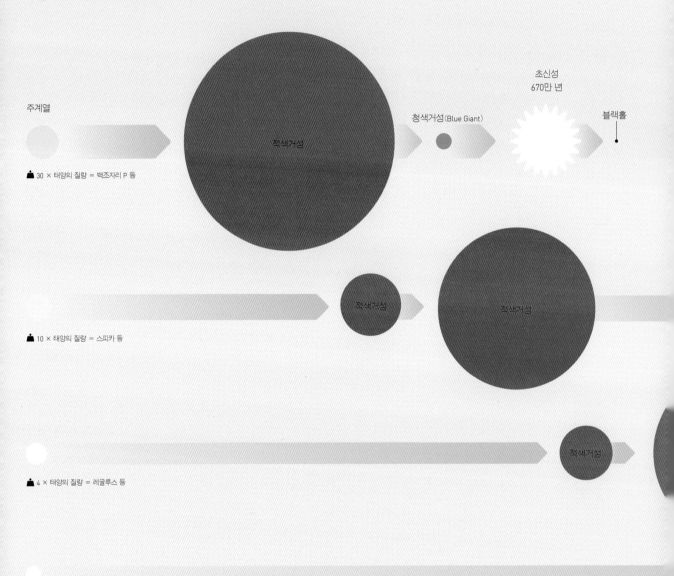

주계열

적색거성

청색거성(Blue Giant)

초신성
670만 년

블랙홀

👤 30 × 태양의 질량 = 백조자리 P 등

적색거성

적색거성

👤 10 × 태양의 질량 = 스피카 등

적색거성

👤 4 × 태양의 질량 = 레굴루스 등

👤 1 × 태양의 질량

👤 0.65 × 태양의 질량 = 백조자리61 등

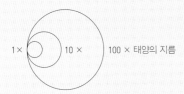

1× 10× 100 × 태양의 지름

질량이 태양의 25배보다 큰 별은 너무 빨리 붕괴하여
중성자별이 되지 못하며, 그 대신 블랙홀을 생성한다.

질량이 태양의 여덟 배보다 큰 별은 초신성이 되어
삶을 마감한다. 이들은 내부 층이 붕괴하면서 중성
자별을 형성하는데, 중성자별은 태양과 질량이 비슷
하지만 지름은 고작 20킬로미터에 불과하다.

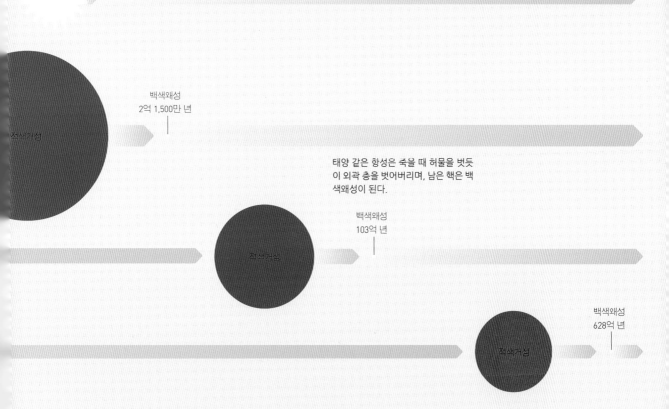

초신성
2,760만 년

중성자별

백색왜성
2억 1,500만 년

적색거성

태양 같은 항성은 죽을 때 허물을 벗듯
이 외곽 층을 벗어버리며, 남은 핵은 백
색왜성이 된다.

백색왜성
103억 년

적색거성

백색왜성
628억 년

적색거성

초신성

우리 태양보다 훨씬 더 거대한 항성은 삶의 끝에 도달했을 때, 초신성이 되어 엄청난 대폭발을 일으킨다. 이러한 폭발은 짧은 시간 동안 전 은하를 빛낼 수 있다. 우리 은하만 한 크기의 은하계에서는 세기마다 두세 개의 초신성이 나타난다고 추정한다.

지난 130년간 우리가 발견한 초신성은 모두 외부 은하에서 나타났으며, 맨눈으로 보기에는 너무 희미했다. 사람들의 기억 속에 남아 있는 가장 밝은 초신성은 SN 1987A로, 대마젤란은하(Large Magellanic Cloud)에서 1987년에 발견했다.

요즘에는 초신성을 빛의 스펙트럼에서 관측된 원소에 따라 네 가지 주요 유형으로 구분하며, 각 집단은 Ia, Ib, Ic, II이라고 불린다. 소행성의 유형을 넷으로 구분하긴 하지만, 주요 발생 원인은 두 가지다. Ia 유형의 초신성은 동반성(companion star)이 백색왜성에 물질을 쏟아부어서 결국 임계질량•에 다다른 백색왜성이 폭발할 때 생성된다. Ib와 Ic, II 유형의 초신성은 매우 거대한 별이 더는 핵융합을 일으키

• critical mass. 핵분열 물질이 연쇄반응을 일으킬 수 있는 최소한의 질량 – 옮긴이

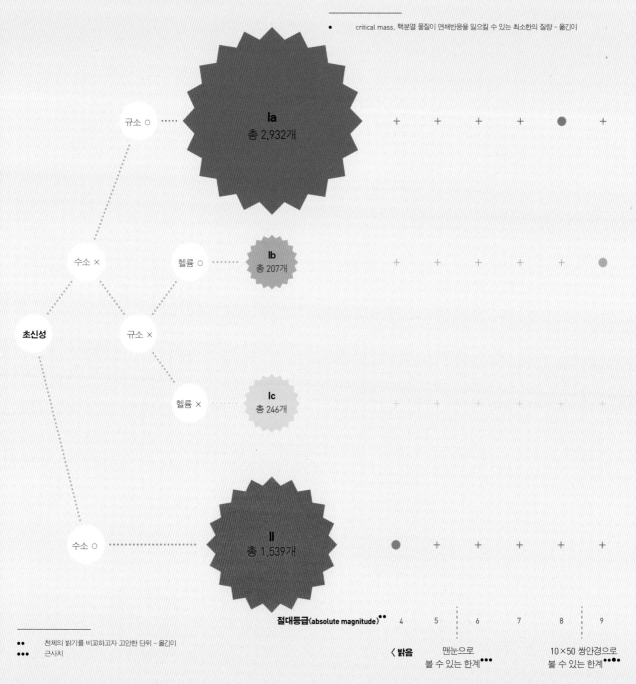

규소 ○	**Ia** 총 2,932개
수소 ✕ · 헬륨 ○	**Ib** 총 207개
초신성 · 규소 ✕ · 헬륨 ✕	**Ic** 총 246개
수소 ○	**II** 총 1,539개

절대등급(absolute magnitude)••   4   5   6   7   8   9

〈 밝음   맨눈으로 볼 수 있는 한계•••   10×50 쌍안경으로 볼 수 있는 한계••••

••   천체의 밝기를 비교하고자 고안한 단위 – 옮긴이
•••   근사치

지 못하게 되면서 자신의 중력을 상쇄할 수 없어서 핵이 붕괴하여 중성자별 또는 블랙홀 가운데 하나가 될 때 나타난다. 본래, Ib와 Ic 유형은 생애의 마지막 단계에서 항성풍stellar wind으로 인해 외각의 수소층을 대부분 잃어버린 별이었다.

지난 130년간 우리는 Ia 유형의 초신성을 다른 어떤 유형보다도 많

이 발견했다. 가장 희미한 축에 속하는 초신성은 대부분 Ia 유형이다. 그것은 부분적으로는 Ia 유형의 초신성이 사실은 가장 밝은 축의 초신성에 속할 때가 많아서 먼 거리에서도 관측할 수 있기 때문이기도 하다.

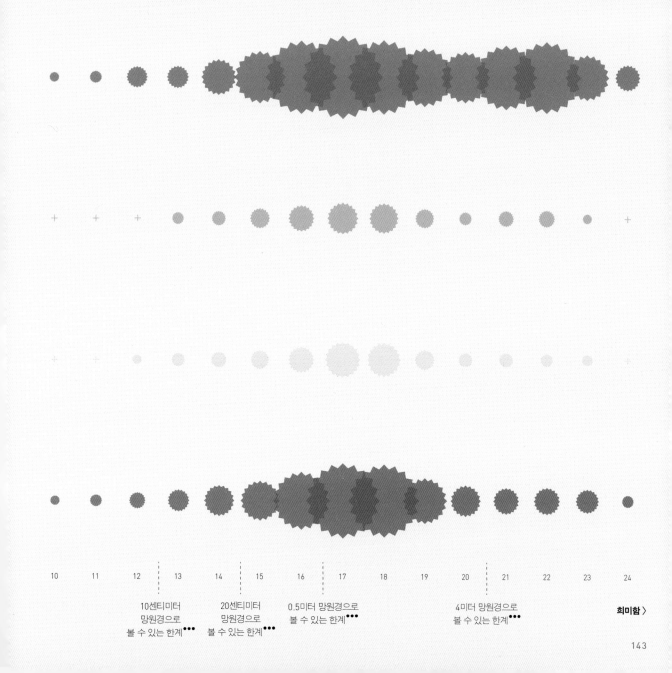

| 10 | 11 | 12 | 13 | 14 | 15 | 16 | 17 | 18 | 19 | 20 | 21 | 22 | 23 | 24 |

10센티미터 망원경으로 볼 수 있는 한계●●●

20센티미터 망원경으로 볼 수 있는 한계●●●

0.5미터 망원경으로 볼 수 있는 한계●●●

4미터 망원경으로 볼 수 있는 한계●●●

희미함 ›

펄서

1967년 케임브리지대학의 학생 조셀린 벨Jocelyn Bell은 전파망원경에서 얻은 데이터에서 '비듬 가루'를 발견했다. 비듬의 정체는 주기적으로 맥동하는pulsating 전파였는데, 벨은 비듬이 외계에 기원을 두고 있음을 깨달았다. 벨은 이것을 LGM1이라고 이름 지었다. '작은 녹색 인간 1호Little Green Man 1'라는 뜻이었다. 얼마 뒤에는 작은 녹색 인간 2호와 3호를 발견했다. 다른 사람들과 토론한 끝에 벨은 자신이 있으리라고 예상하면서도 여태까지 발견하지는 못했었던 일종의 죽은 별을 발견했음을 깨달았다.

태양보다 훨씬 더 큰 별은 초신성으로서 그 삶을 마감한다. 별의 외부가 폭발하는 동안 내부는 붕괴하면서 태양보다 살짝 질량이 큰 잔해가 도시만 한 크기로 압축된다. 붕괴가 일어나는 동안 별은 더 빠르게 자전하는데, 자기장이 집중되면서 밀도가 엄청나게 높아진다. 그로 말미암아 양성자proton와 전자electron는 강제로 중성자neutron로 합쳐지게 된다. 그 결과로 표면이 빛의 속도보다 15퍼센트나 빠르게 회전하는 중성자별이 탄생하게 된다.

중성자별은 대개 각 자극magnetic pole에서 나오는 전파로 이루어진 광

× 펄서

◎ 하나 혹은 그 이상의 동반성이 있는 펄서

⊗ 초신성 잔해supernova remnant와 관련한 펄서

돛자리 초신성 잔해(Vela Remnant of supernova)는 1만 년도 더 전에 폭발했다.

중국의 천문학자들은 1054년에 **게** 초신성 (Crab Supernova)이 폭발했다고 기록했다. 게 펄서는 1968년에 발견했다.

게 펄서Crab pulsar

게 펄서의 자기장 1세제곱센티미터는 원자력발전소 하나와 같은 출력을 내며, 1제곱미터에는 전 인류가 생산하는 에너지 총량보다도 많은 에너지가 담겼다.

J0737-3039A·B 이중 펄서

2004년 서로 공전하는 두 펄서를 발견했다. 두 천체의 움직임을 주의 깊게 관찰함으로써, 천문학자들은 일반상대성이론을 99.995퍼센트 정확도로 검증할 수 있었다.

J0737-3039A·B 이중 펄서

1992년에 이 펄서 주변에서 **B1257+12** 행성계를 발견했다.

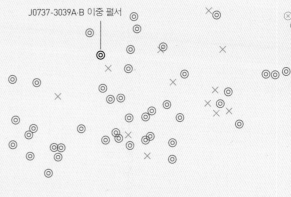

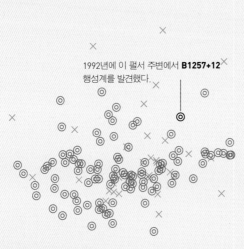

〈위〉 천천히 감속하는 펄서

〈아래〉 급격히 감속하는 펄서

0.001초 / 자전주기

0.01초 / 자전주기

0.1초 / 자전주기

선을 방출한다. 만약 자전축과 자기축^{magnetic axe}이 다르다면, 광선은 등대에서 나오는 불빛이 하늘을 훑고 지나가듯이 주위를 훑고 지나간다. 광선이 지구를 지나칠 때마다 우리는 번쩍이는 전파를 보게 된다. 이러한 현상을 일으키는 중성자별이 바로 펄서^{Pulsar} 혹은 맥동전파원^{pulsating radio star}이다.

자전 속도와 펄서가 얼마나 급속하게 느려지는지를 비교하면 흥미로운 결과가 나타난다. 더 젊은 펄서는 왼쪽 상단 가까이에서 발견되며, 동반성이 있는 펄서는 왼쪽 하단에서 발견된다. 나이를 먹어감에 따

라 펄서는 느려질 뿐만 아니라 느려지는 속도도 더뎌진다. 이에 따라 펄서는 오른쪽 하단으로 이동한다. 어느 순간 펄서는 '펄서 사선^{pulsar death line}'이라 불리는 선을 넘어가게 되는데, 이 선을 넘으면 더는 광선을 방출하지 않는 듯하다.

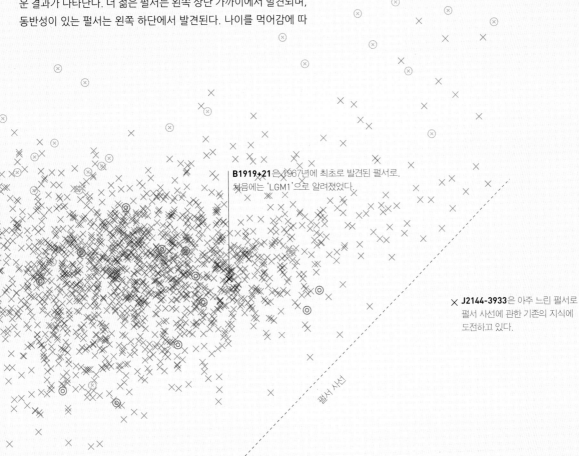

B1919+21은 1967년에 최초로 발견된 펄서로, 처음에는 'LGM1'으로 알려졌었다.

J2144-3933은 아주 느린 펄서로 펄서 사선에 관한 기존의 지식에 도전하고 있다.

펄서 사선

1초 / 자전주기

10초 / 자전주기

우리는 별이 남긴 티끌이다

생명은 복잡하다. 생명은 엄청나게 다양한 원자와 분자 사이에서 일어나는 화학반응에 의존한다. 지구상 모든 생명체의 기반은 수소와 탄소, 질소, 산소 그리고 인으로 만들어진 DNA다. 그런데 이런 화학원소들은 대체 어디에서 왔을까? 무거운 원소는 대부분 초신성 폭발이 일어날 때 생성되며, 이 가운데는 우리가 생명의 탄생에 필수적이라고 알고 있는 원소가 포함된다. 이 물질은 새로운 항성과 행성을 형성하는 재료가 된다.

태초에는

태초에* 우주는 가장 가벼운 원소인 수소와 헬륨으로 이루어진 바다였다. 그리고 이어지는 화학작용으로 말미암아 아주 소량의 리튬과 붕소, 베릴륨이 형성되었다.

• 사실 태초라고는 할 수 없다. 안정적인 원자가 처음으로 등장한 시기는 빅뱅 이후 약 38만 년이 지나서였으니까.

- 원자번호
- 원소기호
- 원소 이름

□ 생명에 필수적인 원소
■ 형성된 원소
□ 아직 형성되지 않은 원소

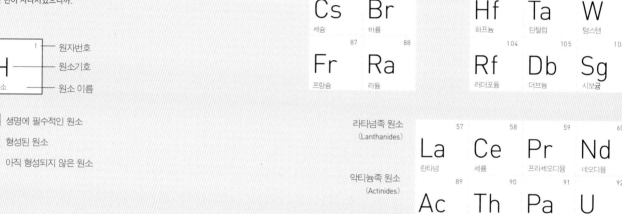

라타넘족 원소
(Lanthanides)

악티늄족 원소
(Actinides)

별의 심장

태양과 같은 항성은 수명이 다해감에 따라 탄소, 질소, 산소, 네온 그리고 규소를 생성할 수 있다.

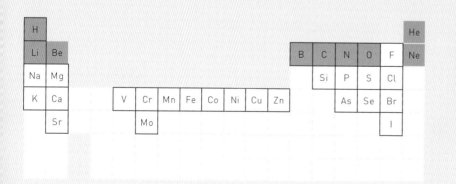

괴물 별

주기율표에서 빈칸으로 남아 있는 원소 가운데 절반은 거대한 항성의 핵에서 에너지가 만들어지는 과정에서 생성된다. 알루미늄, 규소, 산소는 지구의 지각에서 발견되는 가장 흔한 원소다.

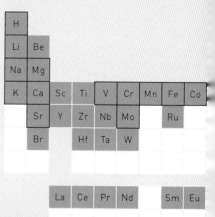

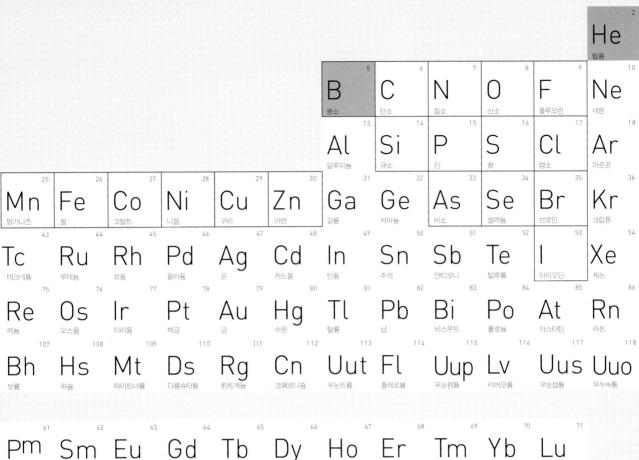

재에서 재로

대부분 무거운 원소는 가장 질량이 큰 항성의 최후인 초신성 폭발이 일어날 때 생성된다. 이렇게 생성된 물질 가운데는 우리가 생명의 탄생에 필수적이라고 알고 있는 원소가 포함된다.

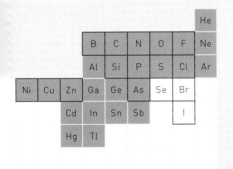

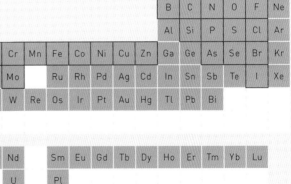

세차 운동 precession

지구 자전축의 북쪽 끝은 북극성이라고도 불리는 폴라리스 혹은 그 주위를 가리킨다. 그렇지만 폴라리스에 딱히 특별한 점은 없다. 천구의 북극 North Celestial Pole 과 폴라리스가 가지런히 정렬되는 현상은 단순한 우연이며, 정렬 상태가 항상 유지되는 것도 아니다. 지구의 자전축은 태양을 공전하는 궤도보다 23.5도 기울어져 있다. 지구의 자전축이 수만 년의 세월 동안 계속 흔들려오면서, 남극과 북극에서 보이는 하늘의 위치도 바뀌어왔다.

천구의 북극

피라미드가 한창 지어질 무렵, 천구의 북극은 용자리에 있는 항성 투반 Thuban 에 가까웠다. 이 사실에서 미루어볼 때, 1만 4000년 뒤에는 아주 밝은 항성인 베가가 북극성으로 불리게 될 것이다.

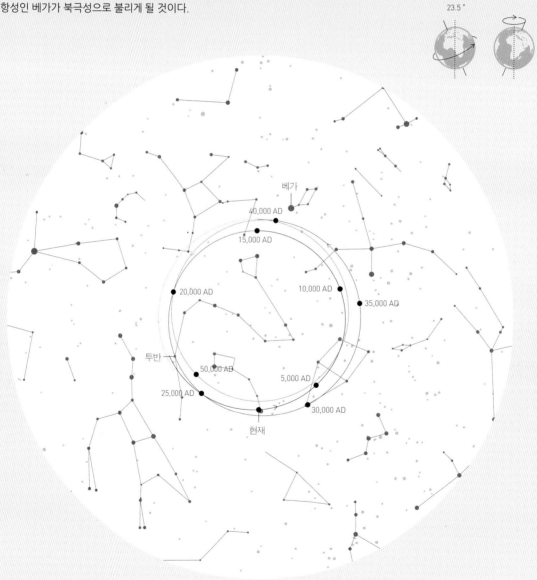

천구의 남극

현재 천구의 남극South Celestial Pole 근처에는 밝은 별이 없지만 천구의
남극이 남십자성Southern Cross을 가리킨다. 앞으로 1000년 안에 이는
모두 옛날 일이 될 것이다. 그리고 1만 4000년 안에 남극은 하늘에
서 두 번째로 밝은 별인 남극노인성과 약 10도를 이루게 될 것이다.

6장 / 은하계

은하수

외부에서 볼 때, 우리 은하 '은하수 Milky Way'는 마치 달걀 프라이 두 개의 뒷면을 서로 붙여놓은 것처럼 생겼다. 우리는 달걀노른자로부터 대략 3분의 2 바깥 지점에 있는 흰자위에 있다. 그렇기에 우리를 감싸고 있는 띠를 볼 수 있다. 지구본을 펼쳐볼 수 있듯이, 우리는 하늘을 펼쳐볼 수 있다. 우리 은하의 띠는 마치 적도처럼 지도의 중앙을 가로지른다. 그리고 지도 중앙에는 우리 은하의 중심이 있다. 지도의 왼쪽과 오른쪽 끝은 서로 이어진다. 세계 지도의 '적도' 선은

우리 은하의 원반 disc에 해당하는데, 이곳에서는 주로 지역 항성과 먼지, 성운을 볼 수 있다. 시점을 적도의 위나 아래로 옮기면, 시야를 가로막는 장애물이 줄어들어 원반 너머 천체를 더 수월하게 살펴볼 수 있다.

하늘에서는 별뿐만 아니라 다양한 유형의 물체를 볼 수 있다. 함께 형성된 성군 cluster of stars으로부터 멀고 가까운 은하계까지.

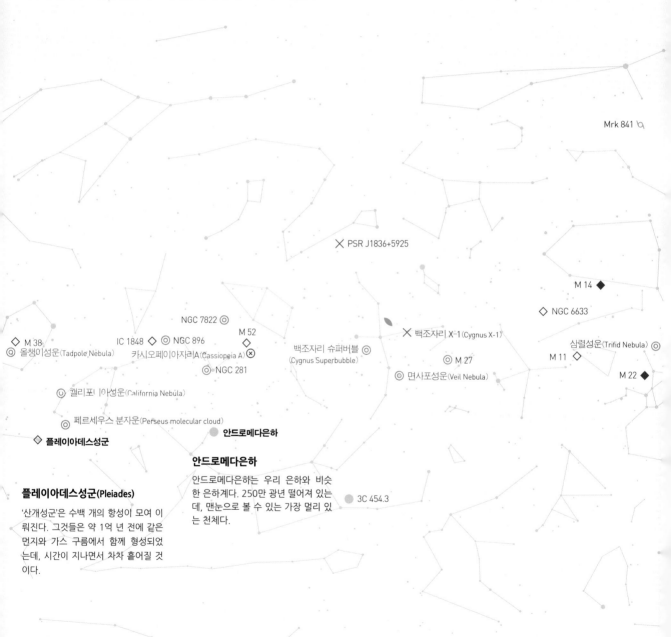

Mrk 841

PSR J1836+5925

M 14

NGC 6633

NGC 7822

M 52

백조자리 X-1 (Cygnus X-1)

삼렬성운 (Trifid Nebula)

IC 1848   NGC 896

M 38   올챙이성운 (Tadpole Nebula)   카시오페이아자리A (Cassiopeia A)   백조자리 슈퍼버블 (Cygnus Superbubble)   M 27   M 11

NGC 281   면사포성운 (Veil Nebula)   M 22

캘리포니아성운 (California Nebula)

페르세우스 분자운 (Perseus molecular cloud)

안드로메다은하

플레이아데스성군

안드로메다은하

안드로메다은하는 우리 은하와 비슷한 은하계다. 250만 광년 떨어져 있는데, 맨눈으로 볼 수 있는 가장 멀리 있는 천체다.

3C 454.3

플레이아데스성군 (Pleiades)

'산개성군'은 수백 개의 항성이 모여 이뤄진다. 그것들은 약 1억 년 전에 같은 먼지와 가스 구름에서 함께 형성되었는데, 시간이 지나면서 차차 흩어질 것이다.

천구의 북극
은하중심
천구의 남극

🝁 M 87

◉ 3C 273

◉ 3C 279

3C 273

1950년대에 천문학자들은 하늘에서 수백여 개의 매우 밝은 물체를 발견했다. 이들 가운데 상당수는 은하중심에 초질량의 블랙홀이 있는 멀리 떨어진 은하로 밝혀졌다. 이러한 물체는 이제 퀘이사   (준항성체)라고 불린다.

◉ QSO J1512-0906

켄타우루스자리 A(Centaurus A)

가시광선으로 볼 때는 평범한 은하처럼 보이지만, 초질량의 블랙홀이 있는 은하중심으로부터 두 개의 돌출부가 서로 반대 방향으로 튀어나와 있다.

돛자리 초신성 잔해(Vela Supernova Remnant)

1만 1,000년 전에 돛자리를 향해 폭발한 거대한 항성의 잔해. 그 중심에 중성자별을 포함한다.

✳ 북쪽 전갈자리(Upper Scorpius)
✳ 로오피유키(Rho Ophiuchi)

🝁 켄타우루스자리 A
◆ 켄타우루스자리 오메가 성군

◇ NGC 4755

◎ 용골성운(Carina Nebula)

◇ IC 2602

⊗ 돛자리 초신성 잔해

◇ M 93

SN 437 ×

◎ 장미성운(Rosette Nebula)
계자리 초신성 잔해(Crab Supernova Remnant) ⊗

◇ M 41

오리온자리 람다성 ✳
(Lambda Orionis)
◎ 불꽃성운(Flame Nebula)
◎ 오리온성운

켄타우루스자리 오메가 성군(Omega Centauri)

우리 은하에서 가장 큰 구상성군이다. 이 구형에 가까운 성군의 별들은 수십억 년 전에 함께 생성되었으며, 중력 때문에 서로 묶여 있다.

오리온성운 (Orion Nebula)

성운은 먼지와 가스 구름에서 생성된 별이 모인 집단이다. 가장 밝게 보이는 성운은 지구에서 약 1,500광년 떨어진 오리온성운이다.

🝀 대마젤란은하

◉ 소마젤란은하(Small Magellanic Cloud)

대마젤란은하와 소마젤란은하

대마젤란은하와 소마젤란은하는 은하수를 중심으로 공전하는 은하계다. 남반구에서는 두 은하를 맨눈으로 볼 수 있다.

× SN 2006dd

보이지 않는 은하

우리 눈에 보이는 부분은 전체 그림의 극히 일부에 불과하다. 우리는 전파망원경을 통해서 처음으로 맨눈으로는 볼 수 없는 세계를 흘끗 봤다. 전파망원경은 우리 은하의 띠처럼 익숙한 부분을 보여주기도 했지만, 처음 보는 이상한 물체도 보여줬다. 우리는 이제 우주망원경으로 거의 모든 전자기파 스펙트럼electromagnetic spectrum을 볼 수 있다.

1 / 감마선

페르미감마선우주망원경은 에너지 상태의 아원자입자(subatomic particle)를 지상에 설치한 입자가속기보다 훨씬 자세히 연구할 수 있게 해준다. 그리고 블랙홀과 우주에서 일어나는 그 밖의 고에너지 사건들이 어떤 영향을 미치는지 볼 수 있게 해준다.

2 / 적외선

적외선 관측 망원경인 아이라스는 미국과 영국, 네덜란드가 합작해서 만든 인공위성이다. 적외선은 은하 권운(galactic cirrus)이라고 불리는 따뜻한 먼지구름을 탐지할 때 특히 유용하다.

3 / 마이크로파

플랑크(Planck) 위성은 유럽우주기구가 2009년에 개시한 임무다. 플랑크 위성은 우리 은하계의 가스와 먼지를 보여줄 뿐만 아니라 은하계 평면(plane)보다 높고 낮은 곳에서 빅뱅 이후 고작 38만 년 뒤에 만들어진 우주 최초의 빛을 보여준다.

4 / 엑스선

뢴트겐 위성(Röntgensatellit, ROSAT)은 독일과 미국, 영국이 합작한 엑스선 인공위성이었다. 엑스선은 수백만 도까지 가열된 물질에서 생성된다. 따라서 엑스선은 우주 폭발과 고속 물질에 의해 만들어질 수 있다. 검은색으로 나타나는 줄무늬는 실존하는 형상이 아니라 인공위성에서 생긴 문제로 말미암아 빠진 부분이다.

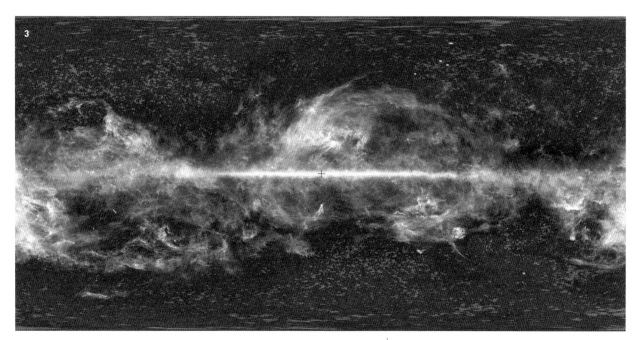

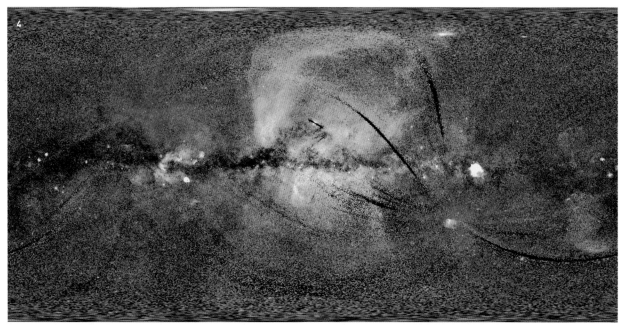

은하계의 편광Polarisation

우리 은하에는 하전 입자charged particle가 움직이면서 생겨난 자기장이 있다. 우리가 이 자기장을 직접 보지는 못하지만, 우주 먼지의 미세한 알갱이가 정렬되는 모습 등 자기장이 일으키는 부수적인 현상은 볼 수 있다. 유럽우주기구의 플랑크 위성은 하늘 전체에서 나타나는 미세한 우주 먼지의 정렬 양상을 보여줬으며, 우리 은하와 주변 은하계의 복잡한 구조를 밝혀냈다. 이를 통해 우리는, 별과 먼지가 인근 지역에서 형성될 때 자기장에 발생시키는 왜곡과 교란을 쉽게 식별할 수 있다.

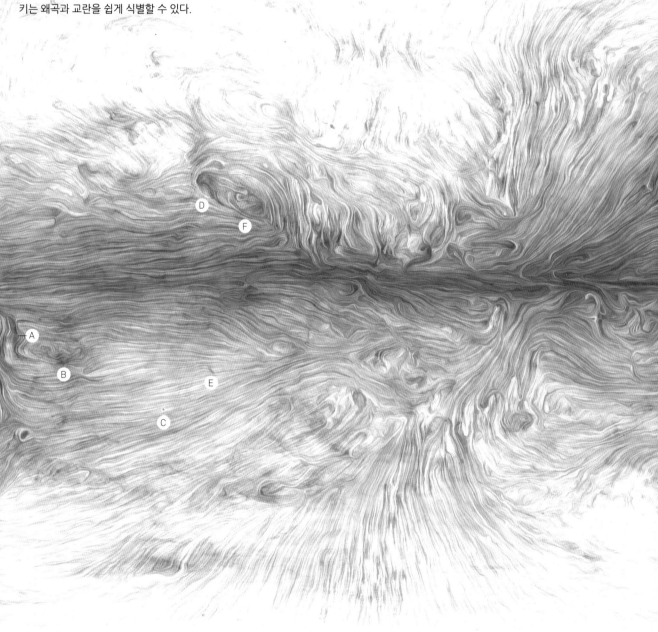

A / 황소자리 분자운(Taurus molecular cloud)
B / 페르세우스자리 분자운
C / 삼각형자리은하(Triangulum Galaxy)

D / 폴라리스 플레어(Polaris flare)
E / 안드로메다은하
F / 케페우스 플레어(Cepheus flare)

G / 로오피유키
H / 소마젤란은하
I / 용골성운

J / 대마젤란은하
K / 돛자리 분자 마루(Vela molecular ridge)
L / 오리온 분자운(Orion molecular cloud)

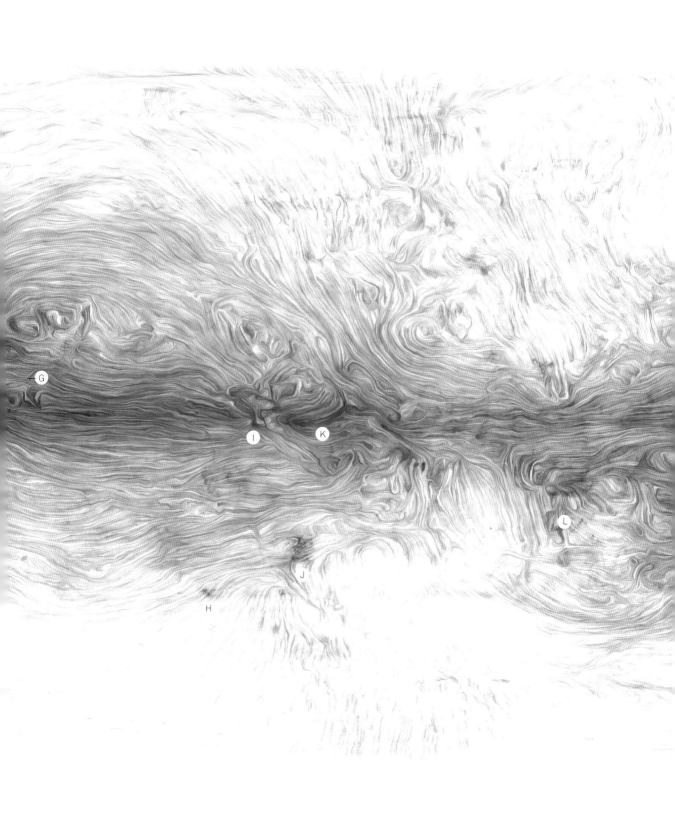

우리 은하의 구조

우리가 보는 별은 대부분 태양으로부터 수천 광년 이내에 있는데, 은하계의 규모를 고려해보면 비교적 가까운 지역에 있는 셈이다. 초창기 관측에 따르면 우리 은하는 원반형이며, 약 10만 광년 거리에 수천 광년의 두께. 1980년대에 이루어진 관측은 오래된 별의 일부가 3만 광년이 넘는 더 두꺼운 원반 안에 있음을 보여줬다. 이 원반 주위에는 구체에 가까운 별들의 '헤일로halo'가 있다. 이 별들은 은하계에서 가장 오래된 별이며, 헤일로에는 아주 오래된 구상성단이 여럿 포함된다.

전파와 적외선 파장을 통해 은하계 지도를 제작함으로써 시야를 가로막는 먼지의 상당량을 꿰뚫어 볼 수 있으며, 3차원 구조로 된 지도를 만들 수 있다. 우리는 이제 두 개의 주요 나선 팔spiral arm이 은하중심에 있는 3만 광년 길이의 막대 끝에서 뻗어 나온다는 것을 안다. 두 나선 팔은 고정된 구조는 아니지만, 별의 밀도가 높은 위치를 보여준다. 두 나선 팔은 별들과 별개로 움직인다. 마치 고속도로에서 차들이 앞으로 나감에 따라 교통 체증이 뒤로 이동하는 것과 비슷한 이치다.

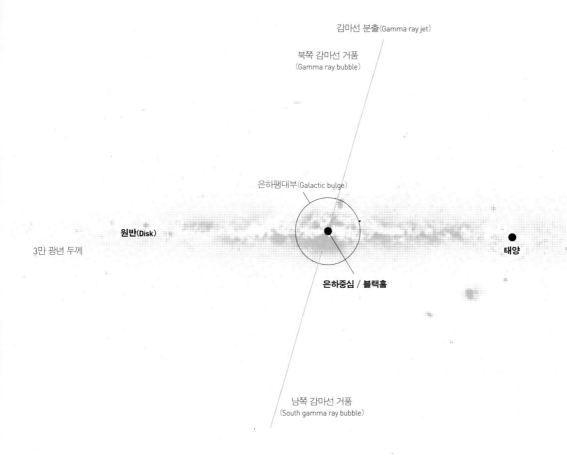

감마선 분출(Gamma ray jet)

북쪽 감마선 거품
(Gamma ray bubble)

은하팽대부(Galactic bulge)

원반(Disk)

3만 광년 두께

태양

은하중심 / 블랙홀

남쪽 감마선 거품
(South gamma ray bubble)

2010년, 나사의 페르미Fermi 인공위성은 우리 은하의 중심부에 뜨거운 가스로 이루어진 거품이 있다는 증거를 발견했다. 이 거품은 어쩌면 거대한 별이 폭발하면서 만들어졌을 수도 있고, 은하중심에 있는 초질량 블랙홀과 연관이 있을 가능성도 있다.

10만 광년 거리

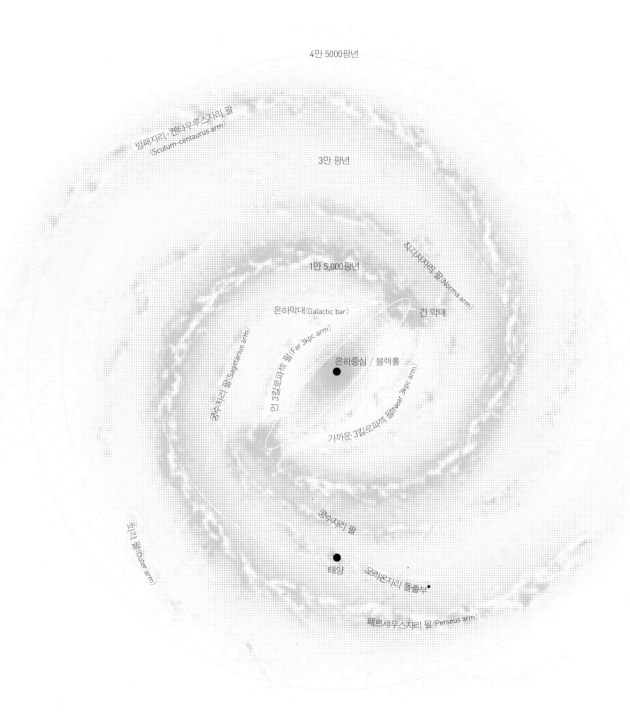

4만 5000광년

방패자리·켄타우루스자리 팔
(Sculum-centaurus arm)

3만 광년

직각자리 팔(Norma arm)

1만 5,000광년

은하막대(Galactic bar)

긴 막대

궁수자리 팔(Sagittarius arm)

먼 3킬로파섹 팔(Far 3kpc arm)

은하중심 / 블랙홀

가까운 3킬로파섹 팔(Near 3kpc arm)

백조자리 팔

바깥 팔(Outer arm)

태양

오리온자리 돌출부●

페르세우스자리 팔(Perseus arm)

태양은 '오리온자리 돌출부'의 중심에서 약 2만 8,000광년 떨
어진 곳에 자리 잡고 있는데 두 주요 나선 팔 사이, 원반 중심의
바로 아래에 있다.

● Orion Spur, 오리온자리 팔(Orion arm)의 별칭이다. – 옮긴이

159

국부 은하 시트

우리 은하인 은하수는 수많은 은하 가운데 하나일 뿐이다. 우리와 가장 가까운 은하는 대마젤란은하, 소마젤란은하와 궁수자리 왜소은하Sagittarius Dwarf Galaxy다. 가장 가까이에 있는 큰 은하계는 250만 광년 떨어진 안드로메다 은하계다.

우리 은하와 안드로메다은하 그리고 약 500만 광년에 걸쳐 뻗어 있는 50여 개의 왜소은하는 함께 국부 은하군Local Group을 형성한다. 국부 은하군 너머 약 2,500만 광년에는 40~50여 개의 밝은 은하가 있

다. 이 은하 가운데 다수는 한데 모여 국부 은하 시트Local Galaxy Sheet를 이룬다. 국부 은하 시트는 얇은 팬케이크 모양의 은하단Galaxy cluster으로 국부 초은하단Local Supercluster을 향해 8도만큼 기울어져 있다(초은하단은 5억 광년에 걸쳐 10만여 개의 은하가 모인 것이다).

사자자리 방향에는 M96 은하군이라고 알려진 작은 은하계 집단이 있다. M96 은하군은 국부 은하군과 물리적으로 분리되어 있지만, 똑같이 국부 초은하단에 속한다.

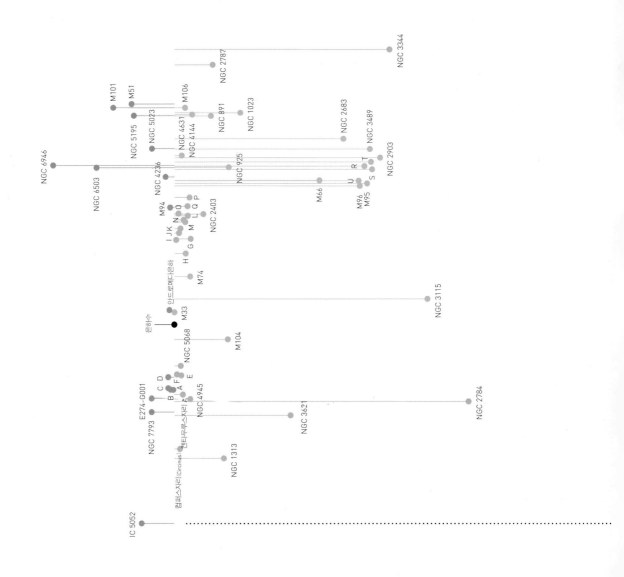

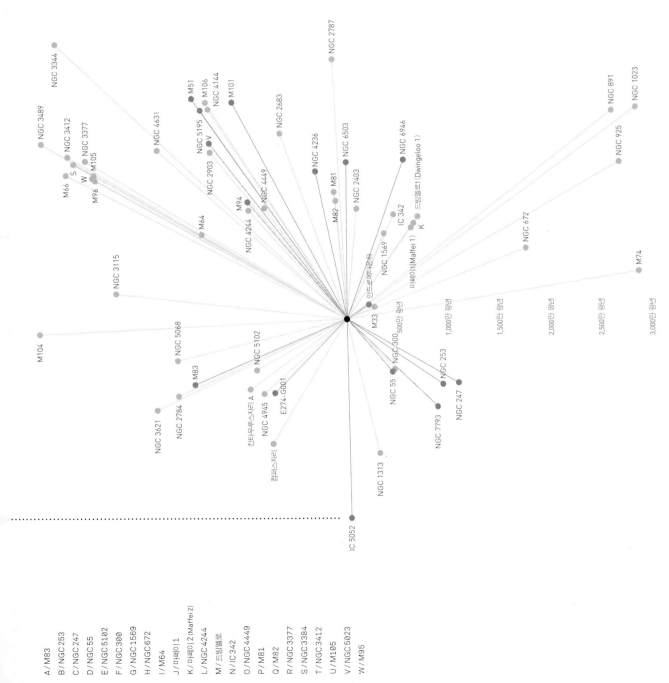

NGC 2787

NGC 3344

NGC 3489

NGC 3412

NGC 3377

NGC 891

NGC 1023

M51

M106

NGC 4144

M101

NGC 925

NGC 4631

NGC 5195

V

NGC 2683

NGC 672

M96

S

NGC 105

NGC 4236

M81

NGC 6503

NGC 6946

M74

M66

W

M105

NGC 2903

NGC 4449

M82

NGC 2403

드빙엘로(Dwngeloo 1)

M94

IC 342

K

M64

NGC 4244

NGC 1569

마페이1(Maffei 1)

안드로메다은하

NGC 3115

M33

NGC 5068

NGC 300   500만 광년

1,000만 광년

1,500만 광년

2,000만 광년

2,500만 광년

3,000만 광년

M104

NGC 5102

NGC 55

NGC 253

M83

E274-G001

컨타우루스자리 A

NGC 4945

NGC 3621

NGC 2784

NGC 7793   NGC 247

조각실자리

NGC 1313

IC 5052

A / M83
B / NGC 253
C / NGC 247
D / NGC 55
E / NGC 5102
F / NGC 300
G / NGC 1569
H / NGC 672
I / M64
J / 마페이 1
K / 마페이 2 (Maffei 2)
L / NGC 4244
M / 드빙엘로
N / IC 342
O / NGC 4449
P / M81
Q / M82
R / NGC 3377
S / NGC 3384
T / NGC 3412
U / M105
V / NGC 5023
W / M95

161

가장 가까운 은하 3만 개

우주를 들여다보면, 우리는 은하계들이 고르게 퍼져 있지 않다는 사실을 깨닫게 된다. 가스로 된 원시 수프(primordial soup)로부터 은하계가 형성될 때 중력은 이들을 끌어당기기 시작했다. 은하계는 거대한 무리를 이루어 살며, 하늘에 한 줄로 길게 늘어서 있다. 우리 은하는 인접한 은하단으로 끌어당겨 지며, 이 은하단은 훨씬 멀리 떨어진 초은하단인 '거대 인력체(Great Attractor)'를 향해 서서히 다가간다.

회피대(Zone of avoidance, 우리 은하의 평면)

은하계 유형
- ✎ 나선은하
- ○ 타원은하
- ● 기타

거리
●●●●● 가까움 – 멈

A / 페르세우스자리·물고기자리 초은하단
(Perseus-Pisces Supercluster)
B / 섀플리 초은하단(Shapley Supercluster)
C / 처녀자리 초은하단(Virgo Supercluster)
D / 거대 인력체
E / 머리털자리 초은하단(Coma Supercluster)

은하계 동물원

1926년 천문학자 에드윈 허블Edwin Hubble은 은하의 형태를 분류하는 방법을 제안했다. 이 방식은 허블 순차Hubble sequence로 알려졌으며, 흔히 허블 소리굽쇠Hubble Tuning Fork라고 불린다. 허블 순차의 한쪽 끝에는 구형 은하가 있으며, 반대쪽 끝에는 나선형 은하가 있다. 포크 모양으로 갈라지는 이유는 나선은하가 은하중심에 막대가 있느냐 없느냐에 따라 두 집단으로 나뉘기 때문이다.

은하계의 모습을 바탕으로 은하계를 분류하는 작업은 시간이 오래 걸리고, 컴퓨터가 처리하기에는 놀랄 만큼 어려운 작업이다. 2007년에

슬론 디지털 전천 탐사Sloan Digital Sky Survey에서 수십만 개의 은하를 발견하면서, 천문학자들은 데이터를 처리할 새로운 방법을 찾아야만 했다. 천문학자들은 웹사이트 '은하계 동물원galaxyzoo.org'을 만들고 일반인 회원에게 은하를 분류해달라고 요청했다. 이 웹사이트는 엄청난 성공을 거두었다. 2010년까지 회원 수가 8만 4,000명에 가깝게 늘어났으며, 회원들은 30만 개의 은하 가운데 16만 개를 세부적으로 분류했다. 천문학자들은 이 자료를 통해 은하계의 모습에 관한 역사상 가장 크고 신뢰할 만한 데이터베이스를 구축했다.

○ 은하계의 숫자(개)

타원은하

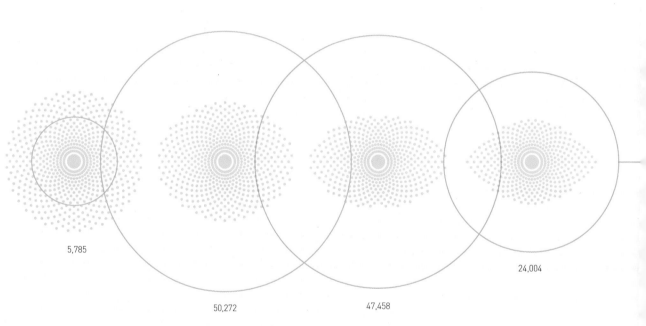

5,785

50,272

47,458

24,004

나선은하(일반)

37,818

49,107

1,843

5,564

막대나선은하(barred spiral galaxy)

306

11,024

9,207

865

텅 빈 공간

우주는 비어 있다. 진실로 그러하다. 우주의 평균 밀도는 1세제곱미
터당 1 수소 원자에 불과하다.

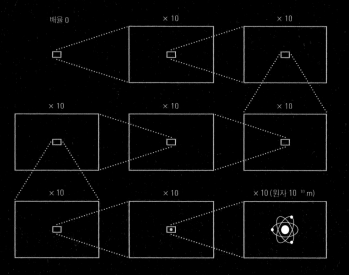

우주 모형

우주는 세상 만물을 다 담고 있다. 우리가 생각하는 우주의 의미와 그 안에서 우리가 차지하는 위치는 지난 수천 년에 걸쳐 크게 변해왔다. (전부는 아니지만) 여러 초창기 사상들은 지구를 우주의 중심에 두었다. 지구의 주위에는 원을 그리며 회전하는 여러 행성이 있었으며, 그 너머에는 수많은 '붙박이별fixed star'이 있었다. 어떤 이들은 별이 우리의 태양과 같으며, 멀리 떨어진 채로 제각각 행성계를 갖고 있다고 주장했다. 플라톤식 우주는 중앙의 지구와 그 주위를 구형으로 회전하는 여러 행성으로 이루어졌다. 그런데 플라톤Plato의 우주론으로는 관측되는 별의 움직임을 설명하지 못한다는 사실이 명백했다. 그렇기에 프톨

레마이오스Ptolemy는 여기에 이심원eccentric circle과 주전원epicycle을 추가했다. 프톨레마이오스에 따르면 행성들은 지구 밖에 있는 다른 점을 중심으로 공전하는 점의 주위를 공전한다.•

중세의 우주 모형은 계속해서 플라톤의 영향을 받긴 하지만, 당시의 종교적 가르침도 포함하며, 빙겐의 힐데가르트Hildegaard of Bingen가 주장한 우주 알cosmic egg 같은 참신한 형태가 나타나기도 했다.

16세기부터 수학과 관측은 더 큰 역할을 하기 시작했다. 코페르니쿠스Nicolaus Copernicus는 만약 태양을 중심에 놓고 여러 행성이 태양을 완벽한 원형 궤도로 공전한다고 본다면 계산이 훨씬 쉬워진다는 사실

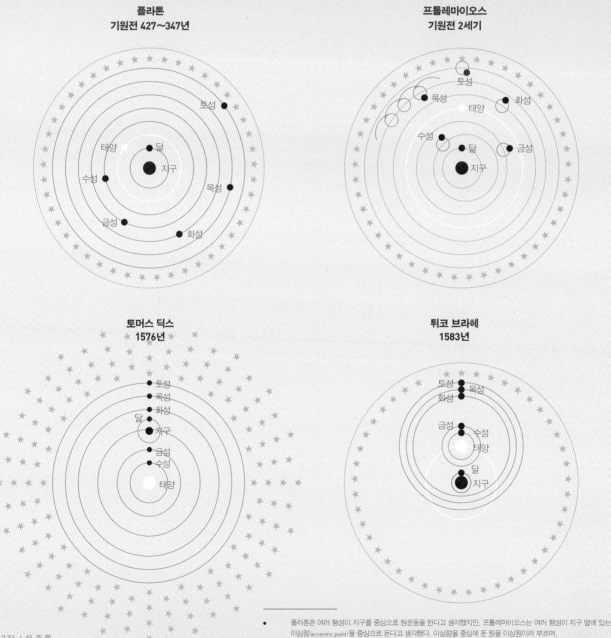

• 플라톤은 여러 행성이 지구를 중심으로 원운동을 한다고 생각했지만, 프톨레마이오스는 여러 행성이 지구 옆에 있는 이심점(eccentric point)을 중심으로 돈다고 생각했다. 이심점을 중심에 둔 원을 이심원이라 부르며, 행성들은 각각의 이심원을 따라 원을 그리며 돈다. 그리고 각 행성이 그리는 원을 주전원이라고 부른다. - 옮긴이

을 발견했다.

토머스 딕스Thomas Digges는 별을 훨씬 더 넓은 우주 공간에 분산하는 형태로 코페르니쿠스의 관점을 보완했다.

덴마크의 천문학자 튀코 브라헤Tycho Brahe는 자신의 관측 결과를 기존의 지구중심설에서 딱 한 가지만 타협한 지구중심설을 홍보하는 데 사용했다. 브라헤에 따르면 태양은 여전히 지구 주위를 돈다! 다른 모든 행성은 지구 대신 태양을 중심으로 공전하지만 말이다. 케플러 Kepler는 코페르니쿠스의 태양을 중심으로 한 우주관을 다시 가져오지만, 행성들이 타원형으로 공전한다고 보았다.

지적 계몽이 이어지면서 관측 능력이 향상되고 이론적 진보도 이루어졌다. 토머스 라이트Thomas Wright와 임마누엘 칸트Immanuel Kant는 우리 은하에 띠가 존재한다는 사실로 미루어볼 때, 우리 주위에 별들이 원반 형태로 분포되어 있을 수밖에 없다고 주장했다. 이는 심지어 우리 은하가 우주의 '수많은 섬' 가운데 하나일 뿐이라는 사실을 시사했다. 오늘날 우리의 관측 능력은 선조보다 훨씬 우수하지만, 여태까지 늘 그래왔듯이, 선조의 발자취는 우리의 현재 우주 모형도 전체 그림을 다 담고 있지는 않다는 사실을 암시한다.

빙겐의 힐데가르트
1142년

니콜라우스 코페르니쿠스
1543년

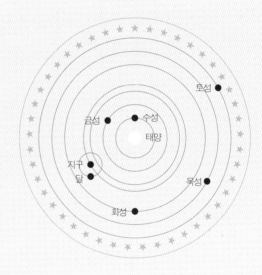

토머스 라이트 1750년

우주 거리 사다리 Cosmic distance ladder

지구에 갇힌 채로 우주에서의 거리를 측정하기는 쉽지 않다. 가까운 두 물체의 거리를 측정할 때는 간단한 기하학을 이용하면 되지만, 우주 저 멀리를 바라볼 때는 다른 방법을 사용해야 한다. 여러 기법이 물체 본연의 밝기인 '표준촉광standard candle'을 찾아낸 후 겉보기 밝기apparent brightness와 비교하는 방식에 의존한다. 각 방법은 서로 다른 거리에서 작동한다. 그러므로 작동 범위가 겹치는 기법들을 충분히 찾아낸다면, 이 기법들을 하나로 연결하여 '우주 거리 사다리'를 만들 수 있다. 유럽우주기구의 가이아Gaia 인공위성은 현재 훨씬 더 먼 거리까지 시차*를 측정한다.

• parallax, 아주 먼 곳에 고정된 배경이 존재하는 상황에서 상대적으로 가까운 곳에 있는 어떤 물체를 서로 다른 두 지점에서 관찰할 때 나타나는 겉보기 위치의 차이 – 옮긴이

레이더

태양계 안의 인근 물체는 레이더를 이용하여 거리를 직접 측정할 수 있다. 금성의 레이더 측정 결과는 지구의 공전궤도 규모를 정의하는 데 도움을 주었다.

시차

눈앞에 손가락을 하나 놓고 번갈아가며 한쪽 눈을 감아보라. 더 멀리 있는 물체와 비교할 때 눈앞의 손가락이 더 많이 움직이는 것처럼 보일 것이다. 지구의 공전궤도 양옆에서 별의 위치를 측정함으로써 똑같은 기법을 사용할 수 있다. 별의 위치가 더 많이 이동할수록 별은 더 가까운 곳에 있다.

분광시차

별이 충분히 밝으면 빛의 스펙트럼을 측정할 수 있다. 스펙트럼 안에 있는 시커먼 흡수선absorption line을 찾아내면 별 본연의 밝기intrinsic brightness를 계산할 수 있으며, 별 본연의 밝기를 알아내면 그 거리를 계산할 수 있다.

주계열 맞추기 방식

우리는 같은 성단 안에 있는 별은 모두 같은 시기에 형성되었다고 가정한다. 또한 성단에는 많은 별이 몰려 있으므로 지구에서 각 별까지의 거리가 근사적으로 같다고 상정할 수 있다. 한 성단 안에 있는 모든 별의 겉보기 밝기와 색상을 측정하고, 이 값을 헤르츠스프룽·러셀 도표 위에 표시하면 '주계열'이라고 불리는 집단을 볼 수 있다. 주계열이 다른 성단의 주계열보다 얼마나 밝은지 (혹은 희미한지) 측정함으로써, 우리는 해당 성단의 상대적인 거리를 알아낼 수 있다.

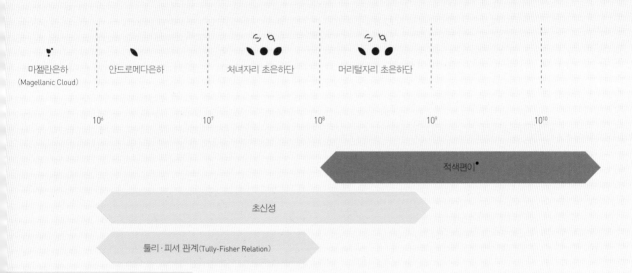

● 직접측정(Direct measurement)
○ 표준촉광
● 기타

마젤란은하
(Magellanic Cloud)

안드로메다은하

처녀자리 초은하단

머리털자리 초은하단

10^6 10^7 10^8 10^9 10^{10}

적색편이●

초신성

툴리·피셔 관계(Tully-Fisher Relation)

세페이드형 변광성

세페이드형 변광성은 팽창과 수축을 반복하면서 밝아졌다가 어두워졌다가 한다. 이 별이 한 번 깜빡이는 데 걸리는 시간은 그 밝기와 직접적인 관계가 있다. 이를 통해 별의 진정한 밝기를 알아낼 수 있으며, 이 밝기를 겉보기 밝기와 비교하면 거리를 알아낼 수 있다.

툴리·피셔 관계

1997년 천문학자 브렌트 툴리[Brent Tully]와 제임스 리처드 피셔[J. R. Fisher]는 나선은하의 회전속도가 은하 본연의 밝기와 관계가 있음을 깨달았다. 도플러효과●●를 이용해 회전속도를 측정함으로써 거리를 알아낼 수 있다.

초신성

Ia 유형의 초신성은 백색왜성이 임계 질량(태양 질량의 1.44배)에 도달하여 폭발할 때 나타난다. 폭발이 특정한 질량에서 일어나므로 각 폭발의 진정한 밝기는 항상 같을 수밖에 없다. 겉보기 밝기를 측정한 다음에 이미 알고 있는 진정한 밝기와 비교하면 초신성과의 거리를 알 수 있다.

적색편이

우주는 팽창하고 있다. 이는 먼 은하에서 방출된 빛은 우리를 향해 이동하면서 늘어난다는 사실을 의미한다. 이 현상이 바로 적색편이이며, 빛이 얼마나 많이 늘어나느냐는 은하가 얼마나 멀리 떨어져 있는지에 따라 다르다. 빛의 스펙트럼을 측정함으로써 은하와의 거리를 알아낼 수 있다.

●   Redshift, 물체가 내는 빛의 파장이 늘어나 보이는 현상 - 옮긴이
●●   Doppler Effect, 파동원에서 나온 파동의 진동수와 파장이 관찰자의 상대속도에 따라 달라지는 현상 - 옮긴이

우주 거미줄

은하계까지의 거리를 측정하는 데는 오랜 시간이 걸리며, 은하가 아주 희미하고 멀리 떨어져 있을 때 특히 그러하다. 슬론 디지털 전천탐사는 은하계의 거리를 측정하는 전용 망원경을 사용하여 수십억 광년에 걸쳐 뻗어 있는 수백만 개의 은하에 이르는 거리를 측정했다. 우리 은하의 빛에 오염되지 않은 우주의 얇은 단면을 살펴보자, 은하단 사이에서 우주 거미줄^{cosmic web}이 그 모습을 드러냈다. 우리가 확

인한 은하는 가장 밝은 축에 속하는 은하계들뿐이었는데도 말이다. 은하계들은 옆으로 늘어선 기다란 실처럼 보이는 구조로 수십억 광년에 걸쳐 뻗어 있는데, 이런 거대 구조를 은하 필라멘트^{Galaxy filament}라고 한다. 필라멘트 사이에는 은하가 거의 없는 거대한 거시공동이 있다. 이 구조는 은하계가 보이지 않을 정도의 엄청난 거리에서도 계속 유지된다.

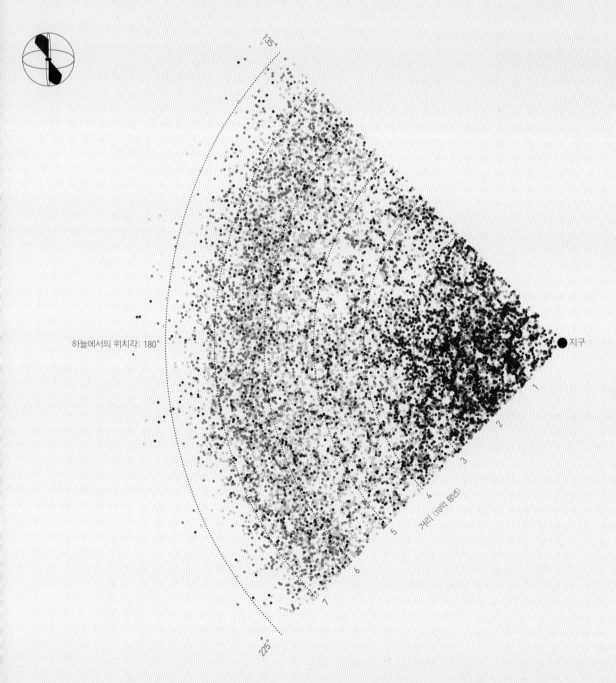

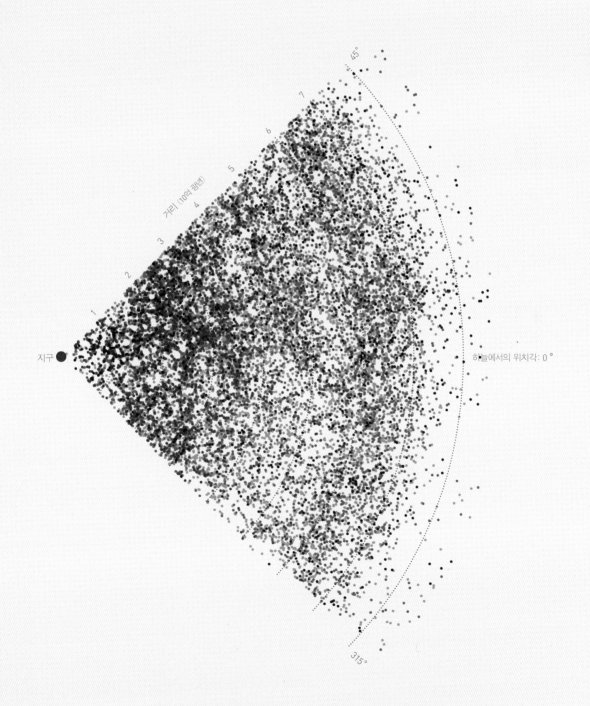

거리 (10억 광년)

지구 ●

45°

315°

하늘에서의 위치각: 0°

우주는 무엇으로 만들어졌을까

우리는 밤하늘을 보면서 주로 별을 보지만, 사실 별은 우주의 아주 작은 부분에 불과하다. 질량으로 따져보면 별은 성간가스interstellar gas의 10분의 1에 지나지 않는다. 성간가스는 먼지와 아원자입자로 이루어지며, 대개 광학망원경으로는 볼 수 없다.

이 모든 사실에 덧붙여, '암흑 물질dark matter•'은 일반 물질normal matter보다 다섯 배나 더 무겁다. 우주의 은밀한 구성 요소인 암흑 물질은 빛을 방출하지도, 흡수하지도, 산란하지도 않지만 중력이 있다.

여태까지 언급한 구성 요소를 종합한다고 해도 설명할 수 있는 부분은 전체 우주의 3분의 1뿐이다. 우주에 있는 에너지 대부분은 실로 불가사의한 '암흑 에너지dark energy' 때문에 생긴다. 암흑 에너지는 은하단을 밀어내고 우주 전체의 팽창을 가속하는 역할을 한다.

- ● **암흑 에너지 68.3%**
- ● **암흑 물질 26.8%**
-   **일반 물질 4.9%**
-   항성 0.5%
- ● 가스(Gas) 4%
- ● 중성미자(Neutrino) 0.3%
-   먼지(Dust) 0.1% 이하

- • 2018년 3월, 사상 최초로 암흑 물질이 없는 은하가 발견되는 대사건이 있었다. - 옮긴이

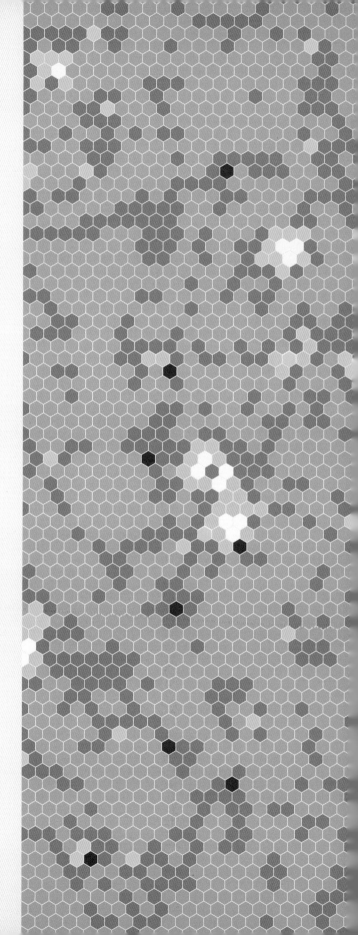

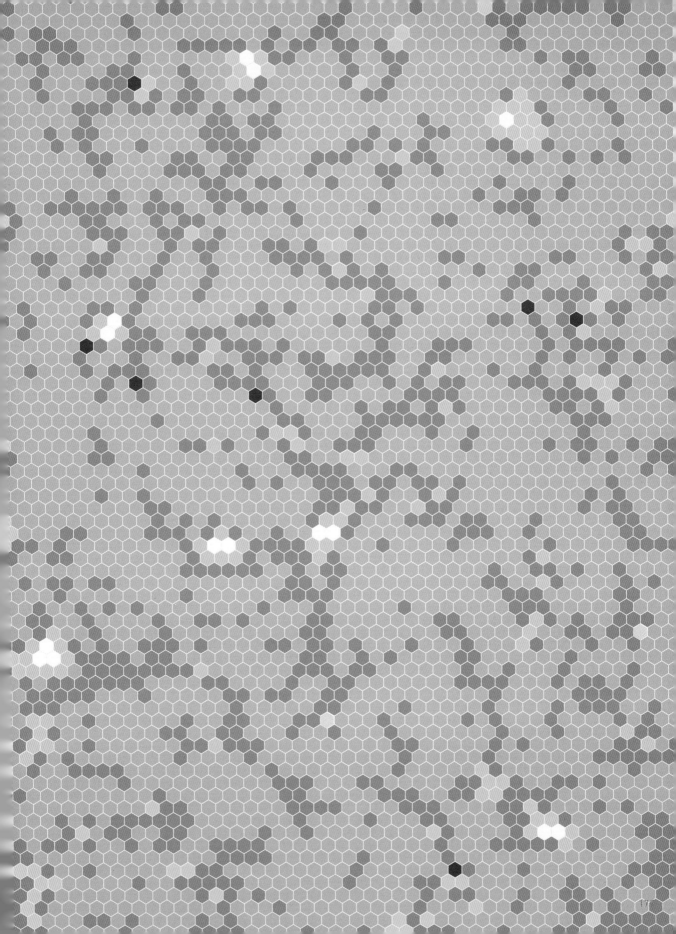

우주의 진화

현재의 물리학 이론으로는 우주가 시작되었을 때의 상황을 묘사할 수 없다. 그렇지만 그 바로 직후의 상황을 묘사할 수 있다. 우주가 탄생하는 과정에서 엄청난 고온이 발생한 것은 사실이지만, 우리는 오늘날의 지식 덕분에 이 과정이 고작 몇 분의 1초 만에 발생했음을 알 수 있다.

우주는 팽창하면서 식어가기 시작하고, 처음 3분 안에 우리를 구성하는 물질의 구성 요소가 만들어졌다. 38만 년의 세월이 흐르기 전까지 우주는 원자가 존재하기에 너무 뜨거웠다. 그리고 우주는 처음에 빛이 통과할 수 없는 상태였다. 최초의 별은 수억 년 뒤에 생겨났으며, 그 후 10억 년에 걸쳐 은하계가 형성된 것으로 보인다. 우리는

우주에서 가장 큰 구조물인 초은하단이 빅뱅이 터진 직후 처음 몇 분의 1초 동안 만들어진 아주 작은 양자 요동quantum fluctuation 때문에 생겼다고 생각한다. 빅뱅은 우리가 진정으로 이해하지는 못하는 시기이긴 하지만 말이다.

1990년대에 우리는 우주의 운명을 안다고 생각했다. 그렇지만 1998년에 멀리 떨어진 초신성을 관측한 결과, 약 40억 년 전에 예기치 못한 사태가 일어났음이 밝혀졌다. 불가사의한 암흑 에너지가 우주를 밀어내면서, 우주의 팽창 속도가 가속하기 시작한 것처럼 보인 것이다. 팽창은 실제로 일어나는 듯이 보이지만, 암흑 에너지의 정체를 아는 사람은 아무도 없다.

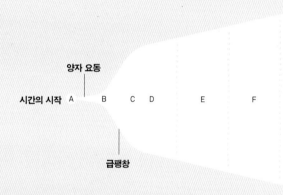

—— 가시 우주(visible universe)의 반지름

우주 마이크로파 배경
38만 년 / 3000켈빈 / 전자가 원자핵과 결합한다. 우주가 빛이 통과할 수 있는 상태가 되고, 중성 가스(neutral gas)로 가득 찬다. 암흑 시대(Dark age)가 시작된다.

물질의 지배
5만 년 / 1만 켈빈

가벼운 원자핵
(Light nucleus) 생성
3분 / 10억 켈빈

양자 요동

시간의 시작 A　B　C　D　　E　　F

급팽창

A 플랑크 시대(Planck Epoch), 물리학의 불가사의!
10^{-43}초 / 10^{32}켈빈 / 양자 중력(Quantum gravity)이 양자 요동을 형성한다.

B 급팽창의 시작
10^{-36}초 / 10^{28}켈빈 / 양자 요동이 거시적인 규모(macroscopic scale)로 폭발한다.

C 급팽창의 끝
10^{-32}초 / 10^{27}켈빈 / 우주는 거의 완전히 균일한 상태로, 방사선이 우주를 지배한다.

D 아원자입자 형성
10^{-10}초 / 10^{15}켈빈 / 쿼크(Quark)와 전자가 생성되고, 마지막에 중성미자가 형성된다.

E 양성자 형성
10^{-6}초 / 1조 켈빈 / 양성자와 중성자가 형성된다.

F 반물질(antimatter)의 소멸
1초 / 100억 켈빈 / 우주에 존재하는 대부분 물질은 암흑 물질이다.

현재
138억 년 / 2.7켈빈

암흑 에너지의 지배
100억 년 / 4켈빈 /
우주의 팽창이 가속하기
시작한다.

우리 은하 은하수 형성
50억 년 / 6켈빈

은하계의 병합
30억 년 / 7켈빈 /
처음에 생겨났던
별 형성이 절정에 달한다.

최초의 은하계 형성
10억 년 / 15켈빈 /
처음에 생겨났던
은하계들이 서로 합쳐지며
거대해진다.

최초의 별 생성
5억 년 / 30켈빈 /
별이 처음으로 형성되기
시작하면서 우주에 있는
대부분 가스를 다시
이온화한다.

10의 위력!

가장 작은 아원자입자부터 관찰할 수 있는 범위의 전체 우주까지, 우주에는 온갖 크기의 물질이 있다!

우주에 얼마나 다양한 크기의 물질이 있는지 이해하고자 우선 믿을 수 없을 정도로 작은 양성자에서부터 논의를 시작해보자. 양성자 크기에서 영상을 10배율만큼 축소하면 원자의 핵을 볼 수 있다. 10만 배율만큼 축소하면 물 분자의 크기를 볼 수 있으며, 추가로 10배율만큼을 축소하면 DNA 가닥을 볼 수 있다. 여기에서 1만 배율을 더 축소하면 우리가 매일같이 보는 머리카락의 굵기가 된다.

천문학은 엄청난 크기를 다루는데, 보통 너무나도 커서 상상조차 할수 없을 정도다. 단순히 지구 주변의 영역만 살펴봐도 그렇다. 달은 38만 킬로미터 떨어져 있는데, 인간의 기준으로는 엄청나게 먼 거리다. 천문학에서 길이를 측정하는 표준 단위는 광년인데, 대략 1,000만 킬로미터를 백만 번 움직이는 거리(대략 9조 5,000억 킬로미터)다. 우주의 규모는 심지어 광년이라는 단위를 써도 여전히 거대하다. 우리 은하에서 가장 가까운 은하인 안드로메다은하는 200만 광년 이상 떨어져 있다.

이렇게 커다란 단위를 써서 우주의 소축척 지도를 만든다고 한들, 우주는 가장 작은 단위를 쓴 대축척 지도로 봤을 때와 마찬가지로 썰렁하기 이를 데 없다. 암만 쳐다봐도 소용없다. 우주는 정말로 텅텅 비어 있으니까!

km / 킬로미터

m / 미터

cm / 센티미터

mm / 밀리미터

μm / 마이크로미터(100만 분의 1미터)

nm / 나노미터(10억 분의 1미터)

pm / 피코미터(1조 분의 1미터)

fm / 펨토미터(1,000조 분의 1미터)

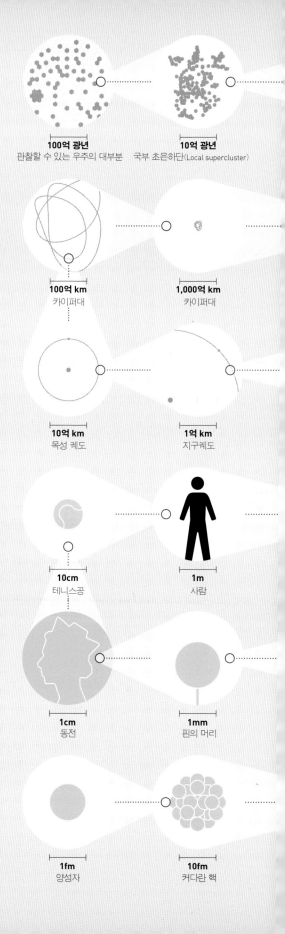

100억 광년
관찰할 수 있는 우주의 대부분

10억 광년
국부 초은하단(Local supercluster)

100억 km
카이퍼대

1,000억 km
카이퍼대

10억 km
목성 궤도

1억 km
지구궤도

10cm
테니스공

1m
사람

1cm
동전

1mm
핀의 머리

1fm
양성자

10fm
커다란 핵

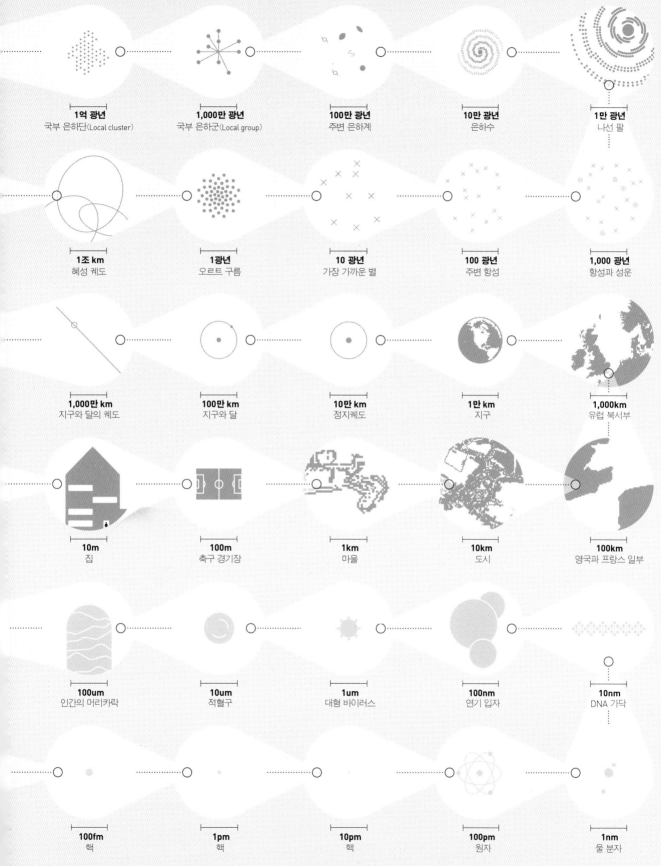

8장 / 다른 세계

외계 행성을 찾아서

외계 행성exoplanet은 태양이 아닌 다른 항성을 공전하는 행성이다. 우리는 오 랫동안 다른 행성계가 존재하리라고 의심해왔지만, 1990년대가 되어서야 그 존재를 직접 확인할 기술을 보유하게 되었다. 외계 행성을 어떻게 찾느냐 고? 몇 가지 방법이 있다.

● 깜빡거리는 별 찾기
(미세 중력렌즈 현상, microlensing)

우리가 지구에서 볼 때, 아주 작게나마 한 항성이 다른 항성 앞을 지나갈 확률이 있다. 이런 일이 일 어나면 앞쪽 별의 중력이 뒤쪽 별의 빛을 굴절하 게 해서 뒤쪽 별의 밝기가 증가한다. 만약 앞쪽 별 에 딸린 행성이 있다면, 그 행성이 공전하는 과정 에서 뒤쪽 별의 밝기가 들쭉날쭉해지고, 따라서 깜 빡거리는 것처럼 보인다. 이 방법으로 작은 행성들 을 탐지할 수 있지만, 미세 중력렌즈 현상은 단 몇 주 동안만 지속하는 일회성 사건이므로 추적·관찰 하기 어려울 수 있다.

● 사진 찍기
(직접촬영법, Direct imaging)

항성 주변에 있는 행성을 보기는 어렵다. 항성은 행 성보다 훨씬 밝기 때문이다. 행성을 보려는 시도는 스타디움의 투광조명등 옆에 있는 파리를 보려는 시도와 같다. 확률을 높이고자 우리는 행성이 더 밝 게 보이는 적외선을 이용한다. 예컨대 태양은 가시 광선으로 보면 목성보다 약 10억 배 더 밝지만, 적 외선으로는 고작 100배 더 밝다. 확률을 더 높이고 자 우리는 부모별parent star에서 나오는 빛을 차단하 려고 시도할 수 있다. 직접촬영법은 별에서 멀리 떨 어진 따뜻한 행성을 찾기에 더 적합하다.

● 흔들리는 별 찾기
(위치천문학, astrometry)

우리는 흔히 행성이 항성 주위를 돈다고 생각하지 만, 실제 사정은 조금 더 복잡하다. 항성과 행성은 둘의 공통 질량 중심center of mass을 공전한다. 시간이 흐름에 따라 항성의 위치를 매우 정확하게 측정하 면, 항성이 궤도를 따라 공전하는 모습을 볼 수 있 다. 이 현상은 행성의 공전궤도가 더 클수록 더 크 게 나타난다. 그렇지만 행성의 움직임은 아주 작으 므로 이 방법을 쓰기는 대단히 어렵다. 그런데도 유 럽우주기구의 우주선 가이아호가 이 방법으로 여 러 행성을 발견하리라고 기대한다.

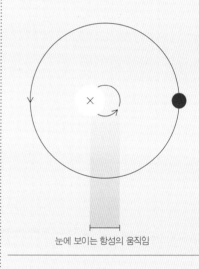

눈에 보이는 항성의 움직임

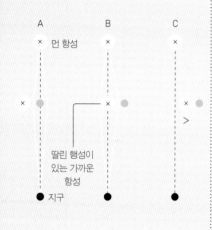

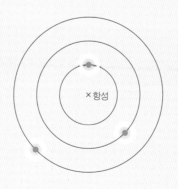

A / 행성으로 말미암아 빛이 약간 굴절된다.
B / 행성으로 말미암아 빛이 약간 굴절된다.

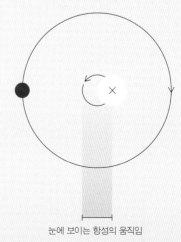

눈에 보이는 항성의 움직임

● 똑딱거리는 시계 살펴보기
(펄서 타이밍, pulsar timing)

최초로 확인된 외계 행성은 펄서로 알려진 항성 주변에서 발견했다. 펄서는 방사선 광선을 방출하는 별인데, 마치 등대처럼 빙글빙글 돌면서 빛을 내뿜는다. 펄서의 깜빡이는 빛은 아주 정확한 시계 역할을 한다. 그렇지만 펄서가 주위를 공전하는 공통 질량 중심은 그 위치가 시시각각 변하므로, 펄서 시계에는 약간씩 오차가 생길 수밖에 없다. 따라서 펄서 시계를 극도로 정밀하게 측정하면 상대적인 거리를 알아낼 수 있다. 이 방법으로 찾아낸 행성들은 실로 뜻밖의 발견이었다. 이 행성들이 펄서를 만든 폭발에서 살아남으리라고 기대하지 않았기 때문이다.

● 윙크하는 별 찾기
(횡단법, transit)

어떤 행성의 궤도 평면이 지구와 정렬되면, 그 행성은 부모별과 지구 사이를 통과하게 된다. 이 과정에서 행성은 부모별의 빛을 약간 가로막는데, 어두워지는 정도는 행성의 크기에 비례한다. 더 큰 행성일수록 더 많은 빛을 가로막는다. 행성이 부모별을 공전할 때마다 어두워지는 현상이 반복되므로, 어두워지는 주기는 행성의 공전 시간을 알려준다.

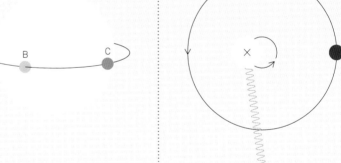

● 흔들거리는 별 찾기
(시선속도법, radial velocity)

별은 궤도를 돌면서 우리 쪽으로 혹은 우리 반대쪽으로 약간씩 이동한다. 별이 우리 쪽으로 움직일 때, 도플러효과로 별빛은 약간 더 푸른색을 띤다. 반면 우리 반대쪽으로 움직일 때는 약간 더 붉은색을 띤다. 별의 스펙트럼을 측정함으로써 그 움직임을 측정할 수 있으며, 행성이 있는지 유추할 수 있다. 큰 행성일수록 이 기법을 써서 찾아내기가 쉽다. 행성이 크면 클수록 항성이 더 크게 흔들거리기 때문이다. 또한 행성의 공전궤도가 작을수록 별을 찾아내기가 더 쉽다. 항성이 더 빠르게 흔들거리기 때문이다.

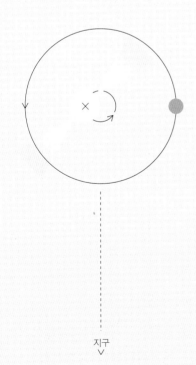

지구

시간 〉

〈밝기

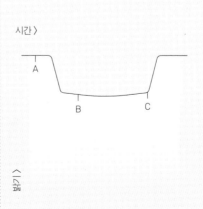

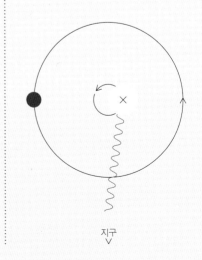

지구

185

외계 행성 발견 목록

태양이 아닌 다른 항성 주위를 도는 행성을 1989년에 처음으로 탐지했다. 그렇지만 탐지 결과는 불분명했다. 1992년에는 세 개의 외계 행성을 더 발견했는데, 그 행성은 아주 특이하게도 펄서 주위를 돌고 있었다. 1995년에는 태양과 유사한 항성 주위에서 페가수스자리51b$^{\text{Pegasus 51 b}}$를 발견하면서 향후 이어질 수많은 발견의 포문을 열었다.

2009년 나사의 우주선 케플러^{Kepler}호는 시선속도법을 이용하여 행성을 찾아내는 임무를 띠고 출발했다. 공전 과정에서 부모별의 빛을 흐리는 외계 행성을 찾는 방식이었다. 이 계획은 현재까지 알려진 외계 행성의 절반 이상을 발견하며 거대한 성공을 거두었다. 우주선 케플러호는 계속해서 외계 행성을 찾고 있으며, 2016년에도 잘 작동했으므로 앞으로 더 많은 행성을 찾아낼 것이다.

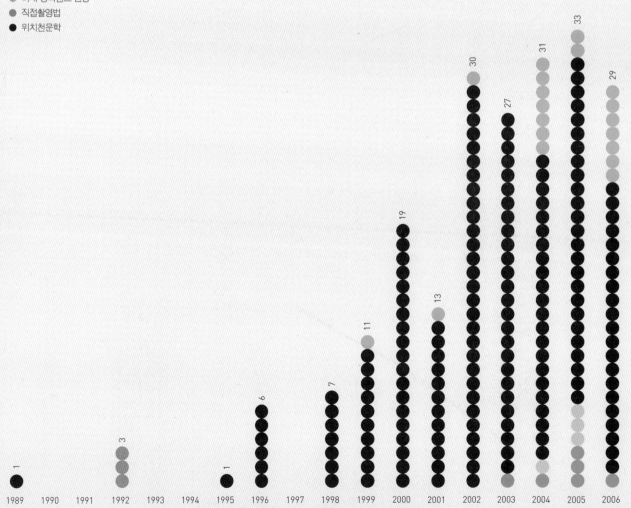

- ● 횡단법
- ● 시선속도법
- ● 펄서 타이밍
- ● 미세 중력렌즈 현상
- ● 직접촬영법
- ● 위치천문학

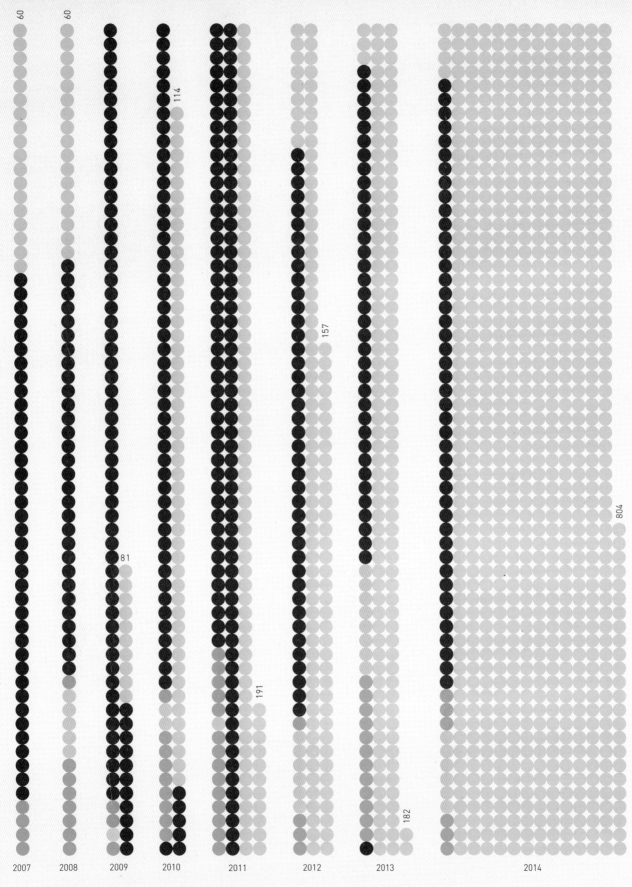

2007 2008 2009 2010 2011 2012 2013 2014

알려진 모든 외계 행성

현재 다른 항성 주위를 공전하는 총 1,800여 개가 넘는 행성을 확인했다. 이 숫자는 빠르게 늘어나고 있으므로 여러분이 이 글을 읽을 즈음에는 구식 자료가 될 것이다. 측정하려는 외계 행성을 한데 모아놓으면, 외계 행성이 어떤 모습인지 감을 잡을 수 있다. 우선 큰 행성의 숫자에 주목해야 한다. 부분적으로는 목성보다 더 큰 행성이 실제로 있기 때문이기도 하지만, 우리의 행성 추적 기법이 큰 행성을 더 쉽게 찾아내기 때문이다. 장비와 기술이 향상하면서 우리는 지구만 한 크기의 행성도 더 많이 발견할 수 있으리라고 기대한다.

- 횡단법
- 시선속도법
- 펄서 타이밍
- 미세 중력렌즈 현상
- 직접촬영법
- 위치천문학

25×지구의 지름

15

5

지구의 지름

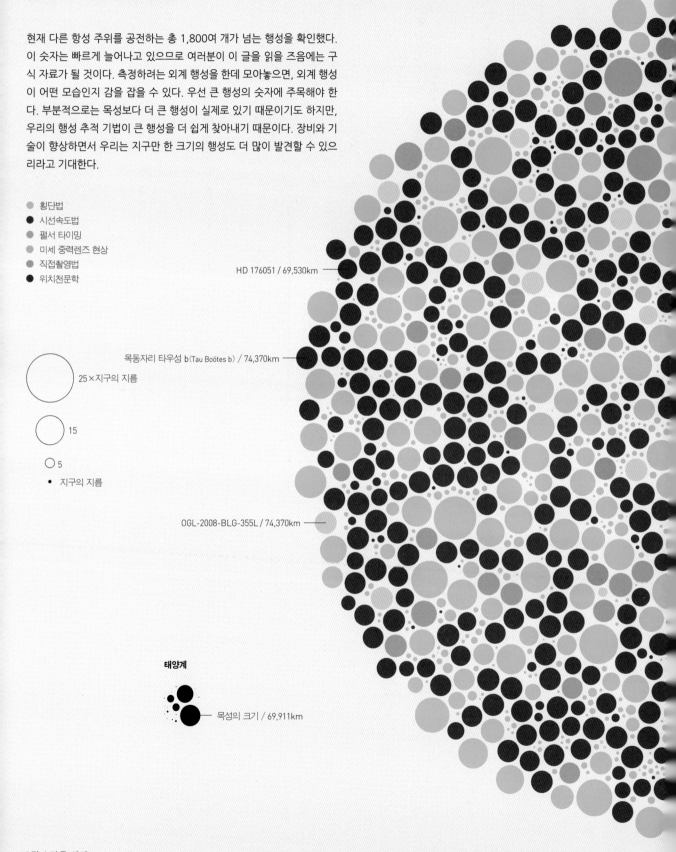

HD 176051 / 69,530km

목동자리 타우성 b(Tau Boötes b) / 74,370km

OGL-2008-BLG-355L / 74,370km

태양계

목성의 크기 / 69,911km

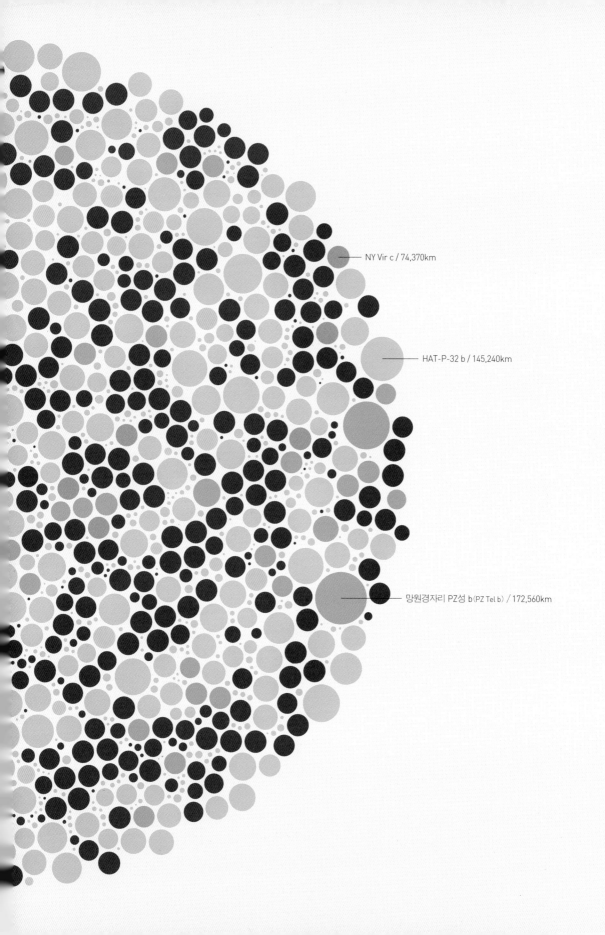

NY Vir c / 74,370km

HAT-P-32 b / 145,240km

망원경자리 PZ성 b(PZ Tel b) / 172,560km

행성계

우리는 현재 1,180개의 행성계planetary system에 관해 안다. 많은 행성계는 태양계와 달리 부모별 가까이에 슈퍼목성super-Jupiter이 있다. 이런 슈퍼목성은 부모별과 아주 가까이에 있으므로 몹시 뜨겁고 사람이 살 수 없는 환경일 것이다. 우리가 답을 알고자 하는 주요 질문은 '우리가 (혹은 다른 외계 생명체가) 살 수 있는 행성계가 있을까?'라는 것이다. 우리가 생각하는 거주할 수 있는 행성의 첫 번째 조건은 항성으로부터 적당한 거리에 있어서 너무 덥거나 춥지 않으며, 물이 액체 상태로 존재할 수 있어야 한다는 것이다. 이렇게 생명체가 살기에 알맞은 범위가 '생명체 거주 가능 영역Habitable Zone'이라고 알려졌다. 거주 가능 영역에서 항성에 조금이라도 더 가까우면 물이 끓어버릴 것이며, 조금이라도 더 멀면 물이 얼음으로 변해서 생존하기 어려울 것이다. 최근 몇 년 동안 우리는 행성이 생명체 거주 가능 영역 안에 있는 것으로 보이는 항성계solar system를 몇 개 발견했다.

◉ 생명체 거주 가능 영역
⬚ 지구 공전궤도의 크기

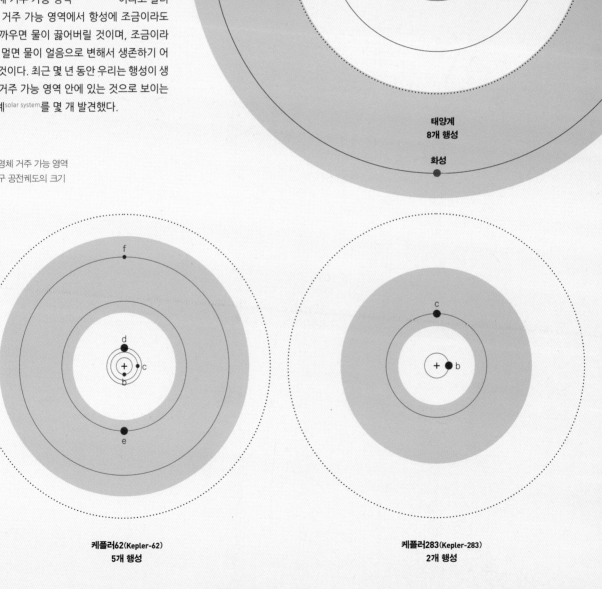

지구

지구의 공전궤도 — **금성** + **수성**

태양계
8개 행성

화성

케플러62(Kepler-62)
5개 행성

케플러283(Kepler-283)
2개 행성

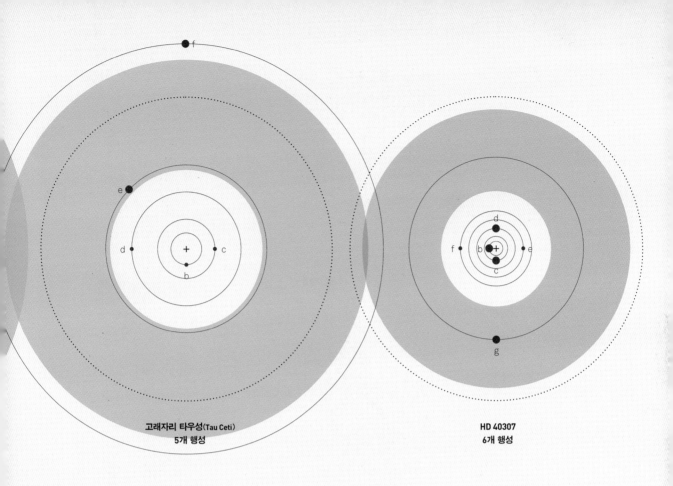

고래자리 타우성(Tau Ceti)
5개 행성

HD 40307
6개 행성

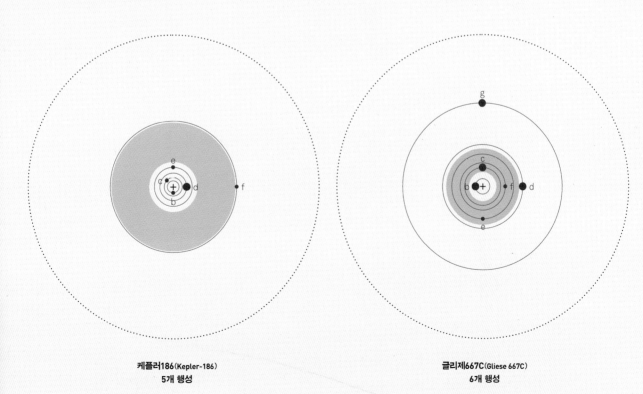

케플러186(Kepler-186)
5개 행성

글리제667C(Gliese 667C)
6개 행성

지구와 유사한 행성

거주 가능 영역에 있는 행성은 표면 온도가 사람이 살 수 있는 정도이지만, 그렇다고 해서 지구와 똑같지는 않다. 이 행성들은 목성처럼 지구보다 훨씬 클 수도 있고, 케레스처럼 훨씬 작을 수도 있다. 인간이 살려면 물을 쉽고 구할 수 있고, 중력이 적절해야 하며, 아마도 지표면이 단단해야 할 것이다. 우리는 현재 물에 관한 질문에는 대답할 수가 없다. 그렇지만 많은 외계 행성의 표면 온도와 표면 중력 근사치를 계산할 수 있으며, 그 행성의 주요 구성 성분이 암석인지 가스인지도 알 수 있다. 이렇게 계산한 숫자를 이용하여 우리는 외계 행성이 지구와 얼마나 닮았을지 대략 추정해볼 수 있다. 지난 25년간 우리는 분명 많은 진보를 이루었다.

● 태양계의 물체
◀ 외계 행성

● 지구의 지름
○ 3×지구의 지름
◯ 10×지구의 지름
◯ 30×지구의 지름

⟨지구와 유사하지 않음⟩

중력과 밀도의 증가

HD 40307 g / -46°C /
2.1g / 1.2×밀도

케플러283c(Kepler-283 c) / -25°C /
2.1g / 1.2×밀도

글리제032c(GJ 832 c) /
-20°C / 1.9g / 1.1×밀도

케플러62e(Kepler-62 e) /
-12°C / 1.7g / 1.1×밀도

고래자리 타우성 e(Tau Ceti e)
9°C / 1.7g / 1.1×밀도

글리제682b(GJ 682 b)
21°C / 1.7g / 1.1×밀도

글리제667Cc(GJ 667C c)
-27°C / 1.6g / 1.1×밀도

케플러296e(Kepler-296 e)
-6°C / 1.5g / 1.0×밀도

HD 85512 b
24°C / 1.6g / 1.0×밀도

케플러186e(Kepler-186 e)
46°C / 1.3g / 1.0×밀도

⟨지구와 유사함⟩

케플러483b(Kepler-438 b)
3°C / 1.0g / 0.9×밀도

지구 / 15°C / 1.0g / 1.0×밀도

⟨딱 알맞음 / 지구와 유사함⟩

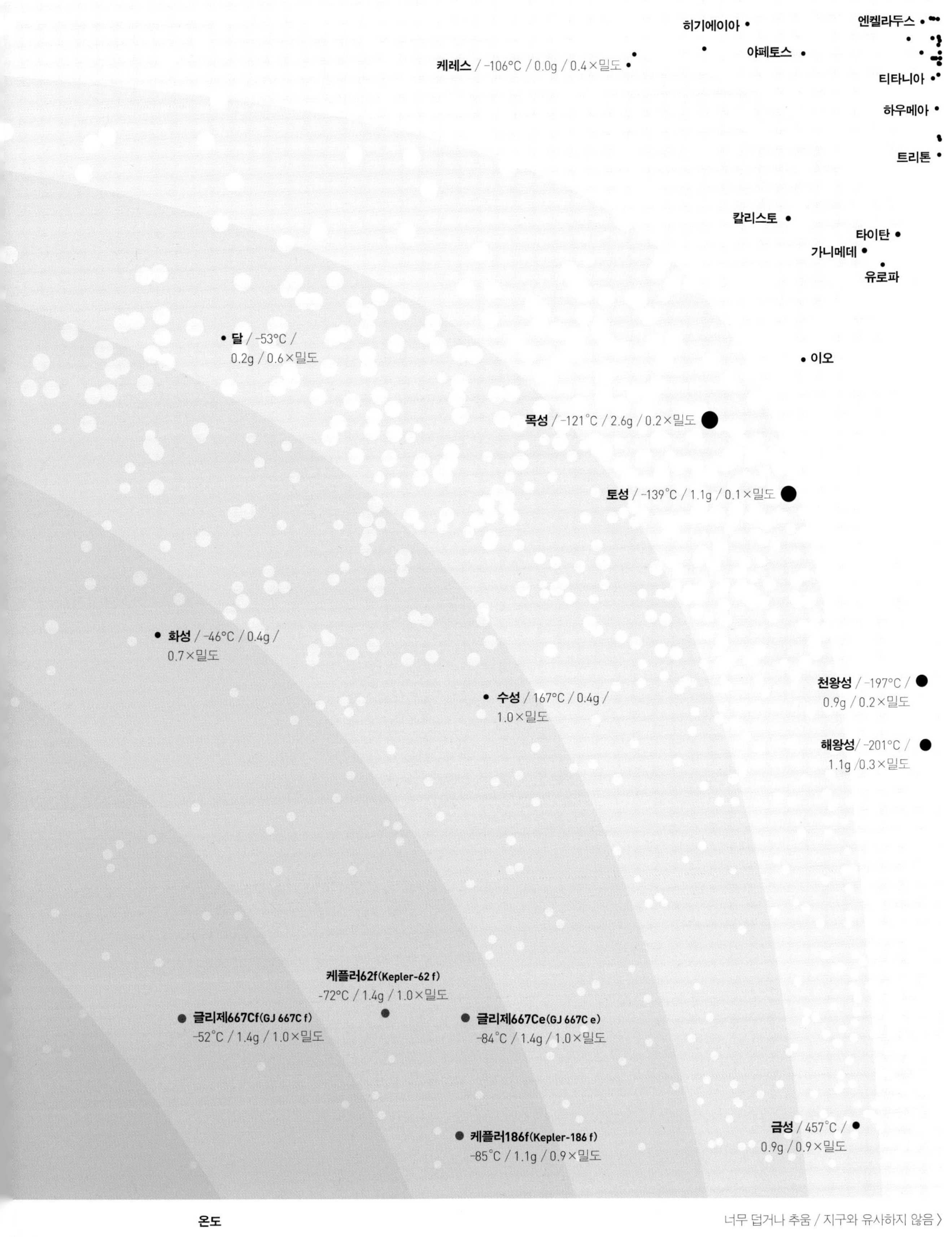

히기에이아 •

엔켈라두스 •

케레스 / −106°C / 0.0g / 0.4×밀도 •

야페토스 •

티타니아 •

하우메아 •

트리톤 •

칼리스토 •

타이탄 •

가니메데 •

유로파 •

• 달 / −53°C / 0.2g / 0.6×밀도

• 이오

목성 / −121°C / 2.6g / 0.2×밀도 ●

토성 / −139℃ / 1.1g / 0.1×밀도 ●

• 화성 / −46°C / 0.4g / 0.7×밀도

• 수성 / 167°C / 0.4g / 1.0×밀도

천왕성 / −197°C / ● 0.9g / 0.2×밀도

해왕성 / −201°C / ● 1.1g / 0.3×밀도

케플러62f(Kepler-62 f) −72°C / 1.4g / 1.0×밀도

● 글리제667Cf(GJ 667C f) −52°C / 1.4g / 1.0×밀도

● 글리제667Ce(GJ 667C e) −84°C / 1.4g / 1.0×밀도

● 케플러186f(Kepler-186 f) −85°C / 1.1g / 0.9×밀도

금성 / 457°C / ● 0.9g / 0.9×밀도

온도

너무 덥거나 추움 / 지구와 유사하지 않음 〉

우리는 혼자인가

우리는 아직 우주의 다른 곳에서 생명체를 발견하지 못했다. 그렇지만 이 사실이 우주에 우리만 존재한다는 뜻은 아니다. 우주는 넓고 우리는 이제 막 수색을 시작한 참이니까.

1961년 전파천문학자 프랭크 드레이크Frank Drake는 은하계에서 의사소통할 수 있는 지적 능력을 갖춘 문명의 수를 추정하는 방정식을 제시했다. 이 방정식은 생명에 필요한 것이 과연 무엇인지 생각하는 데 도움을 준다. 방정식은 먼저 생명에 적합한 별과 행성이 있을 확률을 계산하는 데서 출발한다. 그다음에는 생명체가 자신의 존재를 다른 생명체에게 알리겠다는 결정을 내릴 정도로 발전할 확률을 추정한다. 방정식이 제안된 후 수년간 우리는 일부 수치에 대한 더 나은 추정치를 얻어낼 수 있었다. 그런데 불확실성이 가장 큰 수치는 바로 문명이 존속하는 기간이다.

인류가 의사소통할 수 있는 상태에 들어선 기간은 채 1세기에도 미치지 못한다. 우리는 자멸하지 않고 얼마나 오래 존재할 수 있을까?

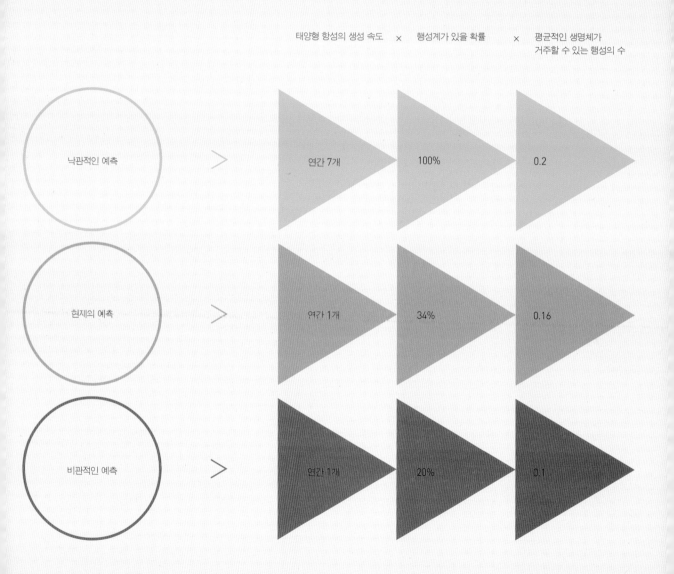

태양형 항성의 생성 속도 ✕ 행성계가 있을 확률 ✕ 평균적인 생명체가 거주할 수 있는 행성의 수

낙관적인 예측 > 연간 7개 / 100% / 0.2

현지의 예측 > 연간 1개 / 34% / 0.16

비관적인 예측 > 연간 1개 / 20% / 0.1

한계

방정식은 몇 가지를 가정한다. 특히 생명에는 태양형 항성solar-type star 과 행성이 필요하다고 가정한다.

이는 너무 엄격한 조건일 수 있다. 최근 몇 년간 우리는 대양의 밑바 닥에 있는 열수 분출공hydrothermal vent 주변에 존재하는 생명체를 발견 했다. 열수 분출공은 생명체에게 에너지와 영양분을 공급하는데, 어쩌면 태양에 전혀 의존하지 않을지도 모른다. 비슷한 작용이 엔켈라

두스나 유로파 같은 위성에서도 일어날 수 있다. 부모 행성과의 상호작용으로 말미암아 생긴 밀물과 썰물이 에너지를 공급할 수도 있기 때문이다.

애초에 생명체에게 행성이나 위성이 필요하긴 할까? 실험에 따르면 미세한 완보동물은 온도 변화가 엄청나거나 다량의 방사능에 노출되는 환경을 비롯해 심지어 우주의 진공 상태에서도 살아남을 수 있다. 단순한 생명체는 우리가 여태까지 생각했던 것보다 훨씬 더 극단적인 환경에도 대처할 수 있다.

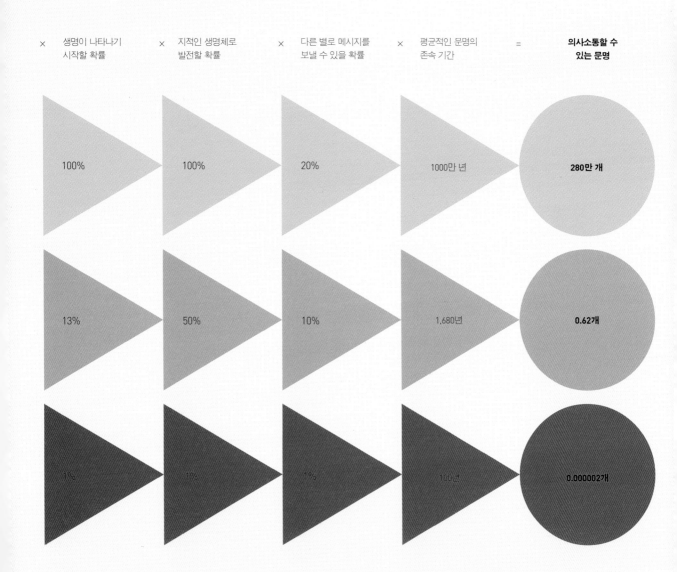

×	생명이 나타나기 시작할 확률	×	지적인 생명체로 발전할 확률	×	다른 별로 메시지를 보낼 수 있을 확률	×	평균적인 문명의 존속 기간	=	의사소통할 수 있는 문명
	100%		100%		20%		1000만 년		280만 개
	13%		50%		10%		1,680년		0.62개
	1%		1%		1%		100년		0.000002개

지구 씨가 보낸 엽서

우리는 언젠가는 태양계를 떠나게 될 우주선을 발사하면서, 우주선을 발견할 외계인에게 보내는 메시지를 동봉했다. 두 척의 파이어니어호 우주선(10호와 11호)에는 린다 잘츠만 세이건Linda Salzman Sagan과 칼 세이건Carl Sagan, 프랭크 드레이크의 작품을 새긴 금도금한 양극산화 처리 알루미늄 금속판gold-anodized aluminium plaque이 실렸다.

두 척의 보이저호 탐사선(1호와 2호)은 골든 레코드Golden Record를 싣고 갔다. 그렇지만 어떤 탐사선도 수만 년 안에 다른 항성계 가까이에 접근하지 못할 것이다. 외계인은 과연 이 메시지를 해독할 수 있을까? 여러분은 이 메시지를 해독할 수 있을까?

파이어니어호에 실린 금속판(Pioneer plaque)
폭 229mm × 길이 152mm

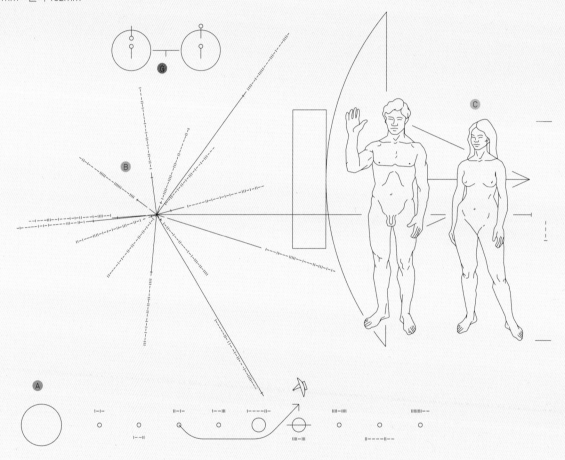

Ⓐ 태양계

태양계와 우주선의 경로를 묘사한 자료다. 우주선의 궤적을 표현하는 데 쓰인 '화살촉'은 우리가 과거에 수렵·채집인이었음을 나타내는 상징이지만, 외계인이 알아보지 못할지도 모른다는 논란이 있었다. 묘사한 천체들은 헷갈리게 보일 수 있다. 위치 정보가 포함되지 않은 데다가 아주 큰 물체도 아니기 때문이다.

Ⓑ 펄서 지도

태양을 기준으로 펄서 열네 개의 위치를 나타낸 지도다. 선의 길이는 태양과의 상대 거리를 나타낸다. 선에 나타난 기호는 수소 원자의 진동수와 발사 시점에서 각 펄서의 회전 진동수(rotation frequency)를 비교하여 2진수로 나타낸 것이다.• 우측으로 뻗어 있는 수평선은 은하계 중심의 위치를 나타낸다.

Ⓒ 여성과 남성

인류와 우주선의 모습을 같은 크기로 나타냈다. 외계인에게는 인간의 모습을 해독하는 일이 더 어려울지도 모른다.

• 우주선의 발사 시기를 알리려는 기호다. 우주선의 속도를 고려할 때 천문학적인 시간이 흐른 다음에야 외계인에게 이 지도가 발견될 것이며, 그 시점의 우주는 현재와는 전혀 다른 형태일 것이기 때문이다. – 옮긴이

보이저호에 실린 골든 레코드(Voyager golden record)

지름 305mm(12인치)

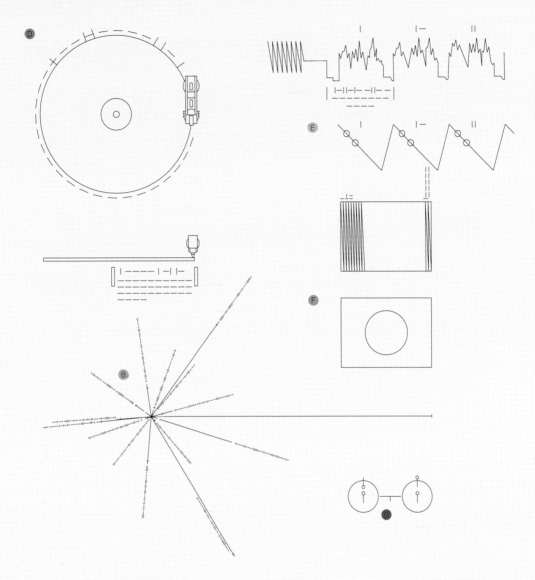

ⓓ 연주 지침

골든 레코드의 평면도와 측면도 그리고 함께 동봉한 레코드 바늘의 모습이다. 레코드 주변에 있는 기호는 음악의 재생 속도를 수소 원자와 관련한 시간과 비교하여 2진수로 표현한 것이다.

ⓔ 영상 신호(Video signal)

이 기호들은 영상 신호를 재생하는 방법을 나타낸다. 첫 번째 부분은 레코드를 재생하여 파형(waveform)을 만드는 방법을 보여준다. 사각형은 2진 코드를 이용하여 이미지를 만드는 방법을 알려주며, 이에 관한 총 512개의 수직선이 있다. 아래쪽 사각형은 만약 외계인이 재생에 성공한다면 처음으로 보게 될 이미지인 원을 나타낸다.

ⓕ 내용물

비디오는 116개의 이미지를 비롯해, 바흐와 척 베리(Chuck Berry)를 포함한 지구의 다양한 소리를 담고 있다.

ⓖ 수소 원자(Hydrogen Atom)

이 부분은 수소 원자의 에너지 전이를 나타낸다. 수소를 선택한 이유는 우주에서 가장 흔한 원소이기 때문이다. 수소는 1,420.406메가헤르츠(MHz)의 진동수와 21센티미터의 파형과 관련이 있으며, 이미지의 다른 부분에 대한 기준 단위를 제공한다.

지구의 부름

1974년 아레시보전파천문대의 천문학자들은 구상성단 M13을 향해 이미지를 전송했다. M13 구상성단은 30만 개의 항성을 포함하며, 헤르쿨레스자리 방향으로 2만 5,000광년 떨어져 있다.

전송은 2진 코드를 생성하고자 2,380메가헤르츠에 가까운, 서로 아주 약간 다른 두 주파수를 오가는 형태로 이루어졌다. 다 합쳐서 1,679개의 2진수를 보냈는데, 이 숫자를 선택한 이유는 두 개의 소수를 곱한 수이기 때문이다. 외계인이 이 숫자의 속성을 파악하고, 메시지를 23×73픽셀의 이미지로 정렬하리라는 기대에서였다. 만약 외계인이 이 이미지를 표시하는 방법을 알아낸다고 하더라도, 이미지가 무엇을 의미하는지 알아내야만 하는 어려운 문제가 남는다. 우리는 외계인에게 이 작업이 얼마나 어려울지 감을 잡을 수조차 없다. 이 메시지를 해석하는 작업은 우리 인간에게도 쉽지 않은 일이기 때문이다. 불행하게도 성단은 향후 2만 5,000년에 걸쳐 계속 움직일 것이므로, 현재 그곳에 있는 어떤 문명도 이 메시지를 받아 보지 못할 것이다. 우리는 빠른 답장을 기대해서는 안 된다.

2진 표현으로 1부터
10까지의 숫자를 나타낸 것이다.

2진 표현으로 DNA를
구성하는 원자인 수소, 탄소,
질소, 산소, 인을 나타낸 것이다.

DNA의 화학적 구성 요소를
식으로 나타낸 것이다.

DNA의 이중나선 구조를 이미지로
나타낸 것이다. 가운데 부분은
2진 표현으로 나타낸 인간 게놈 안에
암호화한 뉴클레오타이드의 숫자다.

인간과 DNA 가닥을 연결한 그림
이다. 오른쪽에는 발사 당시의
인구수(40억)가 나타나 있다.

지구의 위치를 보여주는 태양계
그림이다. 인류의 중심인 지구가
위로 솟아 있다.

푸에르토리코에 있는 아레시보 접시를
나타낸 그림이다. 안테나의 크기를
2진 표현으로 나타내고 있다.

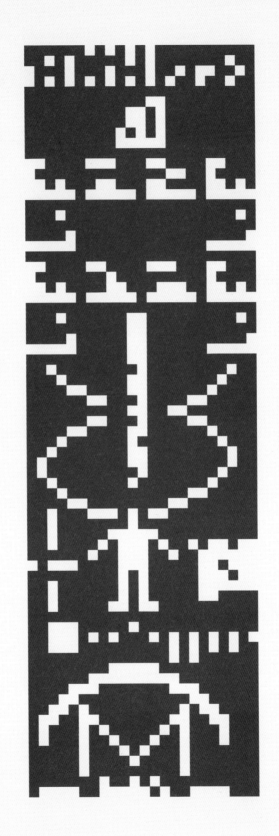

빛의 원

텔레비전과 라디오 방송에서 나오는 신호의 일부는 우주로 새어 나간다. 신호를 가로막는 장애물은 아무것도 없으며, 신호는 지구에서 원을 그리는 형태로 빛의 속도로 퍼져 나간다. 이론적으로 고감도 전파망원경이 있는 외계 문명은 우리의 방송을 찾아내고 들을 수 있다. 우리에게 열성적인 외계인 팬은 비록 뒤늦게나마 인류의 근황을 들을 수 있을 것이다. 외계인이 우리의 소식을 얼마나 늦게 접하느냐는 우리와 얼마나 멀리 떨어져 있는지에 달려 있다.

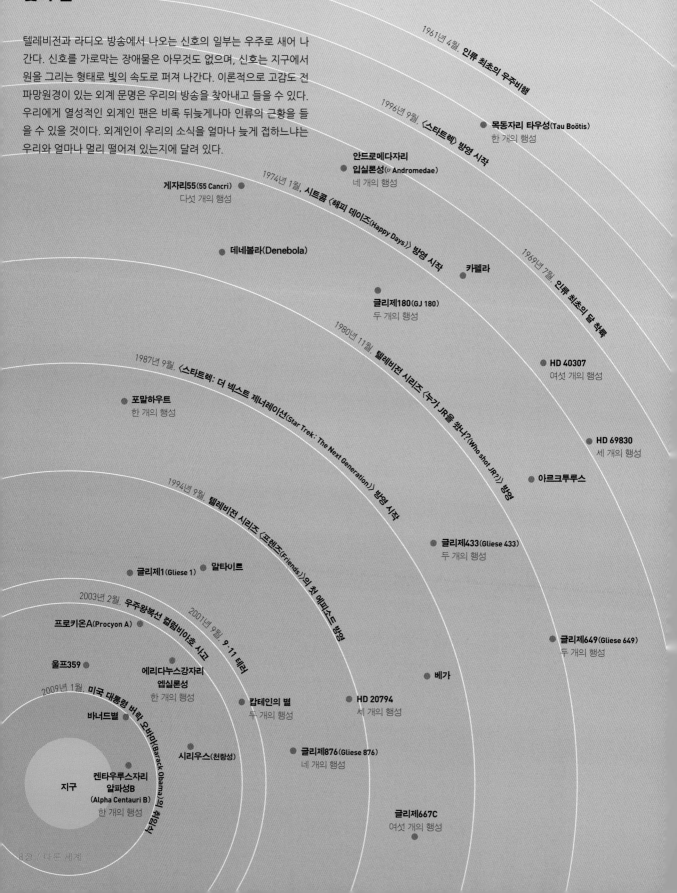

1961년 4월, 인류 최초의 우주비행

1996년 9월, 〈스타트렉〉 방영 시작

목동자리 타우성(Tau Boötis)
한 개의 행성

안드로메다자리
입실론성(υ Andromedae)
네 개의 행성

게자리55(55 Cancri)
다섯 개의 행성

1974년 1월, 시트콤 〈해피 데이즈(Happy Days)〉 방영 시작

데네볼라(Denebola)

카펠라

1969년 7월, 인류 최초의 달 착륙

글리제180(GJ 180)
두 개의 행성

1980년 11월, 텔레비전 시리즈 〈누가 JR을 쐈나?(Who shot JR?)〉 방영

HD 40307
여섯 개의 행성

1987년 9월, 〈스타트렉: 더 넥스트 제너레이션(Star Trek: The Next Generation)〉 방영 시작

포말하우트
한 개의 행성

HD 69830
세 개의 행성

아르크투루스

1994년 9월, 텔레비전 시리즈 〈프렌즈(Friends)〉의 첫 에피소드 방영

글리제433(Gliese 433)
두 개의 행성

글리제1(Gliese 1)   알타이르

2003년 2월, 우주왕복선 컬럼비아호 사고

2001년 9월, 9·11 테러

프로키온A(Procyon A)

글리제649(Gliese 649)
두 개의 행성

울프359

에리다누스강자리
엡실론성
한 개의 행성

2009년 1월, 미국 대통령 버락 오바마(Barack Obama)의 취임식

바너드별

칼테인의 별
두 개의 행성

HD 20794
세 개의 행성

베가

시리우스(천랑성)

글리제876(Gliese 876)
네 개의 행성

지구

켄타우루스자리
알파성B
(Alpha Centauri B)
한 개의 행성

글리제667C
여섯 개의 행성

● 레굴루스

1922년 11월, 최초의 BBC 라디오 방송

1945년 8월, 제2차 세계대전 종전

● BD-061339
세 개의 행성

● 돛자리 델타성(δ Velorum)

● HD 1461
두 개의 행성

1953년 6월, 영국 여왕 엘리자베스 2세의 대관식

1938년 10월, 오슨 웰스(Orson Welles)의 라디오 드라마 〈우주 전쟁(The War Of The Worlds)〉 방송

● 처녀자리70
(70 Virgo)
한 개의 행성

● 알데바란

● HD 39194
세 개의 행성

● 글리제676A(Gliese 676 A)
네 개의 행성

● 미자르(Mizar)

● 화가자리 베타성(β Pictoris)
한 개의 행성

1963년 11월, 미국 대통령 J. F. 케네디 암살 · 텔레비전 시리즈 〈닥터 후(Doctor Who)〉의 첫 에피소드 방송

1932년 12월, BBC의 '제국 서비스●' 시작

● 제단자리 뮤성
(μ Arae)
네 개의 행성

1939년 9월, 제2차 세계대전 발발

● 메라크(Merak)

● 페가수스자리51(51 Pegasus)
한 개의 행성

● 하말
한 개의 행성

● Empire Service. 영국 BBC의 국제방송으로 영국 제국의 이익을 꾀하고자 당시 영국의 식민지였던 인도, 아프리카, 캐나다 등에 방송을 발신했다.

외계 지적 생명체에게 메시지 보내기

외계 지적 생명체 탐사 계획search for extra-terrestrial intelligence, SETI은 외계 생명체가 보낸 메시지를 찾아서 들으려는 수동적인 활동이지만, 외계 지적 생명체에게 메시지 송신messaging extra-terrestrial intelligence, METI은 우주를 향해 "외계인 여러분, 우리가 여기 있습니다. 여러분은 혼자가 아닙니다!"라고 외치는 적극적인 활동이다. 텔레비전과 라디오 방송 때문에 부수적으로 전송한 미약한 신호를 제외하고도, 수년 동안 특정한 목적지에 메시지를 보내려는 의도적인 시도가 있었다. 이런 시도는 학술적이거나 상업적인 목표로 이루어지며, 첫 연락 메시지는 내용 면에서 엄청나게 다양했다.

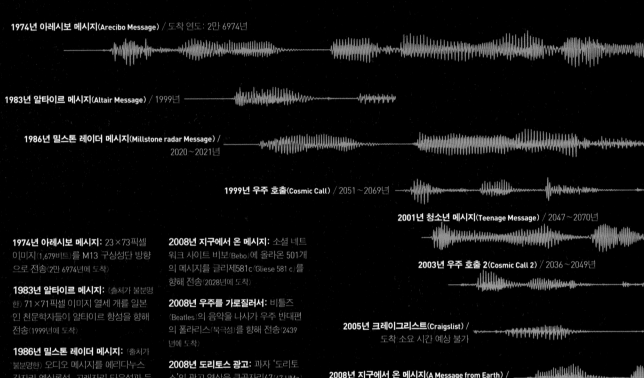

1974년 아레시보 메시지(Arecibo Message) / 도착 연도: 2만 6974년

1983년 알타이르 메시지(Altair Message) / 1999년

1986년 밀스톤 레이더 메시지(Millstone radar Message) / 2020~2021년

1999년 우주 호출(Cosmic Call) / 2051~2069년

2001년 청소년 메시지(Teenage Message) / 2047~2070년

2003년 우주 호출 2(Cosmic Call 2) / 2036~2049년

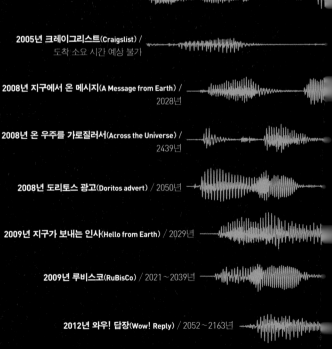

2005년 크레이그리스트(Craigslist) / 도착 소요 시간 예상 불가

2008년 지구에서 온 메시지(A Message from Earth) / 2028년

2008년 온 우주를 가로질러서(Across the Universe) / 2439년

2008년 도리토스 광고(Doritos advert) / 2050년

2009년 지구가 보내는 인사(Hello from Earth) / 2029년

2009년 루비스코(RuBisCo) / 2021~2039년

2012년 와우! 답장(Wow! Reply) / 2052~2163년

2013년 론 시그널(Lone Signal) / 2031년

1974년 아레시보 메시지: 23×73픽셀 이미지(1,679비트)를 M13 구상성단 방향으로 전송(2만 6974년에 도착)

1983년 알타이르 메시지: (출처가 불분명한) 71×71픽셀 이미지 열세 개를 일본인 천문학자들이 알타이르 항성을 향해 전송(1999년에 도착)

1986년 밀스톤 레이더 메시지: (출처가 불분명한) 오디오 메시지를 에리다누스 강자리 엡실론과, 고래자리 타우성과 두 항성을 향해 전송(2020년, 2021년에 도착)

1999년 우주 호출: 특수 언어로 쓰인 짧은 '백과사전'(37만 967비트)을 네 개의 태양형 항성을 향해 전송(2051년, 2057년, 2067년, 2069년에 도착)

2001년 청소년 메시지: 14분짜리 테레민• 콘서트를 담은 음향과 이미지에 러시아 근방에 사는 청소년들이 고른 문구를 포함(64만 8,220비트)하여 여섯 개의 태양형 항성을 향해 전송(2047년, 2057년, 2057년, 2059년, 2059년, 2070년에 도착)

2003년 우주 호출 2: 선별된 글과 이미지, 음악, 영상을 태양형 항성 다섯 개를 향해 전송(2036년, 2040년, 2044년, 2044년, 2049년에 도착)

2005 크레이그리스트: 크레이그리스트 사이트(craiglist.org)에 올라온 13만 개의 포스트를 열린 우주 공간을 향해 전송(도착 시간 예측 불가)

2008년 지구에서 온 메시지: 소셜 네트워크 사이트 비보(Bebo)에 올라온 501개의 메시지를 글리제581c(Gliese 581 c)를 향해 전송(2028년에 도착)

2008년 우주를 가로질러서: 비틀즈(Beatles)의 음악을 나사가 우주 반대편의 폴라리스(북극성)를 향해 전송(2439년에 도착)

2008년 도리토스 광고: 과자 '도리토스'의 광고 영상을 큰곰자리47(47 UMa)을 향해 전송(2050년에 도착)

2009년 지구가 보내는 인사: 2만 5,880건의 문자 메시지를 글리제581d(Gliese 581 d)를 향해 전송(2029년에 도착)

2009년 루비스코: 광합성을 하는 단백질을 만드는 유전자 코드를 티가든의 별(Teegarden's star)과 글리제83.1, 고래자리 카파1(Kappa1 Ceti)을 향해 전송(2021년, 2024년, 2039년에 도착)

2012년 와우! 답장: 내셔널 지오그래픽 채널의 시청자가 보낸 2만 개의 트윗을 게자리 로성(rho Cancri), 쌍둥이자리37(37 Gemini), HIP 34511을 향해 전송(2052년, 2068년, 2163년에 도착)

2013년 론 시그널: 일반 대중의 문자 메시지를 글리제526(Gliese 526)을 향해 전송(2031년 도착)

보내느냐 마느냐 그것이 문제로다!

외계에 메시지를 보내야 할지 말아야 할지에 관한 전 세계적인 공감대는 아직 형성되지 않았다. 스티븐 호킹을 비롯한 일부 인사들은 메시지가 진보한 기술을 지닌 적대적인 외계인이 우릴 찾아오게 하는 초대장이 될 수 있다고 우려한다. 어쩌면 그런 외계 문명이 정말로 우

릴 찾아올 수도 있으므로, 이는 논의할 만한 우려일지도 모른다. 다른 사람들은 메시지 송신의 의미에 관한 전 세계적인 논의가 끝날 때까지 메시지 보내기를 일시적으로 유보하자고 주장했다. 또 다른 사람들은 외계 생명체와의 첫 접촉은 '우리는 혼자인가?'라는 근원적인 질문에 답할 수 있는 역사적이고 고무적인 사건이 되리라고 주장한다.

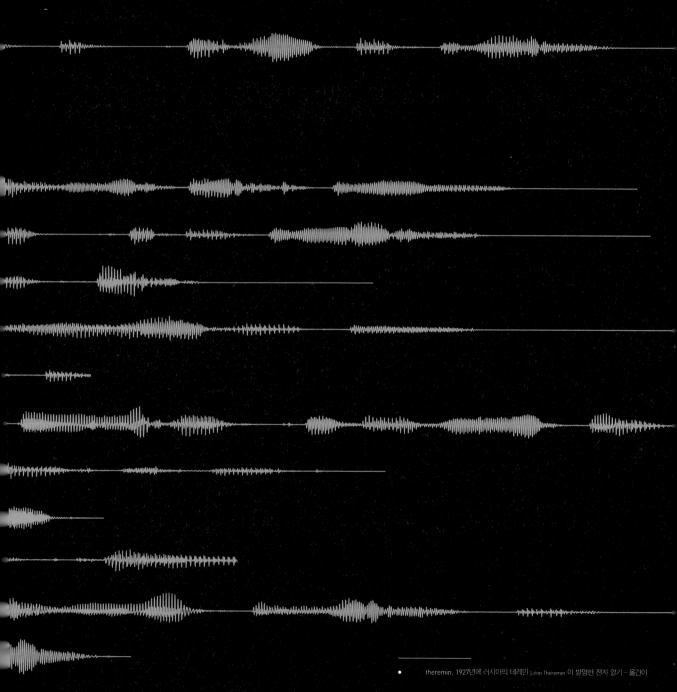

theremin, 1927년에 러시아의 테레민 Léon Theremin 이 발명한 전자 악기 – 옮긴이

9장 / 잡동사니

상대론적 효과

1905년 알베르트 아인슈타인(Albert Einstein)은 특수상대성이론(Special Theory of Relativity)을 발표했다. 특수상대성이론은 빠르게 움직이는 관찰자에게는 시간과 거리가 다르게 측정된다는 사실을 보여줬다. 아인슈타인은 1915년에 후속 논문으로 일반상대성이론(General Theory of Relativity)을 발표했다. 일반상대성이론은 중력이 빛에 미치는 영향을 보여줬다. 두 상대론적 효과를 인간의 기준으로는 대개 알아채기가 힘들지만, 두 효과가 중요해지는 상황이 있다.

속도로 말미암아 젊어지다.

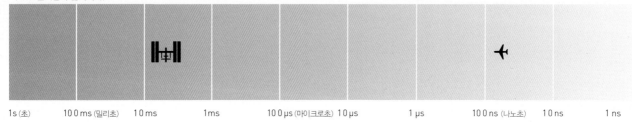

| 1s (초) | 100 ms (밀리초) | 10 ms | 1ms | 100 µs (마이크로초) | 10 µs | 1 µs | 100 ns (나노초) | 10 ns | 1 ns |

국제우주정거장에서의 6개월

속도 / 시속 25,500km

궤도 고도 / 410km

기간 / 6개월

동쪽으로 여행한 비행기

속도 / 시속 700km

고도 / 10km

기간 / 1.7일

블랙홀

일반상대성이론은 블랙홀이 반드시 존재해야만 한다고 예측한다. 우리가 블랙홀을 직접 본 적은 없지만, 블랙홀이 존재한다는 아주 훌륭한 증거가 있다. 은하중심 근처에 있는 항성들은 질량이 태양의 400만 배에 달하는 물체 주위를 움직이는 것이 틀림없다. 비록 그 물체는 전혀 보이지 않지만 말이다.

중력렌즈 현상(Gravitational lensing)

또한 아인슈타인의 중력이론은 거대한 물체가 우주의 구조를 왜곡하며, 그러한 물체 주위를 지나가는 빛은 굴절될 것으로 예측한다. 왜곡 현상은 뒤쪽에 있는 물체를 다른 위치에 있는 것처럼 보이게 할 수 있다. 또한 왜곡 현상을 일으키는 물체가 어느 정도 이상으로 크다면 뒤쪽에 물체가 여러 개 있는 것처럼 보일 수도 있다.

은하중심의 항성들

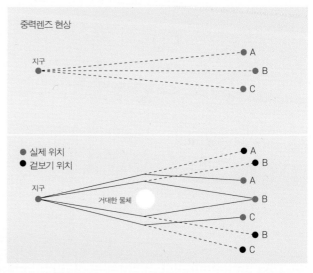

중력렌즈 현상

지구 — A, B, C

● 실제 위치
● 겉보기 위치

지구 — 거대한 물체 — A, B, A, B, C, B, C

시간 팽창 Time dilation

여러분은 정확히 몇 살인가? 아인슈타인은 시간이 일정한 상수가 아니라는 사실을 보여줬다. 아주 작은 차이이긴 하지만 아주 빠르게 움직이는 사람이나 중력장에 있는 사람에게는 시간이 조금 더 느리게 흐른다. 1971년 조지프 하펠레 Joseph Hafele와 리처드 키팅 Richard Keating은 상업용 세계 일주 비행기에 원자시계를 실은 채로 각각 지구의 자전 방향과 자전 반대 방향으로 여행을 떠났다.

두 사람은 상대론적 효과가 실재함을 증명했다. 이러한 차이가 나타나는 까닭은 적도에서는 지구의 표면이 시속 1,600킬로미터로 움직이기 때문이다. 인공

위성을 이용한 항법 시스템은 아주 정확한 시간 측정에 의존하는데, 이 아주 작은 차이를 계산하지 않는다면 위치 정보에 하루당 100미터가 넘는 거리만큼 오류가 생길 수 있다.

쌍둥이 역설 Twin paradox

미래에 행성 간 여행을 한다면, 상대론적 차이는 더욱 두드러지게 나타날 것이다. 광속의 10분의 1 속도로 여행하는 탐험가는 나흘 안에 해왕성에 다녀올 수 있는데, 돌아올 때는 지구에 계속 있을 때보다 25분만큼 젊은 상태로 돌아올 것이다.

중력으로 말미암아 늙는다.

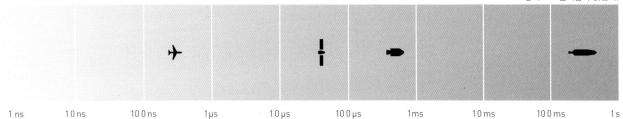

| 1 ns | 10 ns | 100 ns | 1μs | 10μs | 100μs | 1ms | 10ms | 100ms | 1s |

서쪽으로 여행한 비행기

속도 / 시속 700km
고도 / 10km
기간 / 2일

하루 뒤 GPS 위성

속도 / 시속 14,000km
궤도 고도 / 20,000km
기간 / 1일

아폴로11호의 여행

속도 / 시속 4,000km
지구로부터의 거리 / 38,000km
기간 / 8일

화성으로 돌아오는 여행

속도 / 시속 50,000km
지구로부터의 거리 / 7,840만km
시간 / 3.4년(화성에서 2년)

1919년 아서 에딩턴 Arthur Eddington은 일식 도중에 보이는 별들의 위치가 평소와는 약간 다르다는 사실을 관측했다. 비록 빛의 굴절 현상은 아주 작은 규모로 나타났지만, 아인슈타인의 이론을 뒷받침하는 최초의 관측 증거였다.

거대한 은하단은 중력렌즈 역할을 하며, 더 멀리 있는 물체의 빛을 왜곡하고 확대한다. 렌즈 뒤쪽의 물체들은 이미지상으로 둥근 형태로 나타나는데, 덕분에 우리는 우주에서 가장 멀리 떨어진 여러 은하계를 연구할 수 있다.

일식 관측 / 1919

황소자리72 (72 Tau)
황소자리 뉴성 (nu Tau)
황소자리 카파1 (Kappa1 Tau)
황소자리 카파2 (Kappa2 Tau)
HIP 20842
태양
황소자리56 (56 Tau)
황소자리V1141 (V1141 Tau)
굴절 ×1000

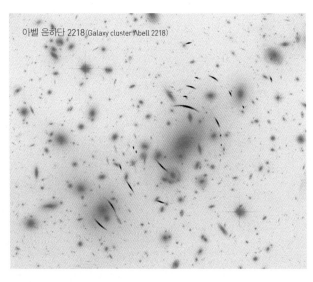

아벨 은하단 2218 (Galaxy cluster Abell 2218)

오늘의 사진

'오늘의 천문 사진Astronomy Picture of the Day, APOD' 웹사이트는 1995년 6월 16일부터 운영되었다. APOD는 매일매일 간략한 설명을 곁들인 새로운 우주 사진을 보여준다. 우리는 지난 20년 동안 APOD의 역사상 등장했던 천체의 유형을 분석했다.

APOD는 요즘 소셜 미디어에도 등장한다. 최근 분석에 따르면, 구글 플러스 사용자 사이에서 가장 인기 있는 APOD 이미지는 행성과 달을 찍은 사진이다. 그리고 페이스북과 트위터 이용자 사이에서는 하늘의 경관을 담은 사진이 가장 인기가 많다.

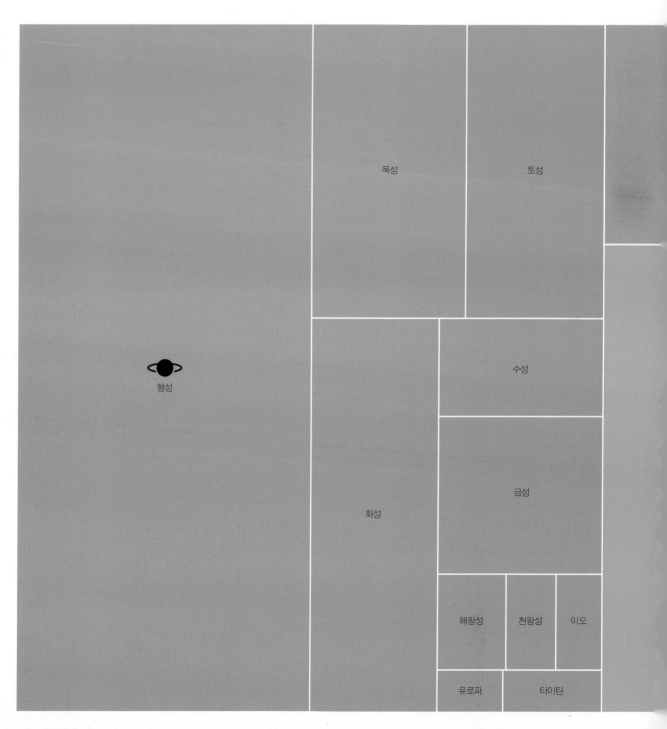

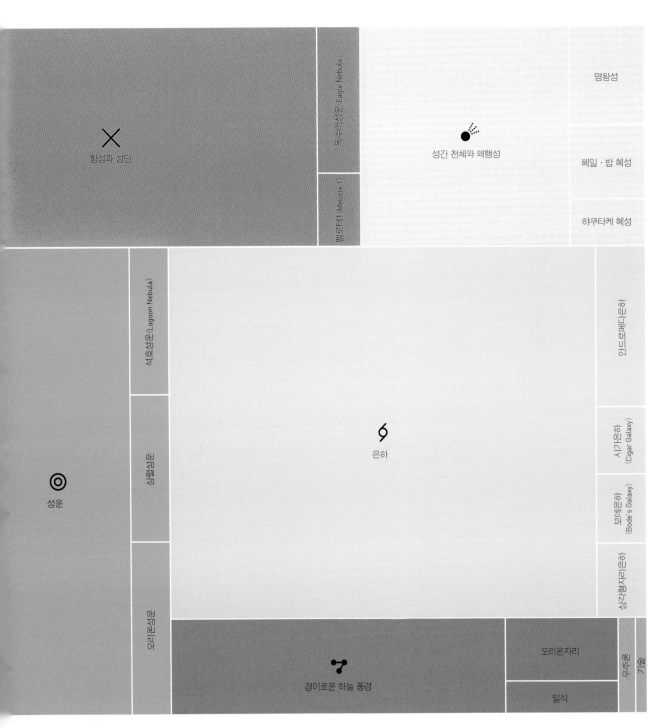

항성과 성단

독수리성운 Eagle Nebula

멜로테111(Melotte 111)

명왕성

성간 천체와 왜행성

헤일 · 밥 혜성

햐쿠타케 혜성

석호성운(Lagoon Nebula)

장미성운

안드로메다은하

은하

시가은하
(Cigar Galaxy)

보데은하
(Bode's Galaxy)

성운

삼각형자리은하

오리온성운

우주론

기술

경이로운 하늘 풍경

오리온자리

일식

물이 존재하는 세계

지구는 태양계에서 지표면에 액체 상태의 물이 있는 유일한 천체이지만, 지구에서만 물을 찾을 수 있는 것은 아니다. 대부분 화성처럼 얼음 상태로 물이 존재하는데, 얼음은 지표면에 있을 수도 있고, 지표면 바로 아래의 암석층 안에 있을 수도 있다. 지하 얼음 sub-surface ice 은 햇빛에 가열될 때 잠시 녹는데, 낮은 기압에서 증발하기 전까지 시냇물이 되어 화구벽 crater wall 을 따라 흐른다.

그렇지만 태양계에서는 그 밖의 다른 곳에서도 물을 찾아볼 수 있다. 실로 있을 법하지 않은 장소에서 말이다. 외태양계의 많은 위성이 그러하듯이, 목성의 달인 유로파는 표면을 덮은 두꺼운 얼음층이 있다. 유로파의 표면은 끊임없이 교체되는데, 우리는 표면 아래에 물로 이루어진 바다가 있다는 사실을 안다. 지하 바다는 목성과의 상호작용을 해서 생긴 밀물과 썰물로 말미암아 발생하는 내부 열 덕분에 얼어붙지 않는다. 어쩌면 유로파에는 지구의 바다를 전부 합친 것보다도 많은 물이 있을지도 모른다.

토성의 달 엔켈라두스 또한 표면 아래에 액체 상태의 물이 있다. 이 물은 엔켈라두스의 남극에서 소금기가 있는 온천수가 뿜어져 나오면서 관측되었다. 우리는 현재 외태양계에 있는 여러 개의 커다란 달에 지하 바다가 존재한다고 추정한다. 비록 바다의 부피와 깊이는 매우 불확실하지만 말이다.

지구 / 지름 12,742km

유로파 / 지름 3,122km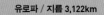

30억km³
지하 바다와 얼음층

14억km³
얼음, 물 그리고 증기

엔켈라두스 / 지름 504km

750만km³
얼음과 수증기 간헐천

5,000km³
극지방의 얼음과 지상의 영구동토

화성 / 지름 6,779km

밀도

우주는 공허하다. 별들 사이의 가스는 밀도가 공기의 1,000조 분의 1에 불과하다. 그렇지만 우주에 있는 물체는 정말 엄청나게 밀도가 높을 수도 있다. 태양의 중심은 암석보다 50배나 더 밀도가 높으며,

중성자별은 상상할 수 없을 정도로 밀도가 높다. 밀도를 상상하기는 어려우므로 우리는 표준 부피에 해당하는 각 물질의 무게가 얼마나 나가는지 비교했다. 우리가 사용한 표준 부피는 양동이다.

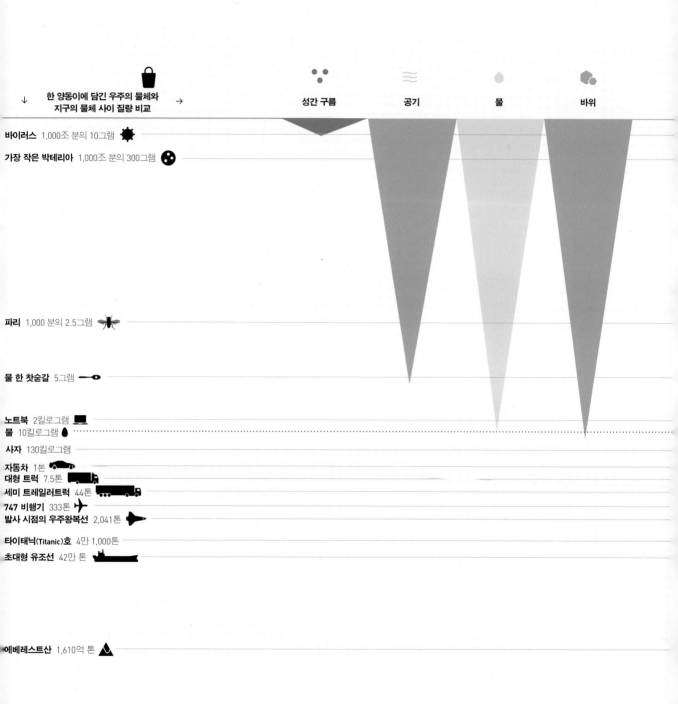

↓ 한 양동이에 담긴 우주의 물체와 지구의 물체 사이 질량 비교 →

성간 구름　　공기　　물　　바위

바이러스 1,000조 분의 10그램

가장 작은 박테리아 1,000조 분의 300그램

파리 1,000 분의 2.5그램

물 한 찻숟갈 5그램

노트북 2킬로그램
물 10킬로그램
사자 130킬로그램
자동차 1톤
대형 트럭 7.5톤
세미 트레일러트럭 44톤
747 비행기 333톤
발사 시점의 우주왕복선 2,041톤
타이태닉(Titanic)호 4만 1,000톤
초대형 유조선 42만 톤

에베레스트산 1,610억 톤

남극 빙상 3경 톤

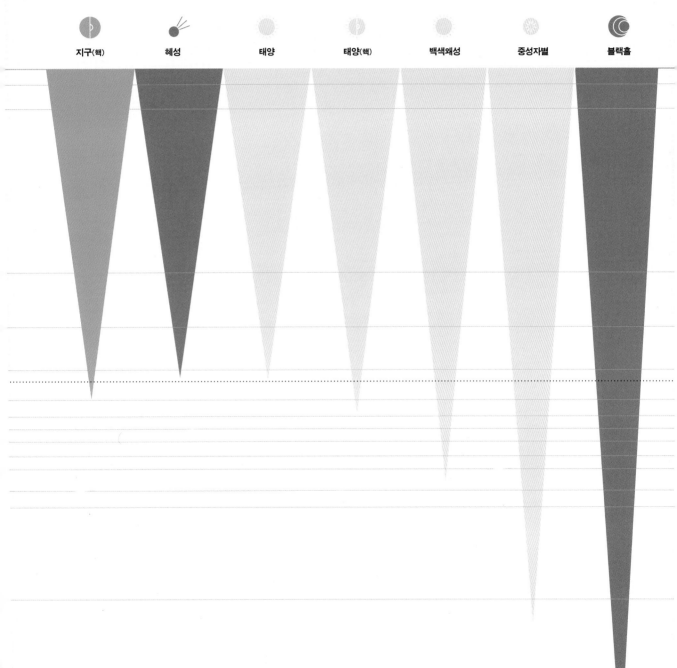

지구(핵)　　혜성　　태양　　태양(핵)　　백색왜성　　중성자별　　블랙홀

우주의 구성 요소

우주는 거의 전부가 빅뱅이 일어난 지 처음 몇 분 안에 만들어진 수소와 헬륨으로 이루어졌다. 비록 상대적으로 적은 양이긴 하지만, 별은 대대로 더 무거운 원소를 생성해왔으며, 이런 원소는 태양과 태양계 안에 존재한다.

행성이 형성될 때 더 가벼운 원소는 바깥쪽으로 밀려 나가고 산소나 탄소, 규소 같은 원소는 남아서 행성 내부를 형성한다. 철처럼 무거운 원소는 지구의 핵 속으로 침전하면서, 주로 규소와 산소로 만들어진 지각을 남긴다.

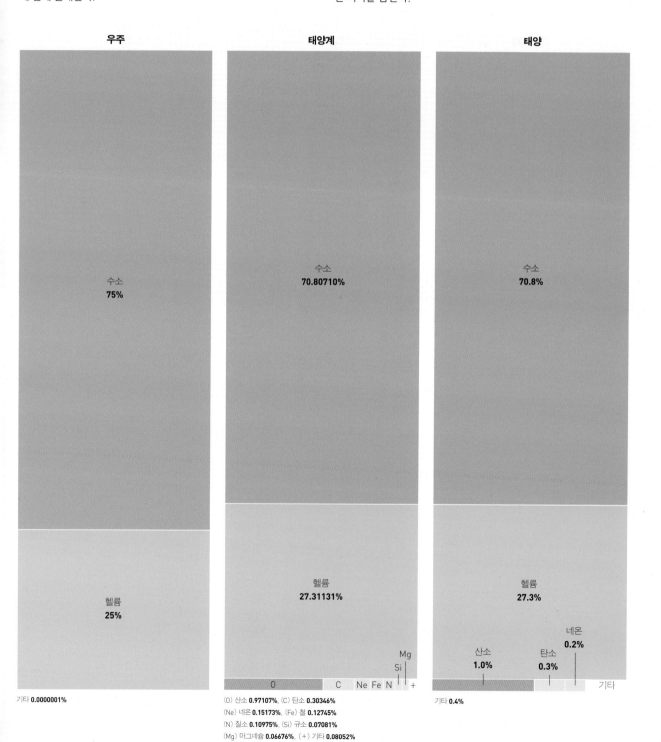

우주

수소
75%

헬륨
25%

기타 0.0000001%

태양계

수소
70.80710%

헬륨
27.31131%

Mg
Si
O   C   Ne Fe N   +

(O) 산소 **0.97107%**, (C) 탄소 **0.30346%**
(Ne) 네온 **0.15173%**, (Fe) 철 **0.12745%**
(N) 질소 **0.10975%**, (Si) 규소 **0.07081%**
(Mg) 마그네슘 **0.06676%**, (+) 기타 **0.08052%**

태양

수소
70.8%

헬륨
27.3%

네온
0.2%

산소
1.0%

탄소
0.3%

기타

기타 **0.4%**

대양은 소행성과 혜성이 충돌하면서 지표면으로 일부 가벼운 원소가 되돌아와 생성된 것으로 보인다. 우리는 우리 행성과 똑같은 원소로 구성되어 있다. 단지 구성 비율이 약간 다를 뿐이다. 우리의 DNA는 탄소, 산소, 질소, 수소, 인으로 만들어진다. 그리고 칼슘은 튼튼한 뼈를 이루는 핵심 성분이다. 수소를 제외하면, 이 모든 원소는 별에서 만들어졌다. 우리는 진짜로 별이 남긴 티끌stardust이다!

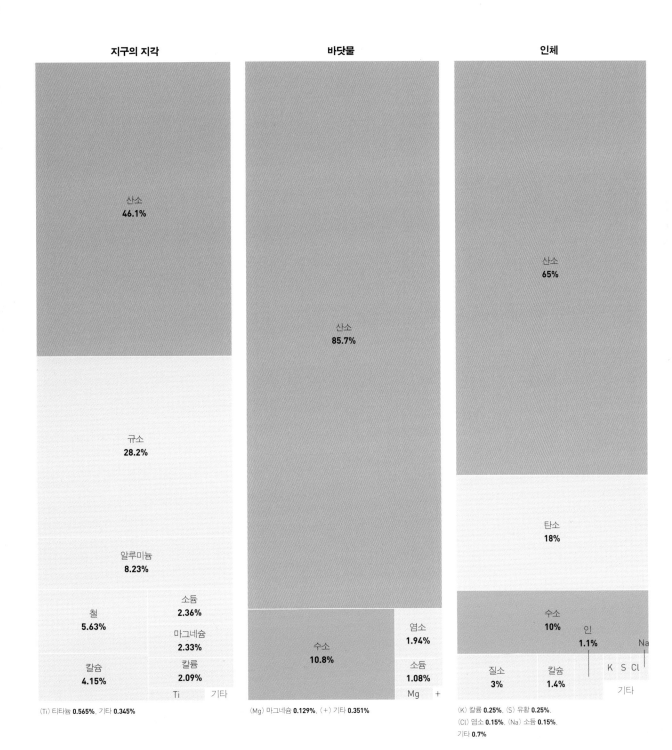

지구의 지각

산소
46.1%

규소
28.2%

알루미늄
8.23%

철
5.63%

소듐
2.36%

마그네슘
2.33%

칼륨
2.09%

칼슘
4.15%

Ti   기타

(Ti) 티타늄 0.565%, 기타 0.345%

바닷물

산소
85.7%

수소
10.8%

염소
1.94%

소듐
1.08%

Mg   +

(Mg) 마그네슘 0.129%, (+) 기타 0.351%

인체

산소
65%

탄소
18%

수소
10%

인
1.1%

Na

질소
3%

칼슘
1.4%

K S Cl

기타

(K) 칼륨 0.25%, (S) 유황 0.25%.
(Cl) 염소 0.15%, (Na) 소듐 0.15%.
기타 0.7%

하루는 얼마나 길까

오늘 하루가 평소보다 길게 느껴졌는가? 어쩌면 정말로 그랬을지도 모른다. 표준일standard day은 지구가 한 번 자전하는 시간으로 정의하며, 8만 6,400초다. 그러나 지구가 항상 일정하게 회전하지는 않는다. 지구는 어느 때는 약간 더 빠르게, 또 어느 때는 약간 더 느리게 회전할 수 있다. 예컨대 2004년에 인도네시아에서 일어난 지진은 지

각 판의 커다란 부분을 약간 안쪽으로 움직이게 했는데, 그 결과 하루가 2.7마이크로초만큼 짧아졌다. 반대로 달의 영향으로 발생하는 조수는 지구의 자전을 미세하게 느리게 해서, 1년에 약 15~20마이크로초만큼 하루를 길어지게 한다. 국제지구자전좌표국International Earth Rotation and Reference Systems Service, IERS의 지구안내센터Earth Orientation Centre는

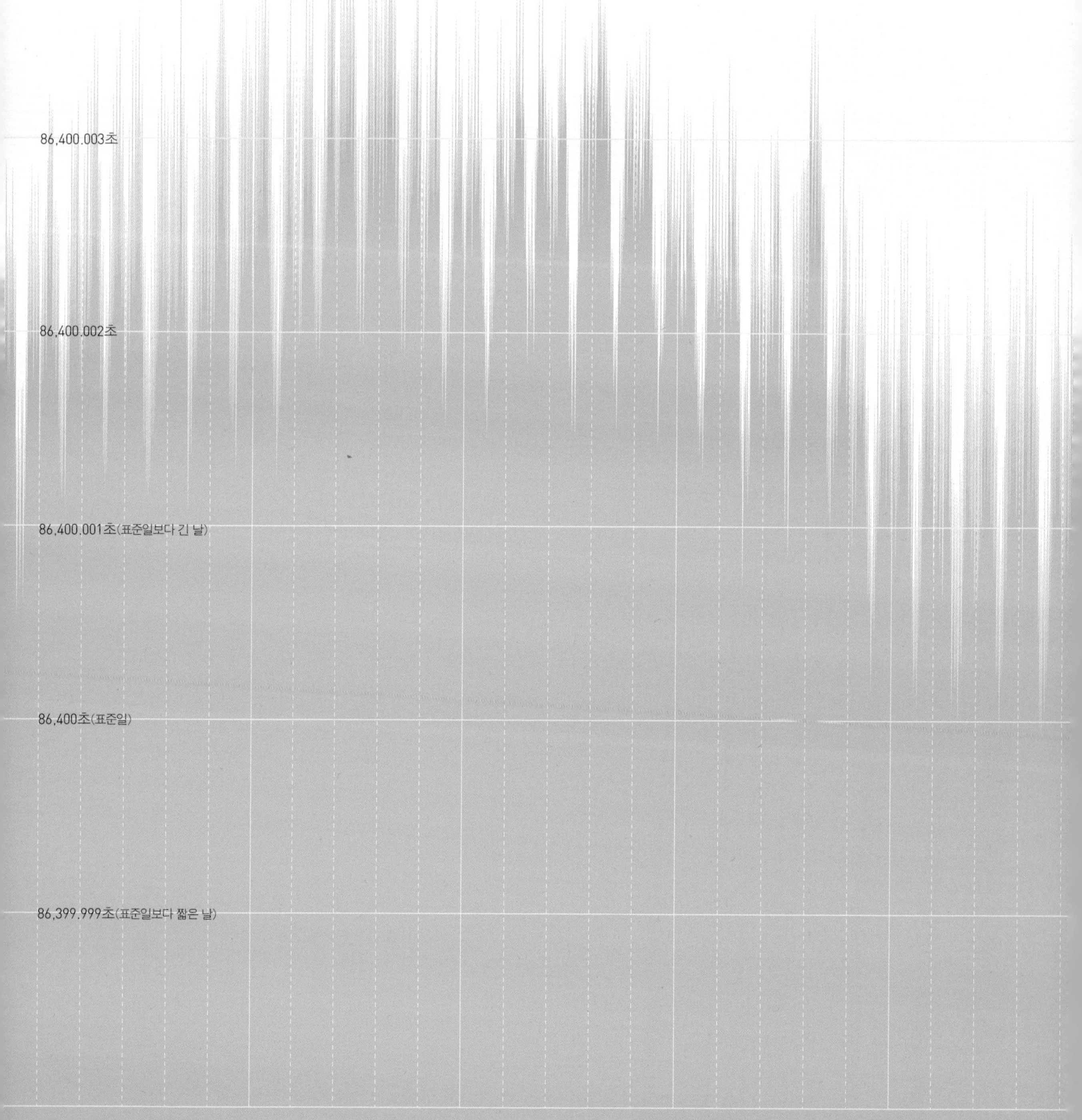

86,400.003초

86,400.002초

86,400.001초(표준일보다 긴 날)

86,400초(표준일)

86,399,999초(표준일보다 짧은 날)

1970   1975   1980   1985

멀리 떨어진 퀘이사의 전파 관측 자료와 원자시계를 이용하여 하루의 정확한 길이를 측정하며, 그 기간별 추이 자료를 공개한다. 수십 년에 걸쳐 일어나는 변화의 원인은 지구의 핵에서 일어나는 작용으로 추정된다. 2년보다 짧은 기간에 걸쳐 일어나는 변화는 대부분 대기가 지구의 자전에 미친 영향 때문에 나타난다.

기록상 가장 길었던 날은 1972년 4월 12일이었는데, 표준일보다 4.36밀리초만큼 더 긴 하루였다. 하루가 표준일보다 1밀리초 남짓 길어지는 날들은 시간이 지나면서 서서히 누적된다. 수백 일이 지나고 나면, 하루는 1초만큼 잘못될 것이다. 원자 시간과 지구의 시간을 맞추고자 우리는 때때로 윤초를 더한다. 1972년 이래로 국제지구자전좌표국은 총 26초의 윤초를 더했다(마지막으로 윤초가 추가된 날은 2015년 6월 30일이다.).

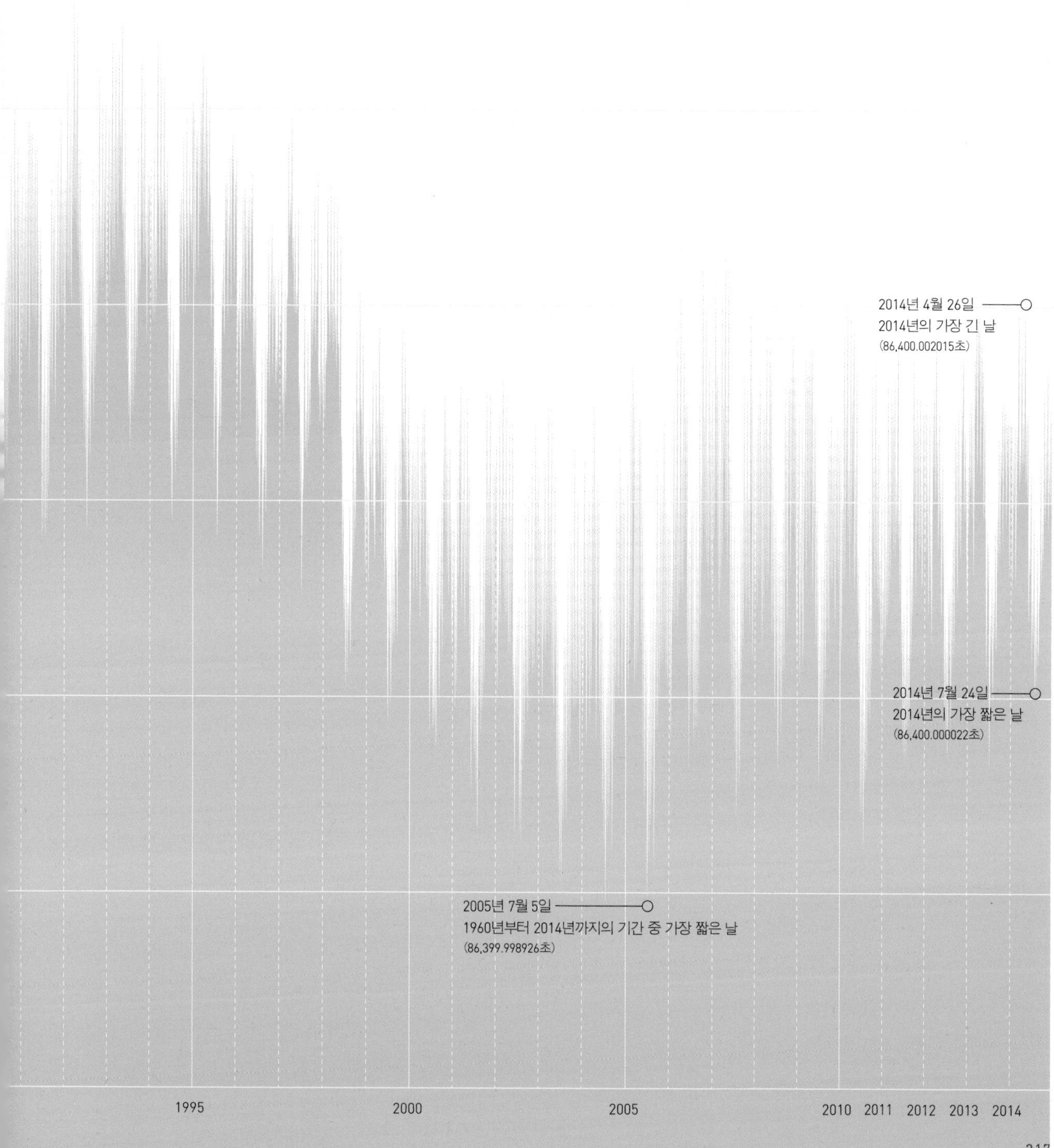

2014년 4월 26일 ——○
2014년의 가장 긴 날
(86,400.002015초)

2014년 7월 24일 ——○
2014년의 가장 짧은 날
(86,400.000022초)

2005년 7월 5일 ——○
1960년부터 2014년까지의 기간 중 가장 짧은 날
(86,399.998926초)

1995   2000   2005   2010 2011 2012 2013 2014

기확인비행물체 Identified flying objects

우리는 모두 하늘에서 척 봐도 이상한 물체를 본 적이 있다. 금성이나 국제우주정거장, 중국 등불 같은 평범한 물체도 처음 보는 사람의 눈에는 아주 불가사의하게 보인다. 사람들은 때때로 현지의 관측소나 대학교의 천문학부, 심지어 경찰서에 전화를 걸어 자신이 본 물체가 무엇인지 알아내려고 한다. 대개는 몇 가지 질문이나 약간의 연역적 추론과 함께 소거법을 거치면 그 미확인비행물체가 무엇일 가능성이 높은지 설명할 수 있다. 진실은 분명 저 너머에 있다. 끽해야 조명을 받은 갈매기겠지만 말이다.

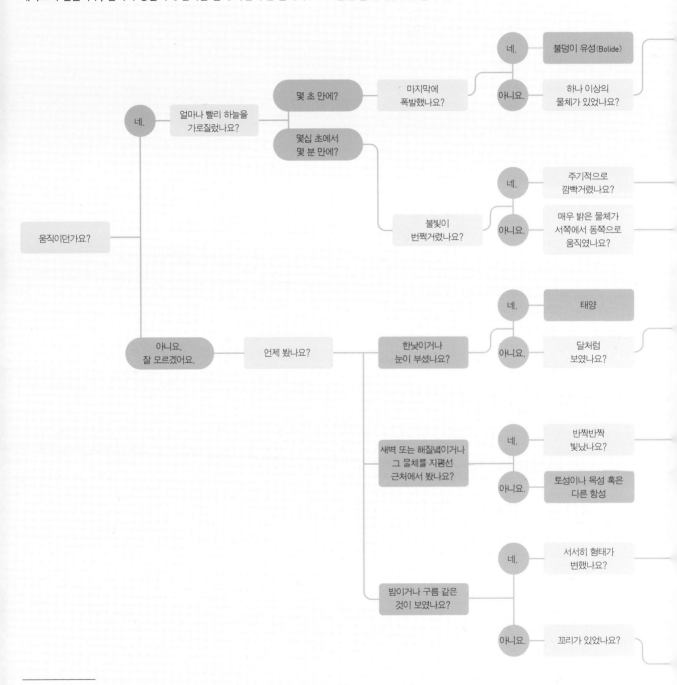

- sundog. 지평선 부근에서 나타나는 작은 무지개 – 옮긴이
- circumzenithal arc. 천정 부근에 무지개처럼 보이는 빛의 띠가 나타나는 현상 – 옮긴이

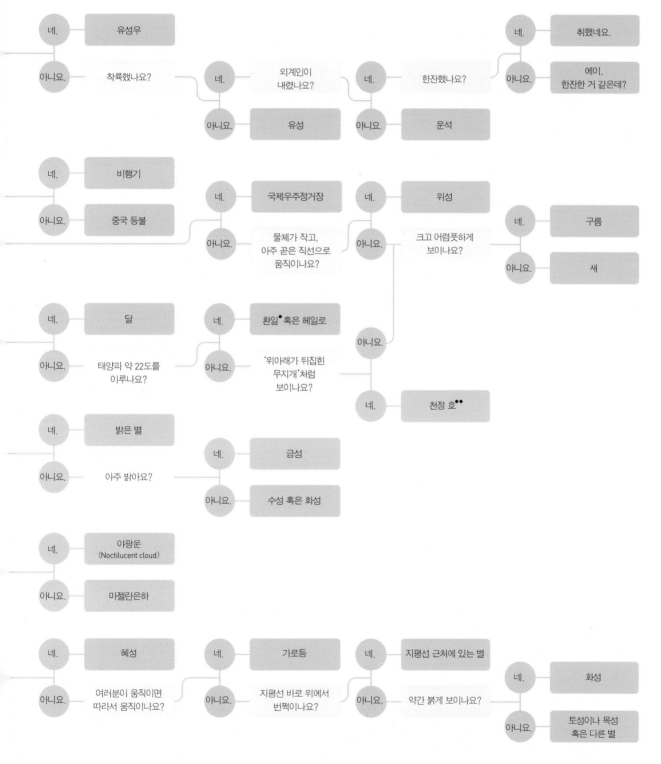

메시에 천체 목록

열네 살에 파리로 이사를 온 샤를 메시에^{Charles Messier}는 훗날 천문학자가 되었다. 메시에는 새로운 혜성을 찾고 싶었지만, 실제로는 성운이나 성군 같은 흐릿한 물체를 자주 재발견하곤 했다.

이런 물체에 시간을 낭비하고 싶지 않았던 메시에는 직접 이들의 위치를 담은 목록을 만들었다. 메시에 천체 목록^{Messier catalogue}은 그가 관찰하고 싶지 않은 물체를 적은 간단한 목록이지만, 오랫동안 살아남은 메시에의 유산이 되었다.

✳ 성군

◇ 산개성군

◆ 구상성군

◎ 성운

⊗ 초신성 잔해

⬤ 은하

↻ 나선은하

↺ 막대은하

🍃 타원은하

⅋ 상호작용은하(interacting galaxy)

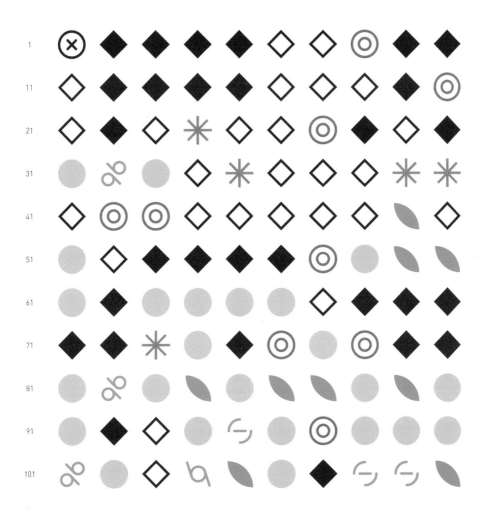

신판 일반 목록

19세기 후반 왕립천문학회Royal Astronomical Society는 존 드레이어John Dreyer에게 성운과 성군의 신판 일반 목록New General Catalogue, NGC을 작성해달라고 요청했다. 신판 일반 목록은 과거의 여러 천체 목록과 세계 각국의 천문학자들이 다양한 망원경을 써서 관측한 자료를 망라하여 정리한 거대한 목록이었다.

신판 일반 목록은 천체를 위치각에 따라 정리했으므로, 인접한 항목은 같은 밤 시간대에 보통 함께 관측할 수 있다. NGC 1,700번에서 2,500번까지와 NGC 6,300번에서 7,100번까지의 항목은 은하계 평면을 따라 흩어져 있으므로, 다른 부분보다 성군과 성운이 훨씬 많다. 목록을 출판한 이후 거의 60개의 천체가 존재하지 않는 것으로 밝혀졌다. 이들은 사라졌거나 실수로 기재한 천체다.

✕ 항성
✳ 성군
◇ 산개성군
◆ 구상성군
◎ 성운
⊗ 초신성 잔해
● 은하
ฦ 나선은하
〜 막대은하
🌰 렌즈상은하
🍃 타원은하
& 상호작용은하
　사라졌거나 존재하지 않는 항목

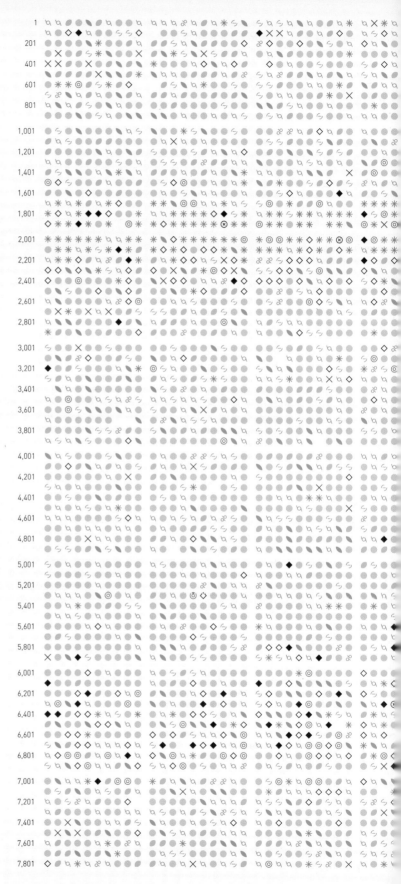

천문학의 이름 없는 영웅

천문학적 발견으로 이름을 날린 천문학자는 거의 없다. 이들은 우주
에 관한 우리의 지식을 넓혀줬지만, 상대적으로 잘 알려지지 않았다.

사모스의 아리스타르코스
Aristarchus of Samos
기원전 310~230년

그리스의 천문학자로 태양을 태양계의 중심에 둔
모형을 최초로 제시한 사람이다. 또한 별이 또
다른 태양이라고 제안하기도 했다. 아리스타르코스
는 달과 태양 사이의 상대 거리를 측정하려고
시도했다.

토머스 해리엇
Thomas Harriot
1560~1621년

영국의 천문학자로 최초로 망원경으로 달을 관측한
사람이다.

마리아 마르가레테 키르히
Maria Margarethe Kirch
1670~1720년

독일의 천문학자로 북극광이라고도 하는 오로라
(Aurora Borealis)와 행성의 합(conjunction)에 관해
연구하며, 달력을 만들었다. 남편에게 공을 빼앗기기
하지만, 여성 최초로 혜성을 발견했다.

캐럴라인 허셜
1750~1848년

자신의 이름으로 혜성을 발견한 최초의 여성으
로 총 여덟 개의 혜성을 발견했다. 1787년에는 천
문학 조수로서 국왕 조시 3세(George Ⅲ)에게 봉급
을 받았다.

존 구드리크
John Goodricke
1764~1786년

네덜란드·영국의 천문학자로 자신이 관측한 변광
성 알골(Algol)의 주기를 설명하고자 식쌍성(eclips-
ing binary star)이라는 개념을 제시했다.

위르뱅 르베리에
Urbain Le Verrier
1811~1877년

르베리에는 천왕성의 궤도에서 나타나는 섭동 현
상(perturbation)을 연구했다. 르베리에는 계산을 통
해 미지의 천체가 섭동 현상을 일으킨다고 결론을
내리고, 그 천체의 추정 위치를 베를린천문대에 있
는 요한 갈레(Johann Galle)에게 보냈다. 갈레는 관
측을 시작한 지 채 한 시간도 지나지 않아 해왕성
을 발견했다.

안젤로 세키
Angelo Secchi
1818~1878년

이탈리아의 천문학자로 햇빛의 스펙트럼을 연구하
고자 단평 태양망원경(Spectrohelioscope)을 발명했
다. 세키는 일식 동안에 관찰한 홍염(prominence)
이 태양의 일부임을 증명했다. 또한 세 개의 혜성
을 발견하고, 최초로 화성에 운하(canali)가 있다
고 묘사했다.

윌리아미나 플레밍
Williamina Fleming
1857~1911년

미국·영국의 천문학자로 당시에 알려진 신성
(Nova)의 40퍼센트를 발견했다.

애니 점프 캐넌
1863~1941년

미국의 천문학자로 별을 O, B, A, F, G, K, M 등급
으로 구분하는 항성 분류 체계를 만들었다.

애니 러셀 마운더
Annie Russell Maunder

1868~1947년

아일랜드의 천문학자로 왕립그리니치천문대(Royal Observatory Greenwich)에서 태양을 관찰했다. 마운더는 일식 사진 촬영의 전문가로, 남편과 함께 오늘날 '마운더 극소기(Maunder Minimum)'라고 알려진 흑점의 수가 가장 적었던 시기를 발견했다.

헨리에타 스완 레빗
Henrietta Swan Leavitt

1868~1921년

미국의 천문학자로 세페이드형 변광성을 발견하여 우주를 측정하는 표준촉광을 제공했다.

조르주 르메트르
Georges Lemaître

1894~1966년

벨기에의 우주론자이자 성직자로 우주가 팽창하고 있다는 의견을 냈다. 르메트르는 최초로 허블 상수(Hubble constant)를 계산하고, 우주는 과거 어느 시점에선가 일어난 폭발에서 시작되었다고 주장했다.

프리츠 츠비키
Fritz Zwicky

1898~1974년

스위스의 천문학자로 천문학의 다양한 분야에 발자취를 남겼다. 총 123개의 초신성을 발견하며, 심지어 초신성이라는 말을 만드는 데도 공헌했다. 츠비키는 중력렌즈가 최초로 발견되기 42년 전에 은하단의 중력 때문에 나타나는 현상인 중력렌즈의 존재를 예측했다. 또한 암흑 물질이 미치는 영향을 처음으로 관측한 사람이기도 하다.

세실리아 페인가포슈킨
Cecilia Payne-Gaposchkin

1900~1979년

스물다섯 살 먹은 학생이었던 페인가포슈킨은 박사 학위 논문에서 태양과 항성, 우주가 대부분 수소로 구성되어 있다고 주장했다. 처음에는 논문 심사에서 탈락하지만, 훗날 페인가포슈킨이 옳았음이 증명되었다.

루비 페인스콧
Ruby Payne-Scott

1912~1981년

호주의 천문학자로 최초의 여성 전파천문학자였다. 태양을 광범위하게 연구하며, 다양한 종류의 태양 전파 폭발(Solar Radio Burst)을 발견했다. 페인스콧은 최초의 전파간섭계를 만드는 데 큰 역할을 했다.

그로트 레버
Grote Reber

1911~2002년

미국의 천문학자로 최초로 현대적인 파라볼라 안테나 전파망원경(parabolic antenna radio telescope)을 발명했다. 레버는 은하를 식별하는 최초의 전파 지도를 제작하고, 카시오페이아자리A와 백조자리A(Cygnus A) 같은 천체를 발견하기도 했다.

낸시 그레이스 로먼
Nancy Grace Roman

1925년생

미국의 천문학자로 나사 최초의 천문부 부장이었다. 로먼은 태양관측소 세 곳과 인공위성 석 대의 건설을 감독했다. 초창기부터 허블우주망원경 계획과 그 설계에 관여했다. 허블의 어머니로 불린다.

비어트리스 틴슬리
Beatrice Tinsley

1941~1981년

뉴질랜드의 천문학자로 항성과 은하를 연구했다. 텍사스대학교(University of Texas)에서 겨우 2년 만에 박사 학위를 마쳤다. 틴슬리의 논문은 은하의 진화에 관한 후속 연구 상당수의 기초가 되었다. 틴슬리는 경력 내내 광범위한 주제를 연구했다.

참고 자료

12 / Design a Space Telescope,
Cardiff University, Wales

14 / Beischer, DE; Fregly, AR (1962) US
Naval School of Aviation Medicine /
Encyclopedia Astronautica / Dr.Kenichi IJIRI /
Witt, P.N., et al. 1977 J. Arachnol. 4: 115-
124 / National Space Science Data Center,
NASA / Spangenberg et al. Adv Space Res.
1994;14(8):317-25 / Szewczyk, N.J. et al,
Astrobiology, Volume 5, Issue 6, pp.
690-705 / ESA.

16 / NASA Information Summaries Astronaut
Fact Book / www.spacefacts.de / NASA History
Office.

18 / NASA Information Summaries
Astronaut Fact Book / spacefacts.de /
NASA History Office.

20 / Bioastronautics Data Book: Second
Edition. NASA SP-3006 / From Quarks to
Quasars.

22-24 / Jonathan's Space Report planet4589.
org.

26 / Catalogue of Space Debris, U.S. Space
Surveillance Network (October 2014)
orbitaldebris.jsc.nasa.gov.

28 / NASA Reference Guide to the International
Space Station / China Manned Space
Engineering.

30 / Apollo 11 Press Kit (69-83K).

32 / Catalogue of Manmade Material on the
Moon, NASA History Program Office, 7-05-12.
/ Apollo 11 Traverses map prepared by the U.S.
Geological Survey and published
by the Defense Mapping Agency for NASA.
/ NASA's Lunar Reconnaissance Orbiter.

34 / Wikipedia / moon.luxspace.lu.

36 / The Expensive Hardware Lob,
David Gore.

38 / JPL Horizons, Giorgini, J.D. et al, 'JPL's
On-Line Solar System Data Service', Bulletin of
the American Astronomical Society 28(3), 1158
(1996).

40 / NASA HQ / zarya.info / Unmanned
Spaceflight.com / NASA Mars Exploration
Rovers / curiositylog.com.

44 / David A. Weintraub,
Is Pluto A Planet? (2007).

48 / Solar System Exploration, NASA.

50 / JPL Solar System Dynamics / Solar System
Exploration, NASA / Moons of Jupiter/Moons
of Saturn/Moons of Uranus/Moons of Neptune,
Wikipedia / David A. Weintraub, Is Pluto A
Planet? (2007).

52 / Eclipse Predictions by Fred Espenak
(NASA's GSFC) / Felix Verbelen.

54 / IAU Working Group for Planetary System
Nomenclature. 'Gazetteer of Planetary
Nomenclature.' / Nature 453, 1212-1215 (26
June 2008) / McGill, J. Geophys. Res., 94(B3),
2753–2759 (1989) / Oshigami & Namiki, Icarus,
Volume 190, Issue 1, p. 1-14, Sep 2007 / NASA
Dawn.

56 / D. Smith et al. (2012) Science, 336, 214 /
A. Aitta (2012) Icarus, 218, 967 / A. Dziewonski
& D. Anderson (1981), Physics of the Earth
and Planetary Interiors, 25, 297 / A. Rivoldini
et al. (2011) Icarus, 213, 451 / T. Guillot et al.
(1997), Icarus, 130, 534 / W. Hubbard et al.
(1991), Science, 253, 648 / R. Weber et al. (2011),
Science, 331, 309 / J. Anderson et al. (2012),
J. Geophys. Res., 106, 32963 / O. Kuskov & V.
Konrod (2005), Icarus, 177, 550 / S. Vance et al.
(2014), Planetary and Space Science, 96, 62 / G.
Tobie et al. (2005), Icarus, 175, 496.

58 / COSPAR International Reference
Atmosphere / T. Cavalié et al. (2008) A&A
489, 795 & 'An introduction to Planetary
Atmospheres' (Agustin Sanchez-Lavega) /
Lellouch et al. (1988) Icarus 79, 328 / Cassini/

CIRS (L. N. Fletcher et al. (2009) Icarus 202, 543
/ Orton, G. et al. (2014) Icarus 243, 494 / L.N.
Fletcher et al. (2010) A&A 514, A17.

60 / Solar System Exploration, NASA.

62 / 1999 European Asteroidal Occultation
Results / Baer & Chesley (2008) / Belton et al
(1996) / Braga-Ribas et al (2014) / Carry (2012) /
Conrad (2007) / Descamps et al (2008) / IRAS /
JPL Horizons, Giorgini, J.D. et al, 'JPL's On-Line
Solar System Data Service', Bulletin of the
American Astronomical Society 28(3), 1158
(1996) / Kaasalainen et al Icarus 159 369–395
(2002) / Marchis et al (2005) / Merline et al
(2013) / Millis et al (1984) / Müller & Blommaert
(2004) / RASNZ Occultation Section / Russell
et al (2012) / Schmidt et al (2008) / Shepard
et al (2008) / Sierks et al (2011) / Storrs et al
(1999) / Storrs et al (2005) / Tedesco et al (2002)
/ Thomas et al (1994) / Thomas et al (1996) /
Thomas et al (2005) / Torppa et al (2003).

64 / IAU Minor Planet Center
minorplanetcenter.net/.

66 / JPL Small-Body Database Browser.

68 / IAU Minor Planet Center
minorplanetcenter.net / EARN NEA Database,
maintained at the Institute of Planetary
Research of the DLR, Berlin, Germany by G. J.
Hahn.

70 / Catalogue of Meteorites, Natural
History Museum, London.

72 / NASA / JPL-Caltech / UMD / NASA
Stardust / Planetary Society / ESA Giotto / SETI
Institute / NASA Comet Quest.

74 / IAU Minor Planet Center
minorplanetcenter.net/.

76 / David Levy's Guide to the Night Sky, David
H. Levy / 'The Comets of Caroline Herschel
(1750-1848), Sleuth of the Skies at Slough',
Olson & Pasachoff, Culture and Cosmos,
Vol. 16, nos. 1 and 2, 2012 / Biographical

Encyclopedia of Astronomers.

78 / Minor Planet Physical Properties Catalogue / IAU Minor Planet Center minorplanetcenter. net/.

82 / Kominami & Ida (2002) / Levison et al (2008) / Zwart (2009) arXiv:0903.0237 / Solar System Exploration, NASA / Cox & Loeb (2008) / Sackmann, Boothroyd & Kraemer (1993).

84 / Using ST:TOS formula of speed/c = warp^3.

88 / Observatory web sites.

90 / Reimer et al, A&A 424, 773–778 (2004) / Lord, S. D., 1992, NASA Technical Memorandum 103957 / Gemini Observatory / UKIRT/JAC / SMA/ Harvard-CfA.

92-102 / Observatory web sites.

108 / BASS2000, Paris Observatory, Delbouille, Neven and Roland, 1972.

110 / SILSO data, Royal Observatory of Belgium, Brussels.

112 / ROG/USAF/NOAA Sunspot Data solarscience.msfc.nasa.gov/.

114 / The 'X-ray Flare' dataset was prepared by and made available through the NOAA National Geophysical Data Center (NGDC).

116 / JPL Horizons, Giorgini, J.D. et al, 'JPL's On-Line Solar System Data Service', Bulletin of the American Astronomical Society 28(3), 1158 (1996).

120-192 / VirtualSky, LCOGT lcogt.net/virtualsky.

124 / VirtualSky, LCOGT lcogt.net/virtualsky / Perryman et al, The Hipparcos Catalogue, A&A, 323, L49-52 (1997) / van Leeuwen, A&A, 474, 2, pp.653-664 (2007) / Harper, Brown & Guinan, AJ, 135, 4, pp 1430-1440 (2008).

126 / Harrington & Dahn, AJ, Vol. 85, p. 454-465

(1980) / Matthews, QJRAS, Vol. 35, p. 1-9 (1994) / Nidever et al, ApJS, Vol. 141, Issue 2, pp. 503-522 / Salim & Gould, ApJ, Vol. 582, Issue 2, pp. 1011-1031 / Lépine & Shara, AJ, Vol. 129, Issue 3, pp. 1483-1522 / Gontcharov, Astronomy Letters, Vol. 32, Issue 11, p.759-771 / van Leeuwen, A&A, Vol. 474, Issue 2, November I 2007, pp.653-664 / Gatewood, AJ, Vol. 136, Issue 1, p. 452 (2008) / Jenkins et al, ApJ, Vol. 704, Issue 2, pp. 975-988 (2009) / Koen et al, MNRAS, Vol. 403, Issue 4, pp. 1949-1968 (2010) / Lurie et al, AJ, Vol. 148, Issue 5, article id. 91, 12 pp. (2014).

128 / VirtualSky, LCOGT lcogt.net/virtualsky / van Leeuwen, A&A, 474, 2, pp.653-664 (2007) / Zacharias et al, VizieR On-line Data Catalog: I/322A (2012) / Roeser & Bastian, A&A Supp, 74, 3, pp. 449-451 (1988) / Perryman et al, The Hipparcos Catalogue, A&A, 323, L49-52 (1997) / Høg et al, A&A, 355, pp. L27-L30 (2000).

130 / Perryman et al, The Hipparcos Catalogue, A&A, 323, L49-52 (1997).

132 / Nordgren et al, AJ, 118, 6, pp. 3032-3038 (1999) / Ramírez & Allende Prieto, ApJ, 743, 2, pp 14 (2011) / Richichi & Roccatagliata, A&A, 433, 1, pp. 305-312 (2005) / David Darling Encyclopedia of Science / Moravveji et al, ApJ, 747, 2, pp. 7 (2012) / spacemath.gsfc.nasa.gov / Schiller & Przybilla, A&A, 479, 3, pp. 849-858 (2008) / Najarro et al, ApJ, 691, 2, pp. 1816-1827 (2009) / Perrin et al, A&A, 418, pp. 675-685 (2004) / Smith, Hinkle & Ryde, AJ, 137, 3, pp. 3558-3573 (2009) / Arroyo-Torres et al, A&A, 554, p 10 (2013).

134 / Doyle & Butler, A&A, 235, 1-2, pp. 335-339 (1990) / Demory et al, A&A, 505, 1, pp. 205-215 (2009) / Kervella et al, A&A, 488, 2, pp. 667-674 (2008) / Linsky et al, ApJ, 455, p 670 (1995) / Dieterich et al, AJ, 147, 5, p 25 (2014).

136 / ESO Library of Stellar Spectra, A.J. Pickles, PASP 110, 863 (1998).

138 / Nearby stars, Preliminary 3rd Version (Gliese+ 1991) / Tycho-2 Catalogue, Hog et al,

A&A, 355, L27 (2000).

140 / LCOGT lcogt.net/siab / Hurley et al, MNRAS, Vol. 315, Issue 3, pp. 543-569 (2000).

142 / Asiago supernova catalogue, Barbon, R., Buondì, V., Cappellaro, E., Turatto, M. 2010 VizieR Online Data Catalog, 1, 2024 / Central Bureau for Astronomical Telegrams Supernovae List (IAU, Smithsonian Astrophysical Observatory).

144 / ATNF Pulsar Catalogue, Manchester, R. N., Hobbs, G. B., Teoh, A. & Hobbs, M., The Astronomical Journal, Volume 129, Issue 4, pp. 1993-2006 (2005).

146 / Burbidge, Burbidge, Fowler & Hoyle, Rev. Mod. Phys. 29, 547 (1957).

148 / N. Capitaine et al A&A, 412, 567 (2003) / J. Lieske et al. A&A, 58, 1 (1977) / VirtualSky, LCOGT lcogt.net/virtualsky.

152 / VirtualSky, LCOGT lcogt.net/virtualsky.

154 / Fermi (NASA) / IRAS (NASA) / Planck Collaboration (ESA) / ROSAT (MPE/DLR) / Chromoscope.net.

156 / ESA / Planck Collaboration (2015).

158 / NASA / JPL-Caltech / Robert Hurt, Spitzer Science Center / NASA Fermi.

160 / McCall, MNRAS (2014) 440 (1): 405-426.

162 / Uses the 30,000 lowest redshift galaxies from the 2MASS Redshift Survey. Huchra, et al., The 2MASS Redshift Survey, ApJS.

164 / Hubble, E. P., Extragalactic nebulae, Astrophysical Journal, 64, 321-369 (1926) / Willett et al. (2013) data.galaxyzoo.org.

170 / Harrison, Cosmology: The Science of the Universe 2nd Ed, CUP (2000) / Plate XXI, Wright, An Original Theory of the Universe.

172 / ESA Gaia / Bothun, Modern Cosmological Observations and Problems, Taylor & Francis (1998).

174 / SDSS-III DR10 release (2014) www.sdss3.org/dr10/.

176 / Planck Collaboration / ESA / Structure inspired by the Millennium Simulation (Virgo Consortium).

178 / Planck Collaboration / ESA.

184 / Spacebook, LCOGT.

186-192 / PHL's Exoplanet Catalog of the Planetary Habitability Laboratory @ UPR Arecibo.

194 / SETI / NRAO / Lineweaver & Davis, Astrobiology, 2, 3, pp. 293-304 (2002) / Petigura, Howard & Marcy, PNAS, 110, 48, pp. 19273-19278 (2013) .

196 / Carl Sagan, Linda Salzman Sagan & Frank Drake / NASA.

198 / Frank Drake / Carl Sagan / Arecibo Observatory, National Astronomy and Ionosphere Center (Cornell University/NSF).

200 / PHL's Exoplanet Catalog of the Planetary Habitability Laboratory @ UPR Arecibo.

202 / gizmodo.com / New Scientist / National Geographic / Zaitsev arXiv:physics/0610031.

206 / UCLA Galactic Center Group, W.M. Keck Observatory Laser Team / NASA, ESA & John Richard (Caltech, USA) / F. Dyson, A. Eddington & C. Davidson (1920) Phil. Trans. Roy. Soc., 220, 291 / JPL Horizons, Giorgini, J.D. et al, 'JPL's On-Line Solar System Data Service', Bulletin of the American Astronomical Society 28(3), 1158 (1996) / Robert A. Brauenig www.braeunig.us/apollo/apollo11-TLI.htm.

208 / APOD created by Robert Nemiroff (MTU) & Jerry Bonnell (UMCP) / strudel.org.uk/lookUP / SIMBAD database / NASA/IPAC Extragalactic Database / SkyBoT / CBAT Supernova List / RAS of Canada Constellation List / IAU Minor Planet Center.

210 / Planetary Society / Porco et al. Science 311 1393 (2006) / Jet Propulsion Laboratory (europa.jpl.nasa.gov) / ISRO's Chandrayaan-1 & NASA / Lawrence et al., Science 339 292 (2013) / Christensen. GeoScienceWorld Elements 3 (2): 151–155 (2006).

212 / American Geophysical Union / British Antarctic Survey / Container-Transportation.com / Titanic-Titanic.com / BioNumbers.com / Cornell University.

214 / CRC Handbook of Chemistry and Physics / Kaye and Laby Online (NPL) www.kayelaby.npl.co.uk / Composition of the Human Body (Wikipedia; various sources).

216 / Earth Orientation Center of the IERS.

220 / SIMBAD database / NASA/IPAC Extragalactic Database.

222 / Dreyer, J. L. E., Memoirs of the RAS, 49, p. 1 / SIMBAD database / NASA/IPAC Extragalactic Database.

감사의 말

이 책을 집필하면서 우리는 다양한 출처의 데이터에 의존했다. 특히 데이터 사용을 허가해준 캐런 매스터스 박사(포츠머스대학교), 아벨 멘데스 박사(아레시보의 푸에르토리코대학교), 루시 그린 박사(런던대학교), 크리스 스콧 박사(레딩대학교), 라이언 밀리건 박사(벨파스트 퀸스대학교, 미국 가톨릭대학교, 나사 고더드우주비행센터)에게 감사한다. 거대 가스 행성의 개요도는 레이 플레처 박사(옥스퍼드대학교)가 호의로 제공해주었다. 소행성의 이름을 분류하는 데 도움을 준 프란치스카 배튼, 벤 플랫맨, 로베르트 모리츠, 크리스틴, 엘리자베스 배텐, 제드, 아르연 판덴베르흐, 소피 워드, 조지 윌리엄스, 플래닛4589, 조지나 맥게리, 레어 아르카비, 아르만 타지리시, 알레크스, 매튜 스탠딩, 브루크, 앤디 하월, 알렉스 메러디스, 레온, 키리아코, 스텔리오스, 에드워드 고메즈, 안디 자하이, 베르나르도, 벤자민 매글리오, 애니, 제이크, 드루, 마거릿, 에뮤, 캠스에게 깊은 감사를 표한다. 자기장의 구조는 마크·앙투안 미빌·드샨느(파리 천체물리학연구소)와 지에구 파우세타·공카우베스(세인트앤드루스대학교)가 만든 이미지를 기초로 만들었다. 우리는 다양한 천문학 데이터베이스를 최대한 활용했다. 여기에는 스카이봇 프로젝트(프랑스 교육부와 프랑스 국립과학연구센터의 후원으로 설립), 외계 행성 백과사전(장 슈니데어, 프랑스 국립과학연구센터와 LUTH·파리천문대), 국제천문연맹 산하 CBAT의 초신성 목록(국제천문연맹, 스미스소니언천체물리학관측소), 캐나다왕립천문학회의 별자리 목록(래리 맥니시), 소행성체·혜성 위치 추정 서비스(국제천문연맹 소행성체센터), NASA·IPAC 은하 외 물체 데이터베이스(나사와 계약 하에 JPL과 캘리포니아공과대학이 운영), SIMBAD 데이터베이스(프랑스 스트라스부르천문학자료센터) 등이 포함된다.

데이터의 분석과 시각화에 큰 도움을 준 다양한 소프트웨어에도 감사의 말을 전한다. 여기에는 출판용 그래픽 품질 향상을 위한 파이선 라이브러리인 매트플롯립Matplotlib(Hunter, 2007)과 커뮤니티가 개발한 천문학용 파이선 코어 패키지 아스트로피Astropy(Astropy Collaboration, 2013), 힐픽스HEALPix (K. Górski 외, 2005, ApJ, 622, 759)와 힐피Healpy, WCS툴 패키지(Jessica Mink, 스미스소니언천체물리학관측소), 피에펨PyEphem, LCOST의 버추얼스카이VirtualSky, 프랑스 스트라스부르천문학자료센터의 비지에르VizieR 천체 목록 접속 도구, 라파엘Raphaël JS 라이브러리 등이 포함된다. 이번 프로젝트에서는 공동 작업이 많았는데, 깃허브 사이트GitHub.com를 이용하여 훨씬 원활하게 작업할 수 있었다.

디자이너 마크 매코믹의 방대한 작업이 없었더라면 이 책은 절대 완성되지 못했을 것이다. 고마워, 마크! 파운디드Founded에 소속된 모든 디자이너에게도 감사를 표한다. 지원을 아끼지 않은 오럼출판사Aurum Press 소속의 멜리사 스미스와 교정을 봐준 레슬리 맬킨에게도 감사의 말씀을 전한다.

마지막으로(절대 가장 적게 감사한다는 의미가 아니다!), 저자 스튜어트는 집필 과정에서 의견을 보태주고 지지를 보내준 아버지와 콜린, 로나, 에리카, 크레이그, 피터, 메간 그리고 이안에게 감사한다. 저자 크리스는 논평해준 부모님 앤과 데리 그리고 형제 앤디에게 감사한다. 그리고 인내심을 발휘하며 집필 과정을 도와준 개비와 클라라에게도 고맙다는 말을 전한다.

스튜어트 로와 크리스 노스는 지구에 사는 모든 사람이 우주를 이해하고 즐길 수 있는
새로운 방법을 찾으려고 머리를 굴리고 있다. 빅뱅의 메아리를 추적하기 위해 발사한
플랑크 위성 프로젝트에서 처음 만난 둘은 딱딱하고 난해한 과학 지식을 대중이 쉽게 받아들이고
이해할 수 있도록 유도하는 다양한 실험을 기획해왔다. 그들은 일반 시민이 천문학자가 되어
별의 수명주기를 측정하고 우주에 하나밖에 없는 우주망원경을 직접 설계하는 참여형 웹사이트를
고안했고, 누구든지 온라인에만 접속하면 우주의 화상을 실시간으로 볼 수 있는 웹사이트
'크로모스코프chromoscope.net'를 개발했다. 이제 사람들은 은하 너머의 먼 우주를
집이나 사무실에 앉아 감상할 수 있게 되었다. 정교하고 아름다운 인포그래픽으로 우주를 그려낸
『코스모스 인포그래픽스』는 우주에 미친 두 괴짜 과학자가 오랜 시간 동안 대중과 소통하며 생산한
우주와 천문학에 대한 방대한 인포그래픽 자료를 엮은 결과물이다.

스튜어트 로 Stuart Lowe
어려운 과학 지식을 꼬맹이도 이해할 수 있도록 쉽게 설명하는 우주과학자.
조드럴뱅크천문대Jodrell Bank Observatory에서 연구원으로 일했으며, 영국과 폴란드 천문대가 사용하는
전파망원경의 천문학 장치를 공동 개발했다. 맨체스터대학교 연구원 재직 시절에는
유럽우주국European Space Agency, ESA과 함께 플랑크 위성 작업에도 참여했다. 로 박사는 영국에서
가장 오랫동안 정기적으로 녹음된 천문학 팟캐스트 방송 '조드캐스트Jodcast'의 공동 창립자이며,
최근에는 라스쿰브레스글로벌망원경천문대Las Cumbres Observatory Global Telescope, LCOGT와 협력해
천문학 전문가부터 초등학교에 다니는 학생들까지 누구나 접속할 수 있는 우주과학
웹사이트를 만들었다.

크리스 노스 Chris North
온 종일 우주를 관측하며 우주에서 벌어지는 다양한 물리 현상을 탐구하는 천문학자.
현재는 허셜우주망원경팀에 소속되어 우리 은하와 전 우주에서 별들이 내뿜는 원적외선을
바라보고 있다. 카디프대학교의 물리천문학 학술연구원이기도 한 노스 박사는 대학교의
지역 봉사활동 프로그램에도 활발히 참여하면서 교사와 학생을 포함해 우주와 천문학에 관심이 있는
모든 사람에게 이야기를 전하고 있다. 우주를 관측하는 수많은 실험과 다양한 프로젝트에 참여했으며,
여러 해 동안 BBC의 〈밤하늘 쇼BBC Sky at Night〉에 정기적으로 출연해 거대한 우주의 풍경을
대중에게 전했다.

인포그래픽 총괄 디자이너 마크 매코믹 Mark McCormick
이 책의 모든 인포그래픽 디자인 작업을 총괄했다. 영국 일간지 《가디언Guardian》
그래픽팀에서 9년 동안 인포그래픽 디자이너로 일했으며, 그 뒤 영국의 그래픽디자인스튜디오
파운디드에 합류해 우주와 과학에 관한 인포그래픽 작업을 지속하고 있다.

옮긴이 김부민
대학에서는 경영학을 전공하고, 석사과정에서는 재무학을 전공했는데,
어쩌다 보니 번역가가 되어 버렸다. 논리가 살아있는 책을 논리가 살아있는 번역서로 만들고 싶다.
문학도 싫진 않지만, 역시 지식을 전하는 책을 '잘' 번역하고 싶다. 그런데 문학 번역 수업은 왜 듣고,
단편소설은 뭐하리 번역했냐고? 지식에는 양념이 필요하고, 번역에는 아름다움이 필요하니까.
『물건의 탄생』(푸른지식, 2017), 『처음, 옮기다』(엑스북스, 2017)를 우리말로 옮겼다.

그래픽 로직 012

코스모스 인포그래픽스
: 우주에 대해 알아야 할 모든 지식

초판 1쇄 발행 2018년 5월 11일
지은이 스튜어트 로, 크리스 노스
옮긴이 김부민
펴낸이 윤미정

책임편집 성기병
책임교정 김계영
홍보 마케팅 이민영
디자인 엄세희

펴낸곳 푸른지식 | 출판등록 제2011-000056호 2010년 3월 10일
주소 서울특별시 마포구 월드컵북로 16길 41 2층
전화 02)312-2656 | 팩스 02)312-2654
이메일 dreams@greenknowledge.co.kr
블로그 greenknow.blog.me
ISBN 979-11-88370-13-9 03440

＊ 잘못된 책은 바꾸어 드립니다.
＊ 책값은 뒤표지에 있습니다.

이 도서의 국립중앙도서관 출판예정도서목록(CIP)은
서지정보유통지원시스템 홈페이지(http://seoji.nl.go.kr)와
국가자료공동목록시스템(http://www.nl.go.kr/kolisnet)에서
이용하실 수 있습니다. (CIP제어번호: CIP2018012320)